INÉS DE MON ÂME

DU MÊME AUTEUR

LE PLAN INFINI, Fayard, 1994.
LA MAISON AUX ESPRITS, Fayard, 1994.
EVA LUNA, Fayard, 1995.
PAULA, Fayard, 1997.
LES CONTES D'EVA LUNA, LGF, 1998.
D'AMOUR ET D'OMBRE, LGF, 1998.
FILLE DU DESTIN, Grasset, 2000.
PORTRAIT SÉPIA, Grasset, 2001.
APHRODITE, *Contes, recettes et autres aphrodisiaques*, Grasset, 2001.
LA CITÉ DES DIEUX SAUVAGES, Grasset, 2002.
MON PAYS RÉINVENTÉ, Grasset, 2003.
LE ROYAUME DU DRAGON D'OR, Grasset, 2004.
ZORRO, Grasset, 2005.
LA FORÊT DES PYGMÉES, Grasset, 2006.

ISABEL ALLENDE

INÉS DE MON ÂME

roman

Traduit de l'espagnol (Chili)
par
ALEX ET NELLY LHERMILLIER

BERNARD GRASSET
PARIS

*L'édition originale de cet ouvrage a été publiée par Areté, Random House Mondadori,
à Barcelone, en 2006, sous le titre :*

INÉS DEL ALMA MÍA

ISBN 978-2-246-72291-5

AVERTISSEMENT NÉCESSAIRE

Inés Suárez (1507-1580), Espagnole née à Plasencia, embarquée pour le Nouveau Monde en 1537, a participé à la conquête du Chili ainsi qu'à la fondation de Santiago. Elle a eu une grande influence politique et un important pouvoir économique. Cités par les chroniqueurs de son époque, les exploits d'Inés Suárez ont été quasiment oubliés par les historiens pendant plus de quatre cents ans. Je raconte dans ces pages les faits tels qu'ils ont été rapportés, me contentant d'en élaborer la trame par un minime exercice d'imagination.

C'est une œuvre d'intuition, mais toute ressemblance avec des événements et des personnages de la conquête du Chili n'a rien de fortuit. De même, j'ai pris la liberté de moderniser la langue castillane du XVIe siècle, afin d'éviter la panique chez mes éventuels lecteurs.

I.A.

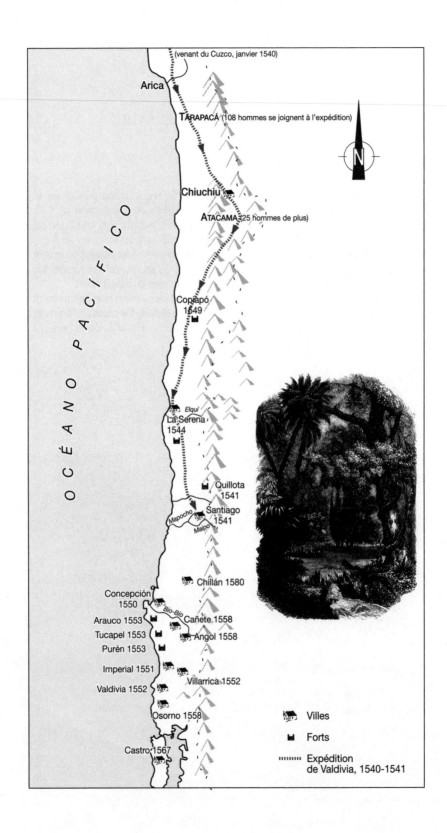

(venant du Cuzco, janvier 1540)

Arica

TARAPACÁ (108 hommes se joignent à l'expédition)

N

Chiuchiu

ATACAMA (25 hommes de plus)

Copiapó
1549

Elquí
La Serena
1544

Quillota
1541

Mapocho
Santiago
Maipo 1541

Chillán 1580

Concepción
1550
Arauco 1553   Bío-Bío   Cañete 1558
Tucapel 1553   Angol 1558
Purén 1553
Imperial 1551
Valdivia 1552   Villarrica 1552

Osorno 1558

Castro 1567

OCÉANO PACÍFICO

▟ Villes

▙ Forts

▒▒▒▒ Expédition
de Valdivia, 1540-1541

Chroniques de doña Inés Suárez, remises à l'église des Dominicains, pour leur conservation et leur protection, par sa fille, doña Isabel de Quiroga, en ce mois de décembre de l'année 1580 de Notre Seigneur.
Santiago de la Nouvelle-Estrémadure, Royaume du Chili.

Manuel Ortega, *Inés de Suárez défendant Santiago*, Musée historique national, Santiago du Chili.

Les illustrations de ce livre sont issues de l'édition de La Araucana, *d'Alonso de Ercilla, imprimerie Gaspar y Roig, Madrid, 1852.*

CHAPITRE PREMIER

Europe, 1500-1537

J E SUIS Inés Suárez, habitante de la loyale ville de Santiago de la Nouvelle-Estrémadure, dans le Royaume du Chili, en l'an 1580 de Notre Seigneur. Je n'ai aucune certitude sur la date exacte de ma naissance, mais, si j'en crois ma mère, je suis née après la famine et la terrible pestilence qui ont ravagé l'Espagne lorsque Philippe le Beau est mort. Je ne pense pas que le décès du roi ait provoqué la peste, comme le disaient les gens en voyant passer le cortège funèbre qui, pendant des jours, a laissé flotter dans l'air une odeur d'amande amère, mais sait-on jamais. La reine Jeanne, encore jeune et belle, a parcouru la Castille pendant plus de deux ans, portant d'un côté et d'autre le catafalque, qu'elle ouvrait de temps en temps pour baiser les lèvres de son mari, dans l'espoir qu'il ressuscitât. Malgré les onguents de l'embaumeur, le Beau puait. Lorsque je suis venue au monde, la malheureuse reine, folle à lier, était recluse dans le palais de Tordesillas avec le cadavre de son consort; ce qui veut dire que j'ai au moins soixante-dix hivers à mon actif et que je mourrai avant Noël. Je pourrais dire qu'une gitane, sur la rive du fleuve Jerte, a prophétisé la date de ma mort, mais ce serait l'une de ces impostures que l'on trouve souvent dans les livres et qui, étant imprimées, font figure de vérité. La gitane m'a seulement prédit une longue vie, ce qu'elles disent toutes pour une pièce de monnaie. C'est mon cœur étourdi qui m'annonce l'approche de la fin. J'ai toujours su que je mour-

13

rais vieille, paisiblement et dans mon lit, comme toutes les femmes de ma famille; c'est pour cette raison que je n'ai pas hésité à affronter de nombreux dangers, vu que personne n'est expédié dans l'autre monde avant l'heure dite. « Toi, *señoray*, tu mourras bien vieille, comme ça », me rassurait Catalina dans son affable castillan du Pérou, quand le galop de chevaux obstiné que je sentais dans ma poitrine me jetait à terre. J'ai oublié le nom quechua de Catalina et il est trop tard pour le lui demander – je l'ai enterrée dans la cour de ma maison il y a bien des années –, mais je suis absolument sûre de la précision et de la véracité de ses prophéties. Catalina est entrée à mon service dans l'antique cité du Cuzco, joyau des Incas, à l'époque de Francisco Pizarro, ce bâtard coléreux qui gardait les cochons en Espagne, à ce que disent les mauvaises langues, et qui a fini marquis gouverneur du Pérou, débordé par son ambition et de multiples trahisons. Ainsi vont les ironies en ce monde nouveau des Indes, que ne régissent point les lois de la tradition, et où tout est confusion : saints et pécheurs, blancs, noirs, mulâtres, indiens, métis, nobles et rustres. On peut se retrouver enchaîné, marqué au fer rouge et, le lendemain, d'un coup de revers, élevé par la fortune. J'ai vécu plus de quarante ans au Nouveau Monde et je ne me suis toujours pas habituée au désordre, bien que j'en aie moi-même tiré profit; si j'étais restée dans mon village natal, je serais aujourd'hui une pauvre vieille, aveugle d'avoir réalisé tant de travaux de dentelle à la lueur d'une lampe à huile. Là-bas je serais l'Inés, la couturière de la rue du Viaduc. Ici, je suis doña Inés Suárez, dame très respectable, veuve de l'excellentissime gouverneur don Rodrigo de Quiroga, conquérante et fondatrice du Royaume du Chili.

Comme je l'ai dit, j'ai au moins soixante-dix ans, et pleinement vécus, mais mon âme et mon cœur, encore pris dans les fissures de la jeunesse, se demandent ce qui a bien pu arriver à ce corps. Lorsque je me regarde dans le miroir d'argent, le premier cadeau que Rodrigo m'ait fait lorsque

14

nous nous sommes mariés, je ne reconnais pas cette grand-mère couronnée de cheveux blancs qui me regarde en retour. Qui est cette femme qui se moque de la véritable Inés ? Je l'examine de près dans l'espoir de trouver au fond du miroir la petite fille avec des nattes et les genoux couverts de croûtes que j'ai été autrefois, la jeune fille qui s'enfuyait dans les vergers pour faire l'amour en cachette, la femme mûre et passionnée qui dormait dans les bras de Rodrigo de Quiroga. Elles sont là, cachées, je le sais, mais je n'arrive pas à les distinguer. Je ne monte plus ma jument, je ne porte plus la cotte de mailles ni l'épée, mais ce n'est pas l'envie qui me manque – l'envie, j'en ai toujours eu à revendre –, c'est que mon corps me trahit. Je n'ai plus assez de forces, mes articulations me font souffrir, mes os sont glacés et ma vue est trouble. Sans ces lunettes d'écrivain que j'ai fait venir du Pérou, je ne pourrais écrire ces lignes. J'ai voulu accompagner Rodrigo – Dieu le garde en son sein sacré – dans son ultime bataille contre les Indiens mapuche, mais il ne me l'a pas permis. « Tu es bien vieille pour cela, Inés, m'a-t-il dit en riant. — Autant que toi », lui ai-je répondu, encore que ce ne soit pas certain, car il avait quelques années de moins que moi. Nous pensions ne pas nous revoir, mais nous nous sommes dit adieu sans pleurer, sûrs de nous retrouver dans l'autre vie. Je savais depuis quelque temps que les jours de Rodrigo étaient comptés, bien qu'il ait fait son possible pour le cacher. Je ne l'ai jamais entendu se plaindre, il serrait les dents et endurait, seule la sueur froide sur son front trahissait la douleur. Il est parti vers le sud, fiévreux, émacié, souffrant d'un abcès purulent à la jambe que tous mes remèdes et prières n'avaient pu guérir ; il allait réaliser son vœu de mourir en soldat dans le vacarme du combat et non couché comme un vieillard entre les draps de son lit. Je voulais être là pour soutenir sa tête à l'instant ultime et le remercier de l'amour qu'il m'avait prodigué au cours de nos longues vies. « Regarde, Inés, m'a-t-il dit en montrant nos champs qui s'étendent jusqu'aux flancs de la

15

cordillère, Dieu a mis tout cela et les âmes de centaines d'Indiens entre nos mains pour en prendre soin. Mon obligation est de combattre les sauvages de l'Araucanie, la tienne est de protéger l'hacienda et ceux qui nous ont été confiés. »

Sa véritable raison de partir seul était qu'il ne voulait pas me donner le triste spectacle de sa maladie, il préférait que l'on se souvînt de lui à cheval, à la tête de ses braves, combattant dans la région sacrée au sud du fleuve Bío-Bío, où les féroces troupes mapuche ont établi leur garnison. Il était dans son droit de capitaine, c'est pourquoi j'ai accepté ses ordres, comme l'épouse soumise que je n'ai jamais été. Ils l'ont emmené sur le champ de bataille dans un hamac, et là son gendre, Martín Ruiz de Gamboa, l'a amarré à son cheval, comme on l'avait fait pour le Cid Campéador, afin de terrifier l'ennemi par sa seule présence. Il s'est élancé à la tête de ses hommes comme un dément, défiant le danger, et mon nom sur ses lèvres, mais il n'a pas trouvé la mort sollicitée. On me l'a ramené, très malade, dans un palanquin de fortune ; le poison de la tumeur avait envahi son corps. Un autre homme aurait succombé depuis longtemps aux ravages de la maladie et à la fatigue de la guerre, mais Rodrigo était fort. « Je t'ai aimée dès l'instant où je t'ai vue et je t'aimerai pour toute l'éternité, Inés », m'a-t-il dit dans son agonie, ajoutant qu'il voulait être enterré sans cérémonie, et que l'on offre trente messes pour le repos de son âme. J'ai vu la Mort, un peu brouillée, comme je vois les lettres sur ce papier, mais impossible à confondre. Alors je t'ai appelée, Isabel, pour que tu m'aides à l'habiller, car Rodrigo était trop orgueilleux pour montrer devant les servantes les dégâts infligés à son corps par la maladie. Il n'a permis qu'à toi, sa fille, et à moi, de lui mettre l'armure complète et ses bottes rivetées ; puis nous l'avons assis dans son fauteuil préféré, avec son heaume et son épée sur les genoux, pour qu'il reçoive les sacrements de l'Église et s'en aille dignement, comme il avait vécu. La Mort, qui était restée à côté de lui et attendait discrètement que

16

nous ayons terminé de le préparer, l'a entouré de ses bras maternels, puis elle m'a fait un signe, afin que je m'approche pour recevoir le dernier souffle de mon mari. Je me suis penchée sur lui et je l'ai embrassé sur la bouche, un baiser d'amante. Il est mort dans cette maison, dans mes bras, par une chaude après-midi d'été.

Je n'ai pu respecter les instructions de Rodrigo d'être enterré sans cérémonie, parce qu'il était l'homme le plus aimé et le plus respecté du Chili. Toute la ville de Santiago est venue le pleurer, et des autres villes du royaume sont arrivées d'innombrables manifestations de chagrin. Des années plus tôt, la population était sortie dans les rues pour fêter avec des fleurs et des salves d'arquebuses sa nomination de gouverneur. Nous lui avons donné une sépulture, avec les honneurs mérités, en l'église Notre-Dame-de-la-Merci que lui et moi avions fait ériger pour la gloire de la Très Sainte Vierge, où, bientôt, reposeront aussi mes os. J'ai légué assez d'argent aux religieux de l'ordre de la Merci pour dire une messe chaque semaine pendant trois cents ans pour le repos de l'âme du noble hidalgo don Rodrigo de Quiroga, valeureux soldat d'Espagne, pionnier, conquérant et deux fois gouverneur du Royaume du Chili, chevalier de l'ordre de Saint-Jacques-de-l'Epée, mon mari. Ces mois sans lui m'ont semblé une éternité.

Je ne dois pas commencer par la fin ; si je raconte les faits de ma vie sans rigueur ni plan, je me perdrai en chemin ; une chronique doit suivre l'ordre naturel des événements, bien que la mémoire soit un fouillis dépourvu de logique. J'écris la nuit, sur la table de travail de Rodrigo, enveloppée dans sa couverture d'alpaga. Sur moi veille le quatrième Baltasar, arrière-petit-fils du chien venu avec moi au Chili et qui m'a accompagnée pendant quatorze ans. Le premier Baltasar est mort en 1553, l'année où Valdivia a été tué, mais il m'a laissé ses descendants, tous énormes, avec des pattes maladroites, le poil dur. Cette maison est froide malgré les tapis, les rideaux, les tapisseries et les braseros que les domestiques alimentent de charbons ardents. Tu te plains souvent, Isabel, de ce qu'on ne peut respirer chez moi de la chaleur qu'il y fait ; ce doit être que le froid n'est pas dans l'air mais en moi. Si je peux noter mes souvenirs et mes pensées avec de l'encre et du papier, c'est grâce à l'homme d'Eglise González de Marmolejo, qui a pris le temps, entre ses tâches d'évangélisation des sauvages et de consolation des chrétiens, de m'apprendre à lire. Il était alors chapelain, mais il est devenu le premier évêque du Chili ainsi que l'homme le plus riche de ce royaume, comme je le raconterai plus loin. Il est mort sans rien emporter dans la tombe, mais il a laissé la trace de ses bonnes actions, qui lui ont valu l'amour de ses ouailles. Finalement, on ne possède que ce qu'on a donné, comme disait Rodrigo, le plus généreux des hommes.

Commençons par le commencement, par mes premiers souvenirs. Je suis née à Plasencia, dans le nord de l'Estrémadure, ville-frontière, guerrière et religieuse. La maison de mon grand-père, où j'ai vécu mon enfance, se trouvait à un jet de pierre de la cathédrale, qu'on appelait affectueusement *La Vieja*, « La Vieille », bien qu'elle ne datât que du XIVe siècle. J'ai grandi à l'ombre de son étrange tour couverte d'écailles taillées. Je n'ai jamais revu l'épaisse muraille qui protège la ville, l'esplanade de la Grand-Place, ses ruelles sombres, les petits palais de pierre et les galeries aux arcades, ni non plus la petite cour de mon grand-père où vivent toujours les petits-enfants de ma sœur aînée. Mon grand-père, artisan ébéniste de profession, appartenait à la confrérie de la *Vera Cruz*, la « Vraie Croix », honneur qui le plaçait bien au-dessus de sa condition sociale. Etablie dans le plus ancien couvent de la ville, cette confrérie dirige les processions de Pâques. Mon grand-père, vêtu de la robe violette, avec la cordelette jaune et les gants blancs, était l'un de ceux qui portaient la Sainte Croix. Il y avait des taches de sang sur sa tunique, du sang des coups de fouet qu'il se donnait pour partager la souffrance du Christ sur son chemin vers le Golgo-

18

tha. Pendant la Semaine sainte, on gardait les volets de la maison fermés pour expulser la lumière du soleil, on jeûnait et on parlait tout bas ; la vie se réduisait à des prières, des soupirs, des confessions et des sacrifices. Un Vendredi saint, ma sœur Asunción, qui avait alors onze ans, s'est réveillée avec les stigmates du Christ, d'horribles plaies ouvertes dans les paumes de ses mains, et les yeux blancs tournés vers le ciel. Ma mère l'a ramenée au monde avec une paire de claques, elle l'a soignée avec des applications de toile d'araignée sur les mains et un régime sévère de tisanes de camomille. Asunción est restée enfermée à la maison jusqu'à ce que ses blessures soient cicatrisées, et ma mère nous a interdit de mentionner la chose, car elle n'avait aucune envie qu'on promenât sa fille d'église en église comme un phénomène de foire. Asunción n'était pas la seule stigmatisée de la région : chaque année, pendant la Semaine sainte, une fillette ou une autre souffrait de symptômes semblables, elle lévitait, exhalait des parfums de rose, ou il lui naissait des ailes, et aussitôt elle devenait la cible de l'enthousiasme des croyants. Pour autant que je me souvienne, toutes ont fini religieuses dans un couvent, sauf Asunción, qui grâce à la précaution de ma mère et au silence de la famille s'est remise du miracle sans conséquences, s'est mariée et a eu plusieurs enfants, parmi eux ma nièce Constanza, qui apparaît plus loin dans ce récit.

Je me souviens des processions parce que c'est à l'une d'elles que j'ai connu Juan, l'homme qui allait devenir mon premier mari. C'était en 1526, l'année du mariage de notre empereur Charles Quint avec sa belle cousine Isabelle de Portugal, qu'il devait aimer toute sa vie, l'année où Soliman le Magnifique a pénétré avec ses troupes turques jusqu'au cœur même de l'Europe, menaçant la Chrétienté. Les rumeurs des cruautés des musulmans terrorisaient la population, et il nous semblait déjà voir ces hordes démoniaques devant les remparts de Plasencia. Cette année-là, la ferveur religieuse, attisée par la peur, a atteint la démence. Je participais à la procession,

19

étourdie par le jeûne, la fumée des bougies, l'odeur de sang et d'encens, la clameur des prières, les gémissements des flagellés et, somnolente, je marchais derrière ma famille. Au milieu de la foule d'encapuchonnés et de pénitents j'ai distingué tout de suite Juan. Il aurait été impossible de ne pas le voir, il avait une paume de plus que les autres et sa tête dépassait au-dessus de la foule. Il avait des épaules de guerrier, de sombres cheveux bouclés, le nez romain et des yeux de chat qui m'ont rendu mon regard avec curiosité. « Qui c'est, celui-là ? », ai-je demandé à ma mère, mais pour toute réponse j'ai reçu un coup de coude et l'ordre impératif de baisser les yeux. Je n'avais pas de fiancé, parce que mon grand-père avait décidé que je resterais célibataire afin de prendre soin de lui en sa vieillesse, pour me punir d'être née à la place du petit-fils qu'il souhaitait. N'ayant pas les moyens de payer deux dots, il avait résolu qu'Asunción aurait plus de chances que moi de faire une alliance convenable, car elle possédait cette beauté pâle et opulente que les hommes préfèrent, et de plus était obéissante ; moi, au contraire, j'étais un sac d'os et de muscles, et, de surcroît, têtue comme une mule. Je ressemblais à ma mère et à ma défunte grand-mère, qu'on ne pouvait donner comme modèles de douceur. On disait alors que mes meilleurs atouts étaient mes yeux sombres et ma chevelure de jeune pouliche, mais on pouvait dire la même chose de la moitié des filles d'Espagne. Ce qui est vrai, c'est que j'étais très habile de mes mains ; à Plasencia et dans ses environs, personne ne cousait et brodait avec autant de prolixité que moi. Grâce à ce métier, j'ai contribué dès l'âge de huit ans à l'entretien de ma famille et j'ai peu à peu économisé pour constituer la dot que mon grand-père n'avait pas l'intention de m'offrir ; j'avais décidé de me trouver un mari, parce que je préférais batailler avec des enfants plutôt que d'accepter l'avenir qui m'attendait avec mon grincheux de grand-père. Ce jour-là de la Semaine sainte, au lieu d'obéir à ma mère, j'ai relevé ma mantille et souri à l'inconnu. Ainsi ont commencé mes amours avec

Juan, originaire de Málaga. Au début, mon grand-père s'y est opposé et notre foyer s'est transformé en maison de fous ; les insultes et les assiettes volaient, les claquements de portes ont fendu un mur et s'il n'y avait eu ma mère, qui se mettait entre nous, mon grand-père et moi nous nous serions entre-tués. Je lui ai mené une telle guerre qu'à la fin, par lassitude, il a cédé. Je ne sais pas ce que Juan a vu en moi, mais peu importe, le fait est que nous avons décidé de nous marier au bout d'un an, le temps qu'il trouve du travail et que j'accroisse ma maigre dot.

Juan était l'un de ces hommes beaux et joyeux auxquels aucune femme ne résiste au début ; mais toutes regrettent ensuite qu'une autre ne les ait pas pris, parce qu'ils sont la cause de beaucoup de souffrance. Il ne se donnait pas la peine d'être séducteur, il ne s'en donnait d'ailleurs aucune autre, parce que sa présence de joli garçon suffisait à exciter les femmes ; dès quatorze ans, âge auquel il avait commencé à exploiter ses charmes, il avait vécu à leurs crochets. Il disait en riant qu'il avait perdu le compte des hommes à qui leurs femmes avaient fait porter des cornes par sa faute et de toutes les fois où, couvert de savon, il avait échappé à un mari jaloux. « Mais tout ça, c'est terminé maintenant que je suis avec toi, ma vie », ajoutait-il pour me rassurer, tandis que du coin de l'œil il épiait ma sœur. Sa prestance et sa sympathie lui gagnaient aussi l'estime des hommes ; c'était un bon buveur et un joueur, il possédait un répertoire infini d'histoires osées et de projets fantastiques pour gagner de l'argent facilement. J'ai bientôt compris que son esprit, toujours insatisfait, restait fixé sur l'horizon et sur le lendemain. Comme tant d'autres à cette époque, il se nourrissait des histoires fabuleuses du Nouveau Monde, où les plus grands trésors et les plus grands honneurs se trouvaient à la portée des valeureux qui n'hésitaient pas à prendre des risques. Il se croyait destiné à de grands exploits, comme Christophe Colomb, qui avait pris la mer avec son courage pour seul capital et découvert l'autre moitié du

21

monde, ou Fernand Cortez, qui avait obtenu la perle la plus précieuse de l'empire espagnol, le Mexique.

« On dit que tout est découvert dans ces parties du monde, argumentais-je dans l'espoir de le dissuader.

— Quelle ignorante tu es, femme! Il reste à conquérir bien plus que ce qui a été conquis. A partir de Panamá vers le sud, c'est une terre vierge et elle contient plus de richesses que celles de Soliman. »

Ses projets me terrifiaient parce qu'ils signifiaient que nous devrions nous séparer. De plus, j'avais appris de la bouche de mon grand-père, qui à son tour le savait par les commentaires entendus dans les tavernes, que les Aztèques du Mexique faisaient des sacrifices humains. Des files longues d'une lieue se formaient, des milliers et des milliers de malheureux captifs attendaient leur tour pour gravir les degrés des temples, où les prêtres – des épouvantails hirsutes, couverts d'une croûte de sang sec et dégoulinants de sang frais – leur arrachaient le cœur avec un couteau d'obsidienne. Les corps roulaient sur les marches au bas desquelles s'amoncelaient des tas de chair en décomposition. La ville était fondée sur un lac de sang; les charognards, repus de chair humaine, étaient si lourds qu'ils ne pouvaient voler, et les rats carnivores atteignaient la taille de chiens de berger. Aucun Espagnol n'ignorait ces faits, mais cela n'effrayait pas Juan.

Tandis que je brodais et cousais de l'aube jusqu'au milieu de la nuit, économisant pour nous marier, Juan passait ses journées dans les tavernes et sur les places, séduisant aussi bien les damoiselles que les prostituées, amusant les clients et rêvant de s'embarquer pour les Indes, seule destination possible pour un homme de son envergure, affirmait-il. Il disparaissait parfois pendant des semaines, voire des mois, et revenait sans donner d'explication. Où allait-il? Il ne l'a jamais dit, mais, comme il parlait tellement de traverser la mer, les gens se moquaient de lui et m'appelaient « la fiancée des Indes ». J'ai supporté ses vagabondages avec plus de patience qu'il n'est recommandé, parce que ma pensée était aveuglée et mon corps sur des charbons ardents, comme cela m'arrive toujours en amour. Juan me faisait rire, il m'amusait avec des chansons et des vers picaresques, il m'attendrissait par des baisers. Il lui suffisait de me toucher pour transformer mes pleurs en soupirs et ma colère en désir. Que l'amour est complaisant, qui pardonne tout! Je n'ai pas oublié notre première étreinte, cachés dans un sous-bois. C'était l'été et la terre palpitait, tiède, fertile, avec un parfum de laurier. Nous sommes sortis séparément de Plasencia, pour ne pas prêter le flanc aux commérages, et nous avons descendu la colline, laissant derrière nous la cité entourée de murailles. Nous nous sommes retrouvés à la rivière et, nous tenant par la main, nous avons couru vers les fourrés, où nous avons cherché un endroit éloigné du chemin. Juan a rassemblé des feuilles pour faire un nid, il a ôté son pourpoint pour que je m'assoie dessus, puis, sans aucune hâte, m'a appris les rituels du plaisir. Nous avions emporté des olives, du pain et une bouteille de vin que j'avais volée à mon grand-père et que nous avons bue à gorgées espiègles de la bouche de l'autre. Baisers, vin, rire, la chaleur qui montait de la terre et nous, amoureux. Il m'a retiré mon corsage, ma chemise, et il a léché mes seins en disant qu'ils étaient comme des pêches, mûres et douces, mais je les aurais plutôt comparés à des prunes dures. Et il a continué à m'explorer avec sa langue jusqu'à ce que je croie mourir de plaisir et d'amour. Je me souviens qu'il s'est allongé sur le dos, sur le tapis de feuilles, et m'a fait le chevaucher, nue, humide de sueur et de désir, parce qu'il voulait que j'impose mon rythme à notre danse. Ainsi, peu à peu et comme en jouant, sans peur ni douleur, j'ai mis fin à ma virginité. Dans un moment d'extase, j'ai levé les yeux vers la voûte verte de la forêt et plus haut, vers le ciel ardent de l'été, et j'ai longuement crié, de simple et pure joie.

En l'absence de Juan, ma passion refroidissait, ma colère s'échauffait et je décidais de l'expulser de ma vie; mais dès qu'il réapparaissait avec une excuse banale et ses mains savantes de merveilleux amant, à nouveau je me soumettais. Et ainsi recommençait un cycle identique : séduction, promesses, abandon, le bonheur de l'amour et la souffrance d'une nouvelle séparation. La première année a passé sans que soit fixée la date du mariage, de même que la deuxième et la troisième. A cette époque, ma réputation était au trente-sixième dessous, parce que les gens racontaient que nous faisions des cochonneries derrière les portes. C'était vrai, mais personne n'en a jamais eu la certitude, nous faisions preuve de la plus grande prudence. La même gitane qui m'avait annoncé une longue vie m'avait vendu le secret pour ne pas tomber enceinte : m'introduire une éponge imbibée de vinaigre. Je savais, grâce aux conseils de ma sœur Asunción et de mes amies, que la meilleure façon de dominer un homme était de lui refuser des faveurs, mais une sainte elle-même ne pouvait faire cela avec Juan de Málaga. C'était moi qui cherchais les occasions d'être seule avec lui pour faire l'amour n'importe où, pas seulement derrière les portes. Il était d'une habileté extraordinaire, que je n'ai jamais retrouvée chez un autre homme, pour me rendre heureuse dans n'importe quelle position et en quelques minutes. Mon plaisir lui importait plus que le sien. Il avait appris la carte de mon corps sur le bout des doigts et me l'avait enseignée afin que je jouisse seule. « Femme, vois comme tu es belle », me répétait-il. Je ne partageais pas son opinion flatteuse, mais j'étais fière de provoquer du désir chez l'homme le plus séduisant d'Estrémadure. Si mon grand-père avait su que nous faisions comme les lapins jusque dans les coins obscurs de l'église, il nous aurait tués tous les deux ; il était très pointilleux sur la question de son honneur, et cet honneur reposait en grande partie sur la vertu des femmes de sa famille. C'est pourquoi, lorsque les premiers murmures des voisins sont parvenus à ses oreilles poilues, il est entré dans une sainte colère et m'a menacée de m'expédier en enfer à coups de bâton. « Une tache sur l'honneur ne se lave que dans le sang », a-t-il dit. Ma mère s'est plantée devant lui les mains sur les hanches, avec ce regard qu'elle avait, capable d'arrêter un taureau en pleine course, pour lui faire comprendre que de ma part existait la meilleure disposition pour le mariage, il suffisait de convaincre Juan. Alors mon grand-père eut recours à ses amis de la confrérie de la Vraie Croix, des hommes influents de Plasencia, pour tordre le bras à mon réticent fiancé, qui ne s'était déjà que trop fait prier.

Nous nous sommes mariés par un lumineux mardi de septembre, jour du marché sur la Grand-Place, alors que le parfum des fleurs, des fruits et des légumes frais imprégnait la ville. Après le mariage, Juan m'a emmenée à Málaga ; nous nous sommes installés dans une chambre louée dont les fenêtres donnaient sur la rue, que j'ai essayé d'embellir avec des rideaux de dentelle aux fuseaux et des meubles fabriqués par mon grand-père dans son atelier. Juan a assumé son rôle de mari sans autres biens que sa présomptueuse ambition, mais avec l'enthousiasme d'un étalon, même si nous nous connaissions aussi bien qu'un vieux couple. Il y avait des jours où les heures s'envolaient à faire l'amour, où nous ne nous habillions même pas et prenions nos repas au lit. Malgré les excès de la passion, je me suis bientôt rendu compte que, du point de vue des avantages, ce mariage était une erreur. Juan ne m'avait pas apporté de surprises, il m'avait montré son caractère au cours des années précédentes, mais une chose était de voir ses faiblesses à une certaine distance et une autre de vivre avec. Les seules vertus de mon mari dont je me souvienne, c'était son instinct pour me donner du plaisir au lit et son allure de torero, que je ne me lassais pas d'admirer.

« Cet homme n'est pas bon à grand-chose, m'a avertie ma mère un jour qu'elle était venue nous rendre visite.

— Du moment qu'il me donne des enfants, peu m'importe le reste.

— Et qui va entretenir les petits ? a-t-elle insisté.

25

« — Moi. J'ai pour cela du fil et des aiguilles », ai-je répliqué, provocante.

J'étais habituée à travailler du lever au coucher du soleil et je ne manquais pas de clientes pour mes travaux de couture et de broderie. De plus, je préparais des pâtés en croûte farcis de viande et d'oignons que je faisais cuire dans les fours publics du moulin et vendais à l'aube sur la Grand-Place. Après bien des expériences, j'avais découvert la proportion parfaite de graisse et de farine permettant d'obtenir une pâte ferme, souple et fine. Mes pâtés en croûte – ou friands – sont devenus très populaires, et en peu de temps la cuisine m'a rapporté davantage que la couture.

Ma mère m'avait offert une statuette en bois de Notre-Dame du Secours, très miraculeuse, afin qu'elle bénisse mon ventre; mais la Vierge avait sans doute d'autres affaires plus importantes à régler, car elle n'a prêté aucune attention à mes suppliques. Cela faisait deux bonnes années que je n'utilisais plus l'éponge au vinaigre, mais point d'enfant à l'horizon. La passion que je partageais avec Juan s'est peu à peu transformée en ennui de part et d'autre. Dans la mesure où j'étais plus exigeante à son égard et lui pardonnais moins, il s'est éloigné. A la fin, je ne lui adressais pratiquement plus la parole, et lui ne le faisait qu'en criant, mais il n'osait pas me frapper, car la seule fois où il avait levé le poing sur moi je lui avais donné un coup de poêle en fer sur la tête, comme ma grand-mère l'avait fait avec mon grand-père, puis ma mère avec mon père. Il paraît que c'est à cause de ce coup de poêle que mon père nous a abandonnées et que nous ne l'avons plus jamais revu. Au moins ma famille se distinguait-elle à cet égard : les hommes ne battaient pas leurs femmes, ils battaient uniquement leurs enfants. Je n'avais administré qu'une chiquenaude à Juan, mais le fer était chaud et lui avait laissé une marque sur le front. Pour un homme aussi prétentieux, cette brûlure insignifiante était une tragédie, mais elle a servi à ce qu'il me respecte. Le coup de poêle a mis fin à ses menaces, pourtant j'admets qu'il n'a pas contribué à améliorer notre relation ; chaque fois qu'il palpait sa cicatrice, une lueur criminelle brillait dans ses pupilles. Il m'a punie en me refusant le plaisir qu'il me donnait auparavant avec magnanimité. Ma vie a changé, les semaines et les mois se traînaient, telle une condamnation aux galères. Du travail, du travail à longueur de journées, toujours affligée par ma stérilité et la pauvreté.

Les caprices et les dettes de mon mari ont fini par être une lourde charge, que j'assumais pour m'épargner la honte d'affronter ses créanciers. Il n'y a plus eu de longues nuits de baisers et de matinées à paresser au lit ; nos étreintes se sont espacées, elles sont devenues brèves et brutales, semblables à des viols. Je ne les supportais que dans l'espoir d'avoir un enfant. Maintenant que je peux regarder toute ma vie depuis la sérénité de la vieillesse, je comprends que la véritable bénédiction de la Vierge a été de me refuser la maternité et de me permettre ainsi d'accomplir un destin exceptionnel. Avec des enfants, j'aurais été liée, comme le sont toujours les femmes ; avec des enfants, j'aurais été abandonnée par Juan de Málaga, condamnée à coudre et à confectionner des friands ; avec des enfants, je n'aurais pas conquis ce Royaume du Chili.

Mon mari était toujours affublé comme un mirliflore et dépensait comme un hidalgo, ayant la certitude que je ferais l'impossible pour payer ses dettes. Il buvait trop et visitait la rue des prostituées, où il se perdait souvent pendant plusieurs jours, jusqu'à ce que je paie quelques rustauds pour aller le chercher. Ils me le ramenaient couvert de poux et honteux ; je lui ôtais les poux et nourrissais sa honte. J'ai cessé d'admirer son torse et son profil de statue et me suis mise à envier ma sœur Asunción, mariée à un homme qui avait l'aspect d'un sanglier, mais travailleur et bon père pour ses enfants. Juan s'ennuyait, et moi je désespérais, c'est pourquoi je n'ai pas tenté de le retenir lorsque, finalement, il a décidé de partir pour les Indes à la recherche de l'El Dorado, une ville d'or pur où les enfants jouaient avec des topazes et des émeraudes. Il m'a quittée quelques semaines plus tard, sans un adieu, à une heure indue, emportant un ballot de vêtements et mes derniers maravédis, qu'il avait subtilisés dans la cachette derrière le fourneau.

Juan avait réussi à me contaminer avec son rêve, bien qu'il ne m'eût jamais été donné de voir de près aucun aventurier qui fût revenu riche des Indes ; ils revenaient au contraire misérables, malades et fous. Ceux qui faisaient fortune la perdaient, et les propriétaires d'immenses exploitations rurales, comme on racontait qu'il y en avait là-bas, ne pouvaient les emporter avec eux. Cependant, ces raisons et d'autres partaient en fumée devant la puissante attraction du Nouveau Monde. Des chariots couverts, remplis de lingots d'or indien, ne passaient-ils pas dans les rues de Madrid ? Je ne croyais pas, comme Juan, à l'existence d'une cité d'or, d'eaux enchanteresses qui conféraient une jeunesse éternelle, ou d'amazones qui prenaient du plaisir avec les hommes, puis les renvoyaient chargés de joyaux, mais je suspectais qu'il y avait là-bas quelque chose de bien plus précieux : la liberté. Dans les Indes, chacun était son propre maître, il n'y avait à s'incliner devant personne, on pouvait commettre des erreurs et repartir à zéro, être une autre personne, vivre une autre vie. Là-bas, personne ne subissait longtemps le déshonneur, et même le plus humble pouvait s'élever. « Au-dessus de ma tête il n'y a que mon chapeau à plumes », disait Juan. Comment pouvais-je reprocher cette aventure à mon mari, alors que moi-même, si j'avais été un homme, je l'aurais tentée ?

Après le départ de Juan, je suis retournée à Plasencia, vivre avec la famille de ma sœur et ma mère, car à l'époque mon grand-père était décédé. Désormais, j'étais une autre « veuve des Indes », comme il y en avait tant en Estrémadure. Selon la coutume, je devais porter le deuil avec un voile épais cachant mon visage, renoncer à la vie sociale et me soumettre à la surveillance de ma famille, de mon confesseur et des autorités.

Prière, travail, solitude, voilà ce que me réservait l'avenir, rien d'autre, mais je n'ai pas un caractère de martyre. Si aux Indes la vie des conquérants était dure, celle de leurs épouses en Espagne l'était bien davantage. Je m'arrangeais pour tromper la vigilance de ma sœur et de mon beau-frère, qui me craignaient presque autant que ma mère et qui, pour ne pas m'affronter, s'abstenaient d'enquêter sur ma vie privée ; il leur suffisait que je ne cause pas de scandale. J'ai continué à servir mes clientes avec mes ouvrages de couture, et à aller vendre mes friands sur la Grand-Place ; je m'offrais même le luxe d'assister aux fêtes populaires. J'allais aussi à l'hôpital aider les religieuses à s'occuper des malades, des victimes de la peste et du couteau, car j'ai aimé soigner depuis mon jeune âge ; je ne savais pas que plus tard cela me serait utile, et même indispensable, tout comme le seraient mes talents pour la cuisine et pour trouver de l'eau. Comme ma mère, je suis née avec le don de localiser les points d'eau souterrains. Il nous arrivait souvent, elle et moi, d'accompagner un paysan – et parfois un maître – à la campagne pour lui indiquer où creuser son puits. C'est facile, on tient délicatement dans les mains une baguette d'un arbre sain et on arpente lentement le terrain, jusqu'à ce que la baguette s'incline, lorsqu'elle sent la présence de l'eau. C'est là qu'il faut creuser. Les gens disaient qu'avec ce don ma mère et moi aurions pu faire fortune, car un puits est un trésor en Estrémadure, mais nous le faisions toujours gracieusement, parce que si l'on se fait payer pour cette faveur, on perd le don. Un jour, grâce à ce talent, je sauverais une armée.

Pendant plusieurs années, je n'ai reçu que fort peu de nouvelles de mon époux, sauf trois brefs messages arrivés du Venezuela, que le prêtre de l'église m'a lus et auxquels il m'a aidée à répondre. Juan disait qu'il traversait de nombreuses difficultés et affrontait bien des dangers, que là-bas débarquaient les hommes les plus vicieux, qu'il devait toujours avoir ses armes à portée de la main et surveiller par-dessus son épaule, qu'il y avait de l'or en abondance, bien que lui-même n'en ait pas encore vu, et qu'il reviendrait riche pour me construire un palais et m'offrir une vie de duchesse. Pendant ce temps, mes journées s'écoulaient lentement, ennuyeuses et fort pauvres, car je dépensais juste ce qu'il fallait pour ma subsistance et gardais le reste dans un trou creusé dans le sol. Sans le dire à personne, pour ne pas alimenter les ragots, j'ai décidé de suivre Juan dans son aventure, quoi qu'il m'en coûte, non par amour, lequel s'était envolé, ni par loyauté, car il ne la méritait pas, mais à cause du mirage de la liberté. Là-bas, loin de ceux qui me connaissaient, je pourrais agir à ma guise.

Un brasier d'impatience me brûlait le corps. Mes nuits étaient un enfer, je me retournais dans mon lit, revivant mes étreintes heureuses avec Juan, à l'époque où nous nous désirions. Cela m'échauffait même au cœur de l'hiver, j'étais constamment furieuse contre moi-même et contre le monde entier parce que, née femme, je me voyais condamnée à la prison des coutumes. Je buvais des tisanes de pavot, comme me le conseillaient les religieuses de l'hôpital, mais elles n'avaient aucun effet sur moi. J'essayais de prier, comme me l'enjoignait le curé, mais j'étais incapable de terminer un Notre Père sans me perdre dans des pensées troubles, car le Diable, qui embrouille tout, s'acharnait contre moi. « Tu as besoin d'un homme, Inés. Tout peut se faire avec discrétion... », soupirait ma mère, toujours pratique. Pour une femme dans ma situation, il était facile de le trouver ; même mon confesseur, un moine malodorant et lascif, voulait que nous péchions tous deux dans son confessionnal poussiéreux en échange d'indulgences qui écourteraient ma condamnation au purgatoire. Je n'ai jamais accepté, c'était un vieux damné. Les hommes, si j'avais voulu, ne m'auraient pas manqué ; j'en ai eu parfois, quand l'aiguillon du démon me tourmentait trop, mais c'étaient des étreintes nées de la nécessité, sans lendemain. J'étais liée au fantôme de Juan et prisonnière de la solitude. Je n'étais pas vraiment veuve, je ne pouvais me remarier, mon rôle consistait à attendre, seulement à attendre. N'était-il pas préférable d'affronter les dangers de la mer et de terres barbares que de vieillir et mourir sans avoir vécu ?

Après plusieurs années de démarches, j'ai fini par obtenir l'autorisation royale de m'embarquer pour les Indes. La Couronne protégeait les liens du mariage et cherchait à réunir les familles afin de peupler le Nouveau Monde de foyers légitimes et chrétiens, mais elle ne se hâtait pas dans ses décisions ; tout prend du temps en Espagne, comme nous le savons. On n'accordait de permis qu'à des femmes mariées pour rejoindre leur mari, à condition qu'elles soient accompagnées d'un parent ou d'une personne respectable. Dans mon cas, j'ai choisi Constanza, ma nièce de quinze ans, fille de ma sœur Asunción, une timide adolescente qui avait la vocation religieuse, parce que c'était la plus saine de la famille. Le Nouveau Monde n'est pas fait pour les personnes délicates. On ne lui a pas demandé son avis, mais sa crise de nerfs, lorsqu'on lui a annoncé la nouvelle, m'a laissée supposer que le voyage ne la tentait guère. Ses parents me l'ont confiée contre la promesse, attestée et scellée devant greffier, qu'une fois que j'aurais retrouvé mon mari je la renverrais en Espagne et la doterais afin qu'elle entre au couvent, promesse que je n'ai pu tenir, non faute d'honnêteté de ma part, mais de la sienne, comme on le verra plus loin. Pour obtenir mes papiers, deux témoins ont dû certifier que je ne faisais pas partie des personnes interdites, ni maure ni juive, mais chrétienne de longue date. J'ai menacé le curé de dénoncer sa concupiscence devant le tribunal ecclésiastique et lui ai ainsi arraché un témoignage écrit de ma qualité morale. Avec mes économies, j'ai acheté ce qui était nécessaire pour la traversée, une liste trop longue pour en donner ici le détail, bien que je m'en souvienne parfaitement. Il suffit de dire que j'emportais de la nourriture pour trois mois, y compris une cage avec des poules, outre des vêtements et des ustensiles de maison pour m'établir dans les Indes.

Pedro de Valdivia avait grandi dans une grosse bâtisse de pierre à Castuera, terre d'hidalgos pauvres, à environ trois journées de marche au sud de Plasencia. Je regrette que nous ne nous soyons pas connus dans notre jeunesse, alors qu'il était un beau sous-lieutenant de passage dans ma ville, au retour de l'une de ses campagnes militaires. Peut-être avons-nous déambulé le même jour dans les rues tortueuses, lui un homme fait, portant l'épée au ceinturon et le magnifique uniforme des chevaliers du roi, moi encore une fillette aux tresses rousses, comme je les avais alors, bien qu'elles aient obscurci par la suite. Nous aurions pu nous rencontrer dans l'église, sa main aurait pu frôler la mienne dans le bénitier et nos regards se croiser, sans que nous nous reconnaissions. Ni ce robuste soldat, tanné par les soucis du monde, ni moi, petite couturière, n'aurions pu deviner ce que nous réservait le destin.

Pedro était issu d'une famille de militaires sans fortune, mais de vieille souche, dont les prouesses remontaient à la lutte contre l'armée romaine, avant le Christ, elle s'était perpétuée pendant sept cents ans contre les Sarrasins et continuait à produire des mâles de bonne trempe pour les éternelles guerres qui opposaient les monarques de la Chrétienté. Ses ancêtres étaient descendus des montagnes pour s'installer en Estrémadure. Toute son enfance, il avait entendu sa mère raconter les exploits des sept frères de la vallée d'Ibia, les Valdivia, qui avaient affronté un monstre terrifiant dans une bataille sanglante. D'après cette matrone inspirée, il ne s'agissait pas d'un dragon ordinaire – corps de lézard, ailes de chauve-souris, deux ou trois têtes de serpent –, comme celui de saint Georges, mais d'une bête dix fois plus grande et plus féroce, vieille de plusieurs siècles, qui incarnait la méchanceté de tous les ennemis de l'Espagne, depuis les Romains et les Arabes jusqu'aux scélérats de Français, qui dans des temps récents osaient disputer les droits de notre souverain. « Tu nous imagines, mon fils, parlant français ! », glissait toujours la dame dans le récit. L'un après l'autre, les frères Valdivia tombèrent, brûlés par les flammes que crachait le monstre ou dépecés par ses griffes de tigre. Alors que six avaient péri et que la bataille était perdue, le plus jeune des frères, qui tenait encore debout, coupa une grosse branche d'arbre, il l'affûta aux deux extrémités et l'introduisit dans la gueule de la bête. Le dragon se mit à se tordre de douleur et ses formidables coups de queue fendirent la terre, soulevant un nuage de poussière qui se répandit dans l'air jusqu'en Afrique. Alors, le héros brandit son épée à deux mains et la lui planta dans le cœur, délivrant ainsi l'Espagne. Pedro descendait en ligne maternelle directe de ce jeune garçon, vaillant parmi les vaillants, et deux trophées suffisaient à en apporter la preuve : l'épée, qui demeurait dans la famille, et les armoiries, sur lesquelles deux serpents mordaient un tronc d'arbre dans un champ d'or. « La mort, moins redoutée, donne un surcroît de vie », était la devise de la famille. Avec de tels ancêtres, il est naturel que Pedro ait obéi très jeune à l'appel des armes. Sa mère dépensa ce qui restait de sa dot pour l'équiper en vue de l'entreprise : cotte de mailles et armure complète, armes de chevalier, un écuyer et deux chevaux. La légendaire épée des Valdivia était une lame oxydée, aussi lourde qu'un gourdin, qui n'avait de valeur que décorative et historique, si bien qu'elle lui en acheta une autre du meilleur acier de Tolède, souple et légère. Avec elle, Pedro se battrait dans les armées d'Espagne sous les drapeaux de Charles Quint, il conquerrait le royaume le plus lointain du Nouveau Monde, et avec elle, brisée et ensanglantée, il mourrait.

Le jeune Pedro de Valdivia, élevé au milieu des livres par les soins de sa mère, partit à la guerre avec l'enthousiasme de celui qui n'a vu que le carnage des cochons découpés sur la place par un boucher, spectacle brutal qui attirait tout le village. Son innocence dura aussi peu que la flamboyante bannière aux armoiries de sa famille, dont il ne resta que lambeaux à la première bataille.

Parmi les légions d'Espagne se trouvait un autre hidalgo aventurier, Francisco de Aguirre, qui devint tout de suite le meilleur ami de Pedro. Francisco était aussi fanfaron et tapageur que Pedro était sérieux, mais tous deux jouissaient d'une égale réputation de valeureux chevaliers. Basque d'origine, la famille Aguirre s'était installée à Talavera de la Reina, près de Tolède. Dès le début, le jeune homme fit preuve d'une audace suicidaire ; il cherchait le danger parce qu'il se croyait protégé par la croix d'or de sa mère qu'il portait au cou. A la même chaînette pendait un reliquaire avec une mèche de cheveux châtains, appartenant à la belle jeune fille qu'il aimait depuis l'enfance d'un amour interdit, car ils étaient cousins. Francisco avait juré de rester célibataire, puisqu'il ne pouvait épouser sa cousine, mais cela ne l'empêchait pas de poursuivre les faveurs de toute femme se trouvant à portée de son fougueux tempérament. Grand, bel homme, au rire franc et à la voix sonore de ténor, parfaite pour animer les tavernes et rendre les femmes amoureuses, personne ne lui résistait. Pedro le mettait en garde, car le mal français ne pardonne ni aux maures, ni aux juifs, ni aux chrétiens, mais il avait confiance en la croix de sa mère qui, si elle s'était révélée une infaillible protection dans la guerre, devait l'être aussi contre les conséquences de la luxure. Aguirre, aimable et galant en société, se transformait en fauve dans la bataille, contrairement à Valdivia, qui se montrait serein et chevaleresque même face aux plus grands périls. Les deux jeunes gens savaient lire et écrire, ils avaient étudié et étaient plus cultivés que la plupart des hidalgos. Pedro avait reçu une éducation soignée d'un prêtre, oncle de sa mère, avec lequel il avait vécu dans sa jeunesse et dont on disait tout bas qu'en réalité c'était son père, mais lui-même n'avait jamais osé lui poser la question. C'eût été une insulte à l'égard de sa mère. De plus, Aguirre et Valdivia avaient en commun qu'ils étaient venus au monde en 1500, l'année de la naissance du saint empereur Charles Quint, monarque d'Espagne, d'Allemagne, d'Autriche, des Flandres, des Indes occidentales, d'une partie de l'Afrique et de bien d'autres terres encore. Les jeunes gens n'étaient pas superstitieux, mais ils se targuaient d'être unis au roi sous la même étoile et, par conséquent, destinés à de semblables hauts faits militaires. Ils pensaient qu'il n'y avait pas meilleur dessein en cette vie qu'être soldat sous le commandement d'un chef ayant aussi belle prestance ; ils admiraient la stature de titan du roi, son indomptable courage, son habileté de cavalier et de spadassin, son talent de stratège dans la guerre et d'homme studieux en temps de paix. Pedro et Francisco remerciaient le sort d'être catholiques, garantie du salut de l'âme, et espagnols, c'est-à-dire supérieurs au reste des mortels. Ils étaient des hidalgos de l'Espagne, souveraine du monde, longue et large, plus puissante que l'antique Empire romain, désignée par Dieu pour découvrir, conquérir, christianiser, fonder et peupler les plus lointaines contrées de la Terre. Ils avaient vingt ans lorsqu'ils partirent combattre en Flandres, puis dans les campagnes d'Italie, où ils apprirent qu'à la guerre la cruauté est une vertu et que, la mort étant une compagne de chaque instant, mieux valait y préparer son âme.

Les deux officiers servaient sous les ordres d'un soldat extraordinaire, le marquis de Pescara, dont l'apparence quelque peu efféminée pouvait être trompeuse, car sous l'armure d'or et les toilettes en soie brodées de perles dans lesquelles il se présentait sur le champ de bataille, il y avait un rare génie militaire, comme il le démontra mille et une fois. En 1524, en pleine guerre opposant la France et l'Espagne, qui se disputaient le contrôle de l'Italie, le marquis et deux mille des meilleurs soldats espagnols disparurent de façon mystérieuse, avalés par une brume hivernale. Le bruit courut qu'ils avaient déserté, et des couplets moqueurs circulaient, les accusant d'être des traîtres et des couards, alors qu'eux, cachés dans un château, se préparaient dans le plus grand secret. On était en novembre et le froid glaçait l'âme des malheureux soldats qui bivouaquaient dans la cour. Ils ne comprenaient pas pourquoi on les cantonnait là, engourdis et anxieux, au lieu de les emmener se battre contre les Français. Le marquis de Pescara n'était pas pressé, il attendait le moment opportun avec la patience d'un chasseur exercé. Enfin, lorsque plusieurs semaines eurent passé, il donna à ses officiers le signal de se préparer à l'action. Pedro de Valdivia ordonna aux hommes de son bataillon de mettre les armures sur leurs jupes de laine, une tâche difficile, car les doigts restaient collés au métal gelé, puis il leur distribua des draps pour s'en couvrir. Ainsi, tels des spectres blancs, ils marchèrent toute la nuit dans un silence absolu, grelottant de froid, jusqu'à ce qu'ils atteignent, à l'aube, les abords de la forteresse ennemie. Les guetteurs postés dans les créneaux perçurent un certain mouvement sur la neige, mais ils crurent qu'il s'agissait des ombres des arbres bercés par le vent. Ils ne virent qu'au dernier moment les Espagnols se traîner en grosses vagues blanches sur le sol blanc, lorsque ceux-ci se lancèrent à l'attaque et les foudroyèrent par surprise. Cette victoire écrasante fit du marquis de Pescara le militaire le plus célèbre de son temps.

Un an plus tard, Valdivia et Aguirre participèrent à la bataille de Pavie, la belle cité aux cent tours, où les Français furent également mis en déroute. Le roi de France, qui risquait le tout pour le tout dans cette bataille, fut fait prisonnier par un soldat de la compagnie de Pedro de Valdivia, qui le fit tomber de cheval sans savoir qui il était et faillit lui trancher la gorge. L'opportune intervention de Valdivia l'en empêcha, modifiant ainsi le cours de l'Histoire. Plus de dix mille morts restèrent sur le champ de bataille; pendant des semaines l'air fut infesté de mouches et la terre de rats. On dit qu'aujourd'hui encore on trouve des éclats d'os entre les feuilles des choux et choux-fleurs de la région. Valdivia comprit que pour la première fois la cavalerie n'avait pas été le facteur déterminant de la victoire, mais deux armes nouvelles : les arquebuses, compliquées à charger mais de longue portée, et les canons en bronze, plus légers et plus mobiles que ceux en fer forgé. Un autre élément décisif fut la participation de milliers de mercenaires suisses et de lansquenets allemands, connus pour leur brutalité et que Valdivia méprisait, car pour lui la guerre, comme tout le reste, était une question d'honneur. Le combat de Pavie le poussa à méditer sur l'importance de la stratégie et des armes modernes : le courage dément d'hommes tels que Francisco de Aguirre ne suffisait pas, la guerre était une science qui requérait analyse et logique.

*

Après la bataille de Pavie, épuisé et boitant des suites d'un coup de lance à la hanche – la blessure se rouvrait au moindre effort, bien qu'elle ait été soignée avec de l'huile bouillante –, Pedro de Valdivia rentra chez lui, à Castuera. Il était en âge de prendre femme, de perpétuer son nom et de s'occuper de ses terres, incultes de tant d'absence et de négligence, comme ne se lassait pas de le répéter sa mère. L'idéal était une fiancée qui apportât une belle dot, car le domaine appauvri des Valdivia en avait grand besoin. Plusieurs candidates avaient été pressenties par la famille et le curé, toutes issues de lignées au nom prestigieux et de grande fortune, avec lesquelles il ferait connaissance tandis qu'il se remettait de sa blessure. Mais les choses ne se déroulèrent pas selon les plans établis. Pedro vit Marina Ortiz de Gaete dans le seul endroit où il pouvait la rencontrer en public : à la sortie de la messe. Marina avait treize ans et on la vêtait encore des crinolines amidonnées de l'enfance. Elle était accompagnée de sa duègne et d'une esclave, qui tenait une ombrelle au-dessus de sa tête bien que la journée fût nuageuse ; jamais un rayon de lumière directe n'avait touché la peau translucide de cette pâle jeune fille. Elle avait le visage d'un ange, la chevelure blonde et lumineuse, la démarche vacillante de qui porte trop de jupons, et un tel air d'innocence qu'à l'instant même Pedro en oublia son intention de bonifier son domaine. C'était un homme incapable de calculs mesquins ; la beauté et la vertu de la jeune fille le séduisirent sur-le-champ. Bien qu'elle n'eût pas d'argent et que sa dot fût bien au-dessous de ses mérites, à peine eut-il vérifié qu'elle n'était pas promise à un autre qu'il entreprit de lui faire la cour. La famille Ortiz de Gaete souhaitait aussi pour sa fille une union apportant des bénéfices économiques, mais elle ne put refuser un chevalier au nom si illustre qui avait prouvé son courage, et mit comme unique condition que la noce ait lieu lorsque la jeune fille aurait quatorze ans. Pendant tout ce temps, Marina se laissa courtiser par son prétendant avec la timidité d'un lapin, quoiqu'elle s'arrangeât pour lui faire savoir qu'elle aussi comptait les jours avant le mariage. Pedro était à l'apogée de sa virilité, de belle stature, bien proportionné, il avait le torse fort, le nez proéminent, le menton autoritaire et des yeux bleus expressifs. A cette époque déjà, il portait les cheveux coiffés en arrière, rassemblés en une courte queue sur la nuque, les joues rasées, la moustache gominée et l'étroite barbiche qui toute sa vie l'a distingué. Il s'habillait avec élégance, avait des gestes précis, la parole réfléchie. Il imposait le respect, mais il pouvait aussi être galant et tendre. Marina se demandait, pleine d'admiration, pourquoi cet homme si fier et si brave s'était intéressé à elle. Ils se marièrent l'année suivante, alors que la jeune fille venait d'avoir ses premières menstruations, et ils s'installèrent dans la modeste propriété des Valdivia.

Marina entra dans sa condition de femme mariée avec les meilleures intentions, mais elle était trop jeune, et ce mari au tempérament sobre et studieux l'effrayait. Ils n'avaient rien à se dire. Troublée, elle acceptait les livres qu'il lui suggérait, sans oser lui confesser qu'elle savait à peine lire deux ou trois phrases élémentaires et signer son nom d'un trait hésitant.

Elle avait vécu préservée du contact avec le monde et souhaitait que les choses continuent de même ; les discours de son mari sur la politique et la géographie l'atterraient. Son rayon à elle, c'était la prière et la broderie de précieuses chasubles de curé. Elle manquait d'expérience pour se charger de la maison, et les domestiques n'obéissaient pas à ses ordres donnés d'une voix d'enfant, si bien que sa belle-mère continua à diriger, tandis qu'elle était traitée comme la fillette qu'elle était. Elle voulut apprendre les fastidieuses tâches du foyer, conseillée par les femmes de la famille, mais il n'y avait personne à qui poser des questions sur un autre aspect de la vie conjugale, plus important que de disposer le repas ou faire les comptes.

Tant que la relation avec Pedro consista en visites surveillées par une duègne et en gentils billets, Marina fut heureuse, mais son enthousiasme s'évapora lorsqu'elle se retrouva au lit avec son mari. Elle ignorait complètement en quoi consistait la nuit de noces ; personne ne l'avait préparée à la déplorable surprise qu'elle eut. Dans son trousseau, il y avait plusieurs chemises de nuit de batiste, longues jusqu'aux chevilles, fermées au cou et aux poignets par des rubans de satin, avec un orifice en forme de croix sur le devant. Il ne lui vint pas à l'idée de demander à quoi servait cette ouverture, et personne ne lui expliqua qu'elle aurait par là un contact avec les parties les plus intimes de son mari. Elle n'avait jamais vu un homme nu et, pour elle, les différences entre les hommes et les femmes se résumaient aux poils sur le visage et au ton de la voix. Lorsqu'elle sentit dans l'obscurité le souffle de Pedro et ses grandes mains tâtonner entre les plis de sa chemise à la recherche de la délicate boutonnière brodée, elle donna une ruade de mule et sortit en hurlant dans les couloirs de la grosse bâtisse de pierre. Malgré ses bonnes intentions, Pedro n'était pas un amant précautionneux, son expérience se limitait à de brèves étreintes avec des femmes aux vertus négociables, mais il comprit qu'il lui faudrait faire preuve d'une grande patience. Son épouse était encore une fillette dont le corps commençait à peine à se développer, il ne fallait pas la brusquer. Il essaya de l'initier peu à peu, mais l'innocence de Marina, qui l'avait tellement attiré au début, devint bientôt un obstacle infranchissable. Les nuits étaient frustrantes pour lui, pour elle un tourment, et aucun des deux n'osait aborder le sujet à la lueur de l'aube. Pedro se consacra corps et âme à ses études, à ses terres et à ses paysans, tandis qu'il brûlait son énergie dans la pratique de l'escrime et de l'équitation. Dans le fond, il se préparait et faisait ses adieux. Lorsque l'appel de l'aventure devint irrésistible, il s'enrôla de nouveau sous les étendards de Charles Quint, avec le rêve secret d'atteindre la gloire militaire du marquis de Pescara.

*

En février 1527 les troupes espagnoles se trouvaient, sous les ordres du connétable de Bourbon, devant les remparts de Rome. Les Espagnols, secondés par quinze compagnies de féroces mercenaires suisses-allemands, attendaient l'occasion d'entrer dans la ville des césars et de se dédommager des nombreux mois sans solde. C'était une horde de soldats affamés et insubordonnés, prêts à vider les trésors de Rome et du Vatican. Mais ce n'étaient pas tous des truands et des mercenaires ; parmi les légions d'Espagne se trouvaient deux officiers impétueux, Pedro de Valdivia et Francisco de Aguirre, qui s'étaient retrouvés après deux ans de séparation. S'étant embrassés comme des frères, ils se mirent au courant des nouveautés de leurs vies respectives. Valdivia exhiba un médaillon avec le visage de Marina peint par un miniaturiste portugais, un juif converti qui avait réussi à tromper l'Inquisition.

« Nous n'avons pas encore d'enfant parce que Marina est très jeune, mais nous aurons le temps pour cela, si Dieu le veut, commenta-t-il.

— Tu ferais mieux de dire si nous ne sommes pas tués avant ! » s'exclama son ami.

A son tour, Francisco confessa qu'il en était toujours aux amours platoniques et secrètes avec sa cousine, qui avait menacé de se faire religieuse si son père insistait pour la marier à un autre. Valdivia déclara que ce n'était pas une idée absurde, car pour beaucoup de femmes nobles le couvent, où elles entraient avec toute leur suite de servantes, leur propre argent et les luxes auxquels elles étaient habituées, était préférable à un mariage imposé par la force.

« Dans le cas de ma cousine, ce serait un regrettable gaspillage, mon ami. Une jeune fille si belle et si pleine de santé, créée pour l'amour et la maternité, ne doit pas s'ensevelir vivante dans un habit. Mais tu as raison, je préfère la voir devenir religieuse que mariée à un autre. Je ne pourrais le permettre, nous devrions nous suicider ensemble, assura emphatiquement Francisco.

— Et vous condamner tous deux au chaudron de l'enfer ? Je suis sûr que ta cousine choisira le couvent. Et toi ? Quels sont tes projets d'avenir ? demanda Valdivia.

— Continuer à guerroyer, tant que je le peux, et rendre visite à ma cousine dans sa cellule de religieuse à l'abri de la nuit », se moqua Francisco en touchant sa croix et son reliquaire sur sa poitrine.

Rome était mal défendue par le pape Clément VII, homme plus apte aux intrigues politiques qu'aux stratégies de guerre. Dès que les troupes ennemies s'approchèrent des ponts de la ville, au milieu d'un brouillard dense, le pontife s'enfuit du Vatican, par un passage secret, au château de Sant'Angelo, hérissé de canons. Trois mille personnes l'accompagnaient, parmi elles le célèbre sculpteur et orfèvre Benvenuto Cellini, aussi connu pour son insigne talent d'artiste que pour son épouvantable caractère ; le pape lui délégua les décisions militaires, supputant que si lui-même tremblait devant Cellini, il n'y avait pas de raison pour que les armées du connétable de Bourbon ne tremblent pas aussi.

Lors du premier assaut, le connétable reçut dans l'œil un tir de mousquet fatal. Benvenuto Cellini se vanterait plus tard d'avoir tiré la balle mortelle, alors qu'en vérité il n'était même pas près de lui, mais qui aurait osé le contredire ? Avant que les capitaines parviennent à imposer l'ordre, les troupes, incontrôlées, se jetèrent sur la cité sans défense et en quelques heures la mirent à feu et à sang. Pendant les huit premiers jours, le massacre fut si cruel que le sang coulait dans les rues et se coagulait entre les pierres millénaires. Plus de quarante-cinq mille personnes prirent la fuite, et le reste de la population terrorisée plongea en enfer. Les envahisseurs avides brûlèrent églises, couvents, hôpitaux, palais et maisons particulières. Ils tuèrent à tire-larigot, y compris les fous et les malades de l'hospice, les animaux domestiques ; ils torturèrent les hommes pour les obliger à remettre ce qu'ils avaient pu cacher ; ils violèrent toutes les femmes et fillettes qu'ils trouvèrent ; ils assassinèrent les nourrissons aussi bien que les vieillards. Le saccage, telle une interminable orgie, continua pendant des semaines. Les soldats, ivres de sang et d'alcool, traînaient dans les rues les œuvres d'art et les reliques religieuses taillées en pièces, ils décapitaient tant les statues que les personnes, volaient ce qu'ils pouvaient mettre dans leurs sacs et réduisaient le reste en miettes. Les célèbres fresques de la chapelle Sixtine furent épargnées parce qu'on y veilla la dépouille du connétable de Bourbon. Dans le Tibre flottaient des milliers de cadavres et l'odeur de chair décomposée infestait l'air. Chiens et corbeaux dévoraient les corps jetés de tous côtés ; ensuite arrivèrent les fidèles compagnes de la guerre, la faim et la peste, qui attaquèrent tant les malheureux Romains que leurs bourreaux.

*

Pendant ces funestes journées, l'épée à la main, furieux, Pedro de Valdivia parcourut Rome, essayant en vain d'empêcher le pillage et le carnage et d'imposer un peu d'ordre parmi la soldatesque. Mais les quinze mille lansquenets ne connais-saient ni chef ni loi, et ils étaient prêts à liquider quiconque tenterait de les arrêter. Par hasard, Valdivia se trouva devant les portes d'un couvent alors que celui-ci était attaqué par une douzaine de mercenaires allemands. Les religieuses, sachant qu'aucune femme n'échappait au viol, s'étaient rassemblées dans le jardin autour d'une croix, formant un cercle au centre duquel se trouvaient les jeunes novices, immobiles, se tenant par la main, tête basse et murmurant des prières. De loin, on aurait dit des colombes. Elles demandaient au Seigneur de leur épargner la souillure, d'avoir pitié d'elles et de leur en-voyer une mort rapide.

« Arrière ! Celui qui ose franchir ce seuil aura affaire à moi ! », rugit Pedro de Valdivia en brandissant son épée dans la main droite et un sabre court dans la gauche.

Plusieurs des lansquenets s'arrêtèrent, surpris, évaluant peut-être s'il valait la peine d'affronter cet imposant officier espagnol déterminé ou s'il était plus sage de passer à la maison suivante, mais d'autres se précipitèrent en cohue à l'attaque. Valdivia avait en sa faveur qu'il était le seul soldat sobre et en quatre estocades adroites il mit autant d'Allemands hors de combat, mais alors le reste du groupe, remis du désarroi initial, lui tomba dessus. Bien qu'ils eussent l'esprit troublé par l'alcool, les Allemands étaient d'aussi formidables guer-riers que Valdivia et bientôt ils l'encerclèrent. Ce jour-là aurait peut-être été le dernier de l'officier d'Estrémadure si, par hasard, n'avait surgi Francisco de Aguirre, qui était venu se placer à son côté.

« A moi, teutons fils de pute ! », criait le terrible Basque, rouge de colère, énorme, brandissant l'épée à la manière d'un gourdin.

La bagarre attira l'attention d'autres Espagnols qui, passant par là, virent leurs compatriotes en péril. En moins de temps qu'il ne faut pour le dire, ce fut une véritable bataille rangée devant l'édifice. Une demi-heure plus tard, les assaillants se retirèrent, abandonnant dans la rue plusieurs des leurs qui se vidaient de leur sang, et les officiers purent barricader les portes du couvent. La mère supérieure demanda aux religieuses qui avaient le plus de caractère de ramasser celles qui s'étaient évanouies et de se mettre aux ordres de Francisco de Aguirre, qui avait offert d'organiser la défense en fortifiant les murs.

« Personne n'est en sécurité dans Rome. Pour le moment, les mercenaires se sont retirés, mais ils reviendront sans doute, et alors il vaudra mieux qu'ils vous trouvent préparées, les avertit Aguirre.

— Je vais chercher quelques arquebuses et Francisco vous montrera comment vous en servir », décida Valdivia, à qui n'avait pas échappé la lueur picaresque dans le regard de son ami, s'imaginant seul avec une vingtaine de novices virginales et une poignée de religieuses d'âge mûr, mais reconnaissantes et encore appétissantes.

Soixante jours plus tard, l'horrible pillage de Rome s'acheva, qui mit fin à une époque – la papauté de la Renaissance en Italie – et demeurerait dans l'Histoire comme une tache infâme sur le règne de notre empereur Charles Quint, bien qu'il se soit trouvé bien loin de là.

Sa Sainteté le Pape put abandonner son refuge du château de Sant'Angelo, mais il fut arrêté et reçut le traitement réservé aux prisonniers ordinaires ; on lui ôta même l'anneau pontifical et on lui donna un coup de pied au derrière qui l'expédia brutalement à plat ventre, au milieu des éclats de rire des soldats.

On pouvait accuser Benvenuto Cellini de bien des défauts, mais il n'était pas de ceux qui oubliaient de rendre une faveur, si bien que lorsque la mère supérieure du couvent lui rendit visite pour lui raconter comment un jeune officier espagnol avait sauvé sa congrégation et était resté pendant des semaines dans l'édifice pour les défendre, il voulut le connaître. Quelques heures plus tard, la religieuse accompagna Francisco de Aguirre au palais. Cellini le reçut dans l'un des salons du Vatican, au milieu des décombres et des meubles éventrés par les assaillants. Les deux hommes échangèrent de brèves courtoisies.

« Dites-moi, monsieur, que désirez-vous en échange de votre courageuse intervention ? », demanda de but en blanc Cellini, qui n'usait pas de détours.

Rouge de colère, Aguirre porta instinctivement la main au pommeau de son épée.

« Vous m'insultez ! », s'exclama-t-il.

La mère supérieure se plaça entre les deux hommes avec tout le poids de son autorité et les écarta d'un geste méprisant, elle n'avait pas de temps à perdre avec des fanfaronnades. Elle appartenait à la famille du condottiere génois Andrea Doria, c'était une femme de grande fortune et de haut lignage, habituée à commander.

« Il suffit ! Je vous prie d'excuser cette offense involontaire, don Francisco de Aguirre. Nous vivons des temps difficiles, beaucoup de sang a coulé, des péchés épouvantables ont été commis, il n'est pas étonnant que les bonnes manières elles-mêmes soient reléguées au second plan. Le sieur Cellini sait que vous n'avez pas défendu notre couvent dans l'espoir d'une récompense, mais par droiture de cœur. Vous injurier est la dernière chose que désire le sieur Cellini. Ce serait un privilège que vous acceptiez une preuve de notre estime et de notre gratitude... »

La mère supérieure fit signe au sculpteur d'attendre, puis elle prit Aguirre par la manche et l'entraîna à l'autre bout du salon. Cellini les entendit murmurer pendant un long moment. Alors qu'il avait épuisé son peu de patience, ils revinrent tous deux et la mère supérieure exposa la requête du jeune officier, tandis que celui-ci transpirait, les yeux fixés sur le bout de ses bottes.

Et c'est ainsi que Benvenuto Cellini obtint l'autorisation du pape Clément VII, avant que celui-ci fût conduit en exil,

45

pour que Francisco de Aguirre pût épouser sa cousine. Le jeune Basque courut tout joyeux retrouver son ami Pedro de Valdivia pour lui raconter ce qui était arrivé. Il avait les yeux humides et sa grosse voix de géant tremblait, incrédule devant un tel prodige.

« Je ne sais si c'est une bonne nouvelle, Francisco. Tu collectionnes les conquêtes comme notre Empereur sacré collectionne les horloges. Je ne t'imagine pas converti en époux, fit remarquer Valdivia.

— Ma cousine est la seule femme que j'ai aimée ! Les autres sont des êtres sans visage, elles n'existent que l'espace d'un moment, pour satisfaire l'appétit que le Diable a mis en moi.

— Le Diable met en nous toutes sortes d'appétits, Dieu nous donne la clarté morale qui nous permet de les contrôler. C'est ce qui nous distingue des animaux.

— Tu es soldat depuis de nombreuses années, Pedro, et tu crois encore que nous sommes différents des animaux..., se moqua Aguirre.

— Sans doute. Le destin de l'homme est de s'élever au-dessus de la bestialité, de conduire sa vie selon les plus nobles idéaux et de sauver son âme.

— Tu me fais peur, Pedro, tu parles comme un moine. Si je ne connaissais ta virilité comme je la connais, je penserais que tu manques de l'instinct primordial qui anime les mâles.

— Je ne manque pas de cet instinct, je te l'assure, mais je ne permets pas qu'il me dicte ma conduite.

— Je ne suis pas aussi noble que toi, mais l'amour chaste et pur que je ressens pour ma cousine me rachète.

— Eh bien, tu as un sacré problème, maintenant que tu vas épouser cette jeune fille idéalisée. Comment vas-tu concilier cet amour avec tes habitudes libertines ? dit Valdivia, un sourire narquois sur les lèvres.

— Il n'y aura pas de problème, Pedro. Je descendrai ma cousine de son autel de sainte avec des baisers et je l'aimerai avec une immense passion, répliqua Aguirre dans un éclat de rire.

— Et la fidélité ?

— Ma cousine se chargera de ce qu'elle ne manque pas dans notre ménage ; je ne peux pas plus renoncer aux femmes que je ne peux renoncer au vin et à l'épée. »

Francisco de Aguirre regagna l'Espagne en toute hâte pour se marier avant que l'indécis pontife ne change d'avis. Certainement réconcilia-t-il le sentiment platonique qu'il portait à sa cousine avec son indomptable sensualité et y répondit-elle sans la moindre timidité, car l'ardeur de ces époux devint légendaire. On dit que les voisins se rassemblaient dans la rue, devant la maison des Aguirre, pour se délecter du scandale et faire des paris sur le nombre d'assauts amoureux qu'il y aurait dans la nuit.

*

Après tant de guerre, de sang, de poudre et de boue, Pedro de Valdivia revint aussi sur sa terre natale, précédé par la renommée de ses campagnes militaires, avec une expérience bien gagnée et une bourse d'or qu'il pensait employer à remettre sur pied son patrimoine appauvri. Marina l'attendait, devenue femme. Ses moues de petite fille gâtée étaient du passé ; elle avait dix-sept ans et sa beauté, éthérée et sereine, invitait à la contempler comme une œuvre d'art. Elle avait l'air distant d'une somnambule, comme si elle pressentait que sa vie serait une éternelle attente. Au cours de la première nuit qu'ils passèrent ensemble, tous deux répétèrent, tels des automates, les mêmes gestes et les mêmes silences qu'autrefois. Dans l'obscurité de la chambre les corps s'unirent sans joie ; il avait peur de l'effrayer et elle avait peur de pécher ; il désirait lui inspirer de l'amour et tout ce qu'elle désirait, c'était que le jour se lève au plus tôt. Pendant la journée, chacun assumait le rôle qui lui était assigné, ils vivaient ensemble dans le même espace sans se frôler. Marina accueillait son mari avec une tendresse anxieuse et pleine de sollicitude qui, loin de le flatter, l'embarrassait. Il n'avait pas besoin d'autant d'attentions, seulement d'un peu de passion, mais il n'osait la lui demander, supposant que la passion n'était pas le propre d'une femme comme elle, décente et religieuse. Il se sentait surveillé par Marina, pris dans les liens invisibles d'un sentiment auquel il ne savait répondre. Les regards suppliants avec lesquels elle le suivait dans la maison, sa tristesse muette lorsqu'il partait, son expression de reproche voilé lorsqu'elle le recevait après une brève absence, tout cela l'incommodait. Marina lui paraissait intouchable, il n'y avait lieu de se délecter qu'en l'observant à quelque distance, lorsqu'elle brodait, absorbée dans ses pensées et ses prières, éclairée par la lumière dorée de la fenêtre, telle une sainte de cathédrale. Aux yeux de Pedro, les rencontres sous les lourds rideaux poussiéreux du lit conjugal, qui avait servi à trois générations de Valdivia, perdirent leur attrait, parce qu'elle refusa de remplacer la chemise à boutonnière en forme de croix par un vêtement moins intimidant. Pedro lui suggéra de demander conseil à d'autres femmes, mais Marina ne pouvait parler de cela avec personne. Après chaque étreinte, elle restait des heures à prier à genoux à même le sol de pierre de cette vieille maison seigneuriale balayée par les courants d'air, immobile, humiliée de ne pas être capable de satisfaire son mari. Secrètement, cependant, elle se complaisait dans cette souffrance qui la distinguait des femmes ordinaires et la rapprochait de la sainteté. Pedro lui avait expliqué qu'il n'y avait pas de péché de lascivité entre époux, le but de la copulation étant les enfants, mais Marina ne pouvait éviter d'être glacée jusqu'à la moelle lorsqu'il la touchait. Son confesseur ne lui avait pas martelé en vain la crainte de l'enfer et la honte du corps. Depuis qu'il la connaissait, Pedro n'avait vu que le visage, les mains et parfois les pieds de sa femme. Il était tenté de lui arracher d'un coup sa maudite chemise de nuit, mais la

48

terreur que reflétaient ses pupilles lorsqu'il l'approchait le freinait, terreur qui contrastait avec la tendresse de son regard pendant la journée, lorsque tous deux étaient vêtus. Marina ne prenait aucune initiative dans l'amour ni dans aucun autre aspect de leur vie commune, elle ne changeait pas non plus d'expression ou d'état d'âme, c'était une brebis paisible. Tant de soumission irritait Pedro, bien qu'il la considérât comme une caractéristique féminine. Il ne comprenait pas ses propres sentiments. En l'épousant alors qu'elle n'était encore qu'une enfant, il avait voulu la retenir dans l'état d'innocence et de pureté qui l'avait séduit au début, mais tout ce qu'il désirait à présent, c'était qu'elle se rebelle et le défie.

Grâce à son courage exceptionnel et à sa capacité de commander, Valdivia avait rapidement accédé au grade de capitaine, mais malgré sa brillante carrière il n'éprouvait aucun orgueil de son passé. Depuis le pillage de Rome, des cauchemars récurrents venaient le tourmenter, dans lesquels apparaissait une jeune mère étreignant ses enfants, prête à sauter d'un pont dans une rivière de sang. Il connaissait le peu de limites de l'abjection humaine et le fond obscur de l'âme, il savait que les hommes exposés à la brutalité de la guerre sont capables de commettre des actions terribles, et il ne se sentait pas différent des autres. Il se confessait, bien sûr, et le prêtre l'absolvait toujours avec une pénitence minime, parce que les fautes commises au nom de l'Espagne et de l'Eglise ne pouvaient être considérées comme des péchés. N'obéissait-il pas aux ordres de ses supérieurs ? L'ennemi ne méritait-il pas un vil destin ? *Ego te absolvo ab omnibus censuris et peccatis, in nomine Patri, et Filii, et Spiritus Sancti, Amen.* Pour celui qui a connu l'exaltation de tuer il n'y a ni échappatoire ni absolution, pensait Pedro. Il avait pris goût à la violence, c'était le vice secret de tout soldat, sans lequel il serait impossible de faire la guerre. La rude camaraderie des baraquements, le chœur des rugissements viscéraux lorsque les hommes se lançaient ensemble dans la bataille, l'indifférence commune

49

devant la douleur et la peur, tout cela le faisait se sentir vivant. Le plaisir féroce de transpercer un corps avec son épée, le pouvoir satanique de trancher la vie d'un autre homme, la fascination devant le sang répandu étaient des addictions très puissantes. On commence à tuer par devoir et on finit par le faire avec acharnement. Rien ne pouvait se comparer à cela. Même chez lui, qui craignait Dieu et se faisait gloire d'être capable de contrôler ses passions, l'instinct de tuer, une fois libéré, était plus fort que celui de vivre. Manger, forniquer, tuer, voilà à quoi se réduisait l'homme d'après son ami Francisco de Aguirre. La seule manière de sauver son âme était d'éviter la tentation de l'épée. A genoux devant le grand autel de la cathédrale, il jura de dédier le reste de son existence à faire le bien, à servir l'Eglise et l'Espagne, à ne pas commettre d'excès et à régir sa vie selon de sévères principes moraux. Il avait failli mourir à plusieurs reprises et Dieu lui avait permis de rester en vie pour expier ses péchés. Il accrocha son épée de Tolède à côté de la vieille épée de son ancêtre et se prépara à s'assagir.

Le capitaine devint un paisible voisin préoccupé de sujets plébéiens : le bétail et les récoltes, les sécheresses et les gelées, les cohabitations illicites et les jalousies du peuple. Des lectures, des parties de cartes, des messes et encore des messes. Comme c'était un spécialiste de la loi écrite et du droit, les gens le consultaient sur des affaires légales, et les autorités judiciaires elles-mêmes s'inclinaient devant ses conseils. Son plus grand plaisir, c'étaient les livres, en particulier les chroniques de voyages et les cartes, qu'il étudiait dans le détail. Il avait appris par cœur le poème du Cid Campéador, avait pris plaisir aux chroniques fantastiques de Solino et aux voyages imaginaires de John Mandeville, mais la lecture qu'il préférait entre toutes, c'était les nouvelles du Nouveau Monde que l'on publiait en Espagne. Les exploits de Christophe Colomb, de Fernand de Magellan, d'Americ Vespuce, de Fernand Cortez et de tant d'autres l'empêchaient de dormir la nuit ; le regard fixé sur le brocart du baldaquin de son lit, il rêvait éveillé de découvrir des contrées reculées de la planète, de les conquérir, de fonder des villes, de porter la Croix du Christ sur des terres barbares pour la gloire de Dieu, de graver son nom dans l'Histoire par le feu et l'acier. Pendant ce temps, son épouse brodait des chasubles avec des fils d'or et récitait rosaire après rosaire dans une interminable litanie. Quoique Pedro s'aventurât plusieurs fois par semaine à travers l'humiliant pertuis de la chemise de nuit de Marina, les enfants tant désirés n'arrivaient pas. Ainsi passèrent des années ternes et lentes, dans la lourdeur de l'été ardent et le recueillement de l'hiver. Dureté extrême, Estrémadure.

*

Quelques années plus tard, alors que Pedro de Valdivia s'était résigné à vieillir sans gloire à côté de sa femme dans la maison silencieuse de Castuera, il reçut la visite d'un voyageur de passage qui apportait une lettre de Francisco de Aguirre. Son nom était Jerónimo de Alderete et il était originaire d'Olmedo. Il avait un visage agréable, des cheveux bouclés couleur de miel, une moustache turque aux pointes gominées relevées vers le haut et les yeux incandescents d'un rêveur. Valdivia le reçut avec l'hospitalité obligée d'un bon Espagnol, lui offrant sa maison, qui n'était pas luxueuse, mais plus confortable et plus sûre que les auberges. C'était l'hiver et Marina avait ordonné d'allumer un feu dans l'âtre de la salle principale, mais les bûches ne dissipaient ni les courants d'air ni les ombres. Dans cette pièce spartiate, presque dépourvue de meubles et d'ornements, s'écoulait la vie du couple ; c'était là qu'il lisait et qu'elle s'évertuait à ses travaux d'aiguilles, là qu'ils prenaient leurs repas et là, sur les deux prie-Dieu face à l'autel adossé au mur, qu'ils priaient tous deux. Marina servit aux hommes un vin âpre fabriqué sur le domaine, du saucisson, du fromage et du pain, puis elle se retira dans son coin

pour broder à la lumière d'un candélabre, tandis qu'ils bavar-
daient.

La mission de Jerónimo de Alderete consistait à recruter
des hommes pour les emmener aux Indes et, afin de les appâ-
ter, il exhibait dans les tavernes et sur les places un collier de
grosses perles d'or ouvragées réunies par un solide fil d'argent.
La lettre envoyée par Francisco de Aguirre à son ami Pedro
évoquait le Nouveau Monde. Exubérant, Alderete parla à son
hôte des fabuleuses possibilités de ce continent, qui circulaient de bouche en bouche. Il dit qu'il n'y avait plus de place
pour de nobles exploits dans l'Europe corrompue, vieillie,
déchirée par les conspirations politiques, les intrigues courti-
sanes et les prédications d'hérétiques, tels les luthériens, qui
divisaient la Chrétienté. L'avenir était sur l'autre rivage de
l'océan, assura-t-il. Il y avait beaucoup à faire dans les Indes
ou Amérique, nom qu'un cartographe allemand avait donné à
ces terres en l'honneur d'Americ Vespuce, ou Amerigo Ves-
pucci, un navigateur florentin hâbleur qui n'avait pas eu,
comme Christophe Colomb, le mérite de la découvrir. D'après
Alderete, on aurait dû les appeler Christophales ou Colombi-
ques. Enfin, c'était fait, et là n'était pas la question, ajouta-t-il.
Ce dont on avait le plus besoin au Nouveau Monde, c'était
d'hidalgos au cœur indomptable, brandissant l'épée d'une
main et la croix de l'autre, prêts à découvrir et conquérir. Il
était impossible d'imaginer l'immensité de ces territoires, le
vert infini de leurs forêts, l'abondance de leurs fleuves cristal-
lins, la profondeur de leurs lacs aux eaux calmes, l'opulence
des mines d'or et d'argent. Rêver non tant de trésors que de
gloire, vivre une vie pleine, combattre les sauvages, accomplir
un destin supérieur et, avec l'aide de Dieu, fonder une dynastie. Cela, et plus encore, était possible dans les nouvelles
frontières de l'Empire, dit-il, où il y avait des oiseaux au
plumage paré de bijoux et des femmes couleur de miel, nues
et complaisantes. « Pardonnez-moi, doña Marina, c'est une
façon de parler... », ajouta-t-il. Les mots de la langue castillane

ne suffisaient pas pour décrire l'abondance de ce qu'il y avait là-bas : des perles aussi grosses que des œufs de perdrix, de l'or tombé des arbres et tant de terre et d'Indiens disponibles que n'importe quel soldat pouvait devenir maître d'une hacienda ayant la taille d'une province espagnole. Le plus important, assura-t-il, était que de nombreux peuples attendaient la parole du Dieu unique et véritable, et les bontés de la noble civilisation castillane. Il ajouta que Francisco de Aguirre, leur ami commun, voulait lui aussi s'embarquer, et que sa soif d'aventure était telle qu'il était prêt à laisser son épouse bien-aimée et les cinq enfants qu'elle lui avait donnés ces dernières années.

« Croyez-vous qu'il y ait encore des chances pour des hommes comme nous dans la Terra Nova ? demanda Valdivia. Beaucoup d'années ont passé depuis l'arrivée de Colomb et depuis que Cortez a conquis le Mexique.

— Et aussi depuis que Fernand de Magellan a entrepris son voyage autour du monde. Comme vous voyez, la terre est en expansion, les possibilités sont infinies. Le Nouveau Monde n'est pas le seul continent ouvert à l'exploration, il y a aussi l'Afrique, l'Inde, les îles San Lázaro et beaucoup d'autres terres », insista le jeune Alderete.

Il lui répéta ce que l'on commentait déjà jusque dans le moindre hameau d'Espagne : la conquête du Pérou et son fabuleux trésor. Quelques années plus tôt, deux soldats inconnus, Francisco Pizarro et Diego de Almagro, s'étaient associés pour se lancer dans la conquête du Pérou. Défiant d'homériques dangers sur mer et sur terre, ils avaient effectué deux voyages : ils étaient partis de Panamá sur leurs navires et, sans cartes, à l'aveuglette, ils avaient avancé le long de la côte déchiquetée du Pacifique en direction du sud, toujours plus au sud. Ils se guidaient d'après les rumeurs glanées chez les Indiens de diverses tribus au sujet d'un endroit où les instruments de cuisine et les outils étaient incrustés d'émeraudes, où l'argent liquide coulait dans les ruisseaux, où les feuilles des arbres et les scarabées étaient d'or pur. Comme ils ne savaient pas avec précision où ils allaient, ils devaient s'arrêter et descendre à terre pour explorer ces régions qu'aucun pied européen n'avait jamais foulées auparavant. De nombreux Castillans étaient morts en chemin, d'autres avaient survécu en se nourrissant de serpents et de bestioles. Au cours du troisième voyage, auquel Diego de Almagro n'avait pas participé parce qu'il recrutait des soldats et cherchait des financements pour un autre navire, Pizarro et ses hommes avaient enfin atteint le territoire des Incas. Ivres de fatigue et de sueur, égarés entre mer et ciel, les Espagnols descendirent de leurs embarcations malmenées sur une terre généreuse aux vallées fertiles et aux montagnes majestueuses, bien différente des jungles empoisonnées du nord. Ils étaient soixante-deux cavaliers débraillés et cent six soldats à pied, harassés. Avec prudence ils se mirent en marche, couverts de leurs lourdes armures, portant une croix devant eux, les arquebuses chargées et les épées à nu. Des gens couleur bois, vêtus de fines toiles colorées, vinrent à leur rencontre ; ils parlaient une langue aux voyelles mélodieuses et se montraient effrayés parce qu'ils n'avaient jamais rien vu de semblable à ces êtres barbus, mi-bête, mi-homme. La surprise dut être égale de part et d'autre, car les navigateurs ne s'attendaient pas à trouver une civilisation comme celle-ci. Ils restèrent perplexes devant les ouvrages d'architecture et d'ingénierie, les tissus et les bijoux. L'Inca Atahualpa, souverain de cet empire, séjournait alors dans des thermes aux eaux curatives, où il campait, dans un luxe comparable à celui de Soliman le Magnifique, en compagnie de milliers de courtisans. L'un des capitaines de Pizarro s'y rendit pour l'inviter à une rencontre. L'Inca le reçut accompagné de sa suite fastueuse sous une tente blanche, entouré de fleurs et d'arbres fruitiers plantés dans des pots de métaux précieux, au milieu de piscines d'eau chaude où jouaient des centaines de princesses et des nuées d'enfants. Il était caché par un rideau, car personne ne pouvait voir son visage, mais la curiosité fut plus forte que le protocole et Atahualpa fit enlever le rideau pour observer de près l'étranger barbu. Le capitaine se retrouva face à un monarque encore jeune et aux traits agréables, assis sur un trône d'or massif, sous un baldaquin de plumes de perroquet. Malgré les étranges circonstances, une étincelle de sympathie mutuelle jaillit entre le soldat espagnol et le noble quechua. Atahualpa offrit au petit groupe de visiteurs un banquet dans de la vaisselle d'or et d'argent incrustée d'améthystes et d'émeraudes. Le capitaine transmit à l'Inca l'invitation de Pizarro, mais il se sentait triste parce qu'il savait que c'était un piège pour le faire prisonnier, selon la stratégie habituelle des conquérants. Quelques heures lui suffirent pour apprendre à respecter les indigènes ; ils n'avaient rien de sauvages, au contraire, ils étaient plus civilisés que bien des peuples d'Europe. Il constata, admiratif, que les Incas avaient des connaissances avancées en astronomie et qu'ils avaient élaboré un calendrier solaire ; de plus, ils faisaient le recensement des millions d'habitants de leur vaste empire, qu'ils contrôlaient grâce à une impeccable organisation sociale et militaire. Cependant, ils n'avaient pas d'écriture, leurs armes étaient primitives, ils n'utilisaient pas la roue ni ne possédaient de bêtes de somme ou de montures, seulement de délicates brebis aux longues pattes et aux yeux de jeunes fiancées, les lamas. Ils adoraient le Soleil, qui n'exigeait des sacrifices humains que dans des occasions tragiques, comme une maladie de l'Inca ou des revers à la guerre : il était alors nécessaire de l'apaiser par des offrandes de vierges ou d'enfants. Trompés par de fausses promesses d'amitié, l'Inca et son immense cour arrivèrent sans armes dans la ville de Cajamarca, où Pizarro avait préparé un guet-apens. Le souverain voyageait dans un palanquin en or porté par ses ministres ; son sérail de belles jeunes filles le suivait. Les Espagnols, après avoir donné la mort à des milliers de ses courtisans qui tentaient de le protéger de leur corps, firent Atahualpa prisonnier.

« On ne parle que du trésor du Pérou, de rien d'autre. La nouvelle se propage comme une fièvre, elle a contaminé la moitié de l'Espagne. Dites-moi, ce qu'on raconte est-il vrai? demanda Valdivia.

— C'est vrai, bien que cela paraisse incroyable. En échange de sa liberté, l'Inca a offert à Pizarro le contenu en or d'une pièce de vingt-deux pieds de long sur dix-sept de large et neuf de haut.

— C'est une somme impossible !

— C'est la rançon la plus importante de l'Histoire. Elle est arrivée sous forme de bijoux, de statues et de vases qui ont été fondus pour être changés en lingots marqués du sceau royal de l'Espagne. Mais donner une telle fortune, que ses sujets, telles de diligentes fourmis, ont apportée des coins les plus reculés de l'empire, n'a servi de rien à Atahualpa ; Pizarro, après l'avoir retenu prisonnier pendant neuf mois, l'a condamné à être brûlé vif. Au dernier moment, il a commué la sentence en une mort plus aimable, le vil garrot, à condition que l'Inca accepte de se faire baptiser », expliqua Alderete. Il ajouta que Pizarro croyait avoir de bonnes raisons pour le faire, car on supposait que le captif avait organisé un soulèvement depuis sa cellule. D'après les renseignements des espions, deux cent mille Quechuas venant de Quito et trente mille Caribes qui mangeaient de la chair humaine étaient prêts à marcher contre les conquérants à Cajamarca, mais la mort de l'Inca les avait obligés à renoncer. Plus tard, on apprit que cette immense armée n'existait pas.

« De toute façon, il est difficile d'expliquer comment une poignée d'Espagnols a pu défaire la civilisation raffinée que vous décrivez. Nous parlons d'un territoire plus grand que l'Europe, dit Pedro de Valdivia.

— C'était un très vaste empire, mais fragile et jeune. Lorsque Pizarro est arrivé, il n'avait qu'un siècle d'existence. De plus, les Incas vivaient dans la mollesse, ils n'ont rien pu faire face à notre courage, à nos armes et nos chevaux.

« — Je suppose que Pizarro s'est allié avec les ennemis de l'Inca, comme l'a fait Fernand Cortez au Mexique.

— C'est exact. Atahualpa et son frère Huáscar s'affrontaient dans une guerre fratricide. Et Pizarro, puis Almagro, qui est arrivé au Pérou peu après, s'en sont servis pour les vaincre tous deux. »

Alderete expliqua qu'aucune feuille ne bougeait dans l'empire du Pérou sans que les autorités en aient connaissance, tous étaient des serfs. Avec une partie du tribut que payaient ses sujets, l'Inca nourrissait et protégeait les orphelins, les veuves, les malades et les vieillards, et il emmagasinait des réserves pour les temps difficiles. Mais malgré ces mesures raisonnables, inexistantes en Espagne, le peuple détestait le souverain et sa cour, parce qu'il vivait soumis à la servitude par les castes des militaires et des religieux, les hauts dignitaires. Selon ses dires, pour le peuple, se trouver sous la domination des Incas ou celle des Espagnols revenait au même, raison pour laquelle il n'avait pas opposé beaucoup de résistance aux envahisseurs. Toujours est-il que la mort d'Atahualpa donna la victoire à Pizarro ; une fois le corps de l'empire décapité, celui-ci s'écroula.

« Ces deux hommes, Pizarro et Almagro, des bâtards sans éducation ni fortune, sont le meilleur exemple de ce que l'on peut obtenir au Nouveau Monde. Non seulement ils sont devenus immensément riches, mais ils ont été couverts d'honneurs et de titres par notre Empereur, ajouta Alderete.

— On ne parle que de gloire et de richesse, on ne raconte que les entreprises réussies : or, perles, émeraudes, terres et peuples soumis, on ne dit rien des dangers, argua Valdivia.

— Vous avez raison. Et les dangers sont infinis. Pour conquérir ces terres vierges, il faut des hommes de caractère. »

Valdivia rougit. Ce jeune homme doutait-il de son courage ? Mais aussitôt il pensa que, si c'était le cas, il se trouvait dans son droit. Lui-même doutait ; voilà bien longtemps qu'il n'avait pas mis son courage à l'épreuve. Le monde changeait à pas de géant. Il était né à une époque extraordinaire où se révélaient enfin les mystères de l'Univers : non seulement il s'avérait que la Terre était ronde, mais certains suggéraient même qu'elle tournait autour du Soleil, et non l'inverse. Et que faisait-il pendant ce temps ? Il comptait des agneaux et des chèvres, récoltait des glands et des olives. Une fois de plus, Valdivia eut conscience de son ennui. Il en avait assez du bétail et des labours, des parties de cartes avec les voisins, des messes et des rosaires, de relire les mêmes livres – presque tous interdits par l'Inquisition – et de toutes ces années d'étreintes obligées et stériles avec sa femme. Le destin, incarné par ce jeune homme à l'enthousiasme fulgurant, frappait une fois de plus à sa porte, comme il l'avait fait à l'époque de la Lombardie, des Flandres, de Pavie, de Milan, de Rome.

« Quand partez-vous pour les Indes, Jerónimo ?

— Cette année, si Dieu me le permet.

— Vous pouvez compter sur moi », dit Pedro de Valdivia dans un murmure, afin que Marina ne l'entende pas. Il avait le regard fixé sur son épée de Tolède, pendue au-dessus de la cheminée.

*

En 1537 je fis mes adieux à ma famille, que je n'allais plus revoir, et voyageai avec ma nièce Constanza vers la belle Séville, parfumée de fleurs d'oranger et de jasmin ; de là, naviguant sur les eaux claires du Guadalquivir, nous arrivâmes dans le port animé de Cadix, avec ses ruelles pavées et ses coupoles morisques, pour nous embarquer à bord du navire de maître Manuel Martín, un trois-mâts de deux cent quarante tonneaux, lent et lourd, mais sûr. Une file d'hommes transporta la cargaison à bord : des tonneaux d'eau, de bière, de vin et d'huile, des sacs de farine, de la viande séchée, des volailles vivantes, une vache et deux cochons pour consommer pendant le voyage, outre plusieurs chevaux, qui au Nouveau Monde se vendaient à prix d'or. Je veillai à ce que mes bagages, bien attachés, soient déposés dans l'espace que maître Martín m'avait assigné. Mon premier souci, une fois installée avec ma nièce dans notre petite cabine, fut de disposer un autel pour Notre-Dame du Secours.

« Vous avez beaucoup de courage d'entreprendre ce voyage, doña Inés. Où votre époux vous attend-il ? voulut savoir Manuel Martín.

— En vérité, je l'ignore, maître.

— Comment ? Il ne vous attend pas en Nouvelle-Grenade ?

— Il m'a envoyé sa dernière lettre d'un endroit qu'on appelle Coro, au Venezuela, mais cela fait longtemps et il est possible qu'il n'y soit plus.

— Les Indes sont un territoire plus vaste que tout le reste du monde connu. Il ne vous sera pas facile de retrouver votre mari.

— Je le chercherai jusqu'à ce que je le trouve.

— Comment, madame ?

— Comme on fait d'habitude, en posant des questions...

— Eh bien alors, je vous souhaite bonne chance. C'est la première fois que je voyage avec des femmes. Je vous prie, vous et votre nièce, d'être prudentes, ajouta le maître.

— Que voulez-vous dire ?

— Vous êtes jeunes toutes les deux, et plutôt agréables à regarder. Vous devinez sans doute à quoi je fais référence. Après une semaine en haute mer, l'équipage commencera à ressentir le manque de femme et, avec vous deux à bord, la tentation sera forte. De plus, les marins croient que la présence féminine attire les tempêtes et autres malheurs. Pour votre bien et ma tranquillité, je préférerais que vous n'ayez pas de contact avec mes hommes. »

Le maître était un Galicien bas de taille, aux épaules larges et aux jambes courtes, au nez proéminent, avec des petits yeux de rongeur, la peau tannée comme le cuir par le sel et les vents des traversées. Il s'était embarqué comme mousse à l'âge de treize ans et pouvait compter sur les doigts d'une main les années qu'il avait passées sur la terre ferme. Son aspect rude contrastait avec l'amabilité de ses manières et la bonté de son âme, comme il s'avérerait évident plus tard, lorsqu'il me viendrait en aide à un moment de grand besoin.

Il est bien dommage que je n'aie pas su écrire à cette époque, car j'aurais commencé à prendre des notes. Je ne me doutais certes pas que ma vie mériterait d'être contée, mais ce voyage aurait dû être enregistré en détail, vu que très peu de gens ont traversé l'étendue salée de l'océan : eaux de plomb, bouillonnantes de vie secrète, pure abondance et terreur, écume, vent et solitude. Dans ce récit, écrit bien des années après les faits, je désire être aussi fidèle que possible à la vérité, mais la mémoire est toujours capricieuse, fruit du vécu, du désir et de l'imagination. La ligne qui sépare la réalité de l'imagination est des plus ténues, et à mon âge elle n'a plus d'intérêt, car tout est subjectif. La mémoire est également teintée par la vanité. Aujourd'hui, la Mort est assise sur une chaise près de ma table, elle attend ; pourtant, la vanité est toujours là, non seulement pour me mettre du rouge sur les joues lorsque viennent des visiteurs, mais aussi pour écrire mon histoire. Y a-t-il chose plus prétentieuse qu'une autobiographie ?

Je n'avais jamais vu l'océan ; je croyais que c'était un fleuve très large, et n'avais pas imaginé qu'on n'apercevait pas l'autre rive. Je m'abstins de faire des commentaires, pour dissimuler mon ignorance et la peur qui me glaça les os lorsque le navire arriva en pleine mer et se mit à tanguer. Nous étions sept passagers, et tous, sauf Constanza qui avait l'estomac bien accroché, avons souffert du mal de mer. Je me sentis si mal que, le deuxième jour, je priai le maître Martín de me fournir un canot pour regagner l'Espagne à la rame. Il éclata de rire et m'obligea à avaler une pinte de rhum qui eut la vertu de me transporter dans un autre monde pendant une trentaine d'heures, au bout desquelles je ressuscitai, amaigrie, verdâtre ; alors seulement je pus avaler un bouillon que ma gentille nièce me fit boire à la petite cuiller. Nous avions laissé la terre ferme derrière nous et naviguions sur des eaux obscures, sous un ciel infini, dans le plus grand abandon. Je ne comprenais pas comment le pilote pouvait s'orienter dans ce paysage toujours identique, en se guidant d'après son astrolabe et les étoiles au firmament. Il m'assura que je pouvais être tranquille, car il avait fait le voyage plusieurs fois et la route était bien connue des Espagnols et des Portugais, qui la parcouraient depuis des décennies. Les cartes de navigation n'étaient plus des secrets bien gardés, même les maudits Anglais les possédaient. Pour les cartes du détroit de Magellan ou de la côte du Pacifique, c'était autre chose, me précisa-t-il ; les pilotes en prenaient soin au péril de leur vie, car elles étaient plus précieuses que tous les trésors du Nouveau Monde.

Je ne me suis jamais habituée au mouvement des vagues, au craquement des planches, au grincement des fers, au claquement incessant des voiles fouettées par le vent. La nuit, je pouvais à peine dormir. Le jour, le manque d'espace me tourmentait et, surtout, les yeux de chiens en rut avec lesquels les hommes me regardaient. Je devais conquérir mon tour au fourneau pour déposer notre marmite, de même que l'intimité pour utiliser les latrines, une caisse pourvue d'un trou, suspendue au-dessus de l'océan. Constanza, au contraire, ne se plaignait jamais et paraissait même contente. Alors que nous voyagions depuis un mois, la nourriture commença à manquer et l'eau, déjà fétide, fut rationnée. Je transportai la cage avec les poules dans notre cabine parce qu'on me volait les œufs, et deux fois par jour je les sortais prendre l'air, attachées par la patte à une corde.

Une fois, je dus employer ma poêle en fer pour me défendre contre un marin plus audacieux que les autres, un certain Sebastián Romero, dont je n'ai pas oublié le nom, car je sais que nous nous retrouverons au purgatoire. Dans la promiscuité du bateau, cet homme profitait de la moindre occasion pour se jeter sur moi, prétextant le mouvement naturel des vagues. Je lui avais enjoint à plusieurs reprises de me laisser en paix, mais cela ne faisait que l'exciter davantage. Une nuit, il me surprit seule dans l'espace réduit sous le pont destiné à la cuisine. Avant qu'il pose ses mains sur moi, je sentis sur ma nuque son haleine fétide et, sans réfléchir, me retournai et lui assenai un coup de poêle sur la tête, comme je l'avais fait, quelques années plus tôt, avec le pauvre Juan de Málaga, lorsqu'il avait voulu me frapper. Sebastián Romero avait le crâne plus mou que Juan et il s'écroula de tout son long par terre, où il resta endormi plusieurs minutes, tandis que je cherchais des chiffons pour le bander. Il ne perdit pas autant de sang qu'on aurait pu l'attendre, mais son visage se mit ensuite à enfler et il prit une couleur d'aubergine. Je l'aidai à se remettre debout, et comme il ne convenait à aucun des deux que la vérité fût connue, nous nous accordâmes pour dire qu'il s'était cogné contre une poutre.

*

Parmi les passagers du navire se trouvait un chroniqueur et dessinateur, Daniel Belalcázar, envoyé par la Couronne avec la mission de tracer des cartes et de laisser un témoignage de ses observations. C'était un homme de trente et quelques années, mince et fort, au visage anguleux et à la peau olivâtre, comme un Andalou. Il trottait de la proue à la poupe et de la poupe à la proue pendant des heures, pour se faire les muscles, se coiffait avec une courte tresse et portait un anneau d'or à l'oreille gauche. La seule fois qu'un membre de l'équipage se moqua de lui, il le jeta à terre d'un coup de poing sur le nez et plus personne ne l'embêta. Belalcázar, qui avait commencé ses voyages très jeune et connaissait les côtes lointaines d'Afrique et d'Asie, nous raconta qu'il avait été fait prisonnier par Barberousse, le redoutable pirate turc, et vendu comme esclave en Algérie, d'où il avait pu s'échapper au bout de deux ans après moult souffrances. Il portait toujours sous le bras un gros cahier, enveloppé dans une toile cirée, où il écrivait ses pensées d'une écriture minuscule, qui ressemblait à des pattes de mouche. Il s'amusait à dessiner les marins dans leurs travaux et, en particulier, ma nièce. Se préparant à entrer au couvent, Constanza se vêtait comme une novice, d'un habit de toile grossière qu'elle avait cousu elle-même, et elle se couvrait la tête d'un triangle de la même toile noué sous le menton, qui ne laissait pas dépasser un seul cheveu et lui cachait la moitié du front. Mais cette horrible tenue ne dissimulait ni son port altier ni ses splendides yeux noirs, brillants comme des olives. Belalcázar obtint d'abord qu'elle pose pour lui, puis qu'elle enlève le fichu de sa tête et enfin qu'elle dénoue son chignon de vieille pour permettre à la brise de jouer avec ses boucles noires. Quoi que disent les documents tamponnés de sceaux officiels sur la pureté de sang de notre famille, je suspecte que dans nos veines coule une bonne quantité de sang sarrasin. Constanza, sans l'habit, ressemblait à l'une de ces odalisques de tapisserie ottomane.

Un jour vint où la faim se fit vraiment sentir. C'est alors que je me souvins des friands et convainquis le cuisinier, un Noir d'Afrique du Nord au visage brodé de cicatrices, de me donner de la farine, de la graisse et un peu de viande séchée, que je mis à tremper dans de l'eau de mer avant de la faire cuire. De mes propres réserves je sortis des olives, des raisins secs, des œufs durs, coupés en petits morceaux pour augmenter leur volume, et du cumin, une épice peu coûteuse qui donne une saveur particulière à la cuisine. J'aurais donné n'importe quoi pour quelques oignons, de ceux qu'on trouvait en abondance à Plasencia, mais il n'en restait aucun dans la cale. Je préparai la farce, pétris la pâte et mis les friands à frire, puisqu'il n'y avait pas de four. Ils eurent tant de succès qu'à partir de ce jour chacun apportait un peu de ses provisions pour la farce. Je fis des friands aux lentilles, aux pois chiches, au poisson, au poulet, au saucisson, au fromage, au poulpe, au requin, et gagnai ainsi la considération de l'équipage et des passagers. Quant au respect, je l'obtins, après une tempête, en cautérisant les blessures et réparant les os cassés de deux ou trois marins, comme j'avais appris à le faire à l'hôpital des religieuses, à Plasencia. Ce fut le seul incident digne d'être mentionné, en plus d'avoir échappé à des corsaires français qui guettaient les navires espagnols. S'ils nous avaient rattrapés – comme l'expliqua maître Manuel Martín – nous aurions connu une fin terrible, car ils étaient armés jusqu'aux dents. En apprenant le danger qui nous menaçait, ma nièce et moi nous agenouillâmes devant l'image de Notre-Dame du Secours, priant avec ferveur pour notre salut, et elle nous accorda le miracle d'un brouillard si dense que les Français nous perdirent de vue. Daniel Belalcázar affirma que le brouillard était là avant que nous ayons commencé à prier ; le timonier n'avait eu qu'à mettre le cap sur lui.

Ce Belalcázar était un homme de peu de foi, mais très plaisant. Le soir, il nous divertissait des récits de ses voyages et de ce que nous verrions au Nouveau Monde. « Pas de cyclopes, pas de géants, pas d'hommes à quatre bras et tête de chien, mais vous rencontrerez certainement des êtres primitifs et méchants, en particulier parmi les Castillans », se moquait-il. Il nous assura que les habitants du Nouveau Monde n'étaient pas tous des sauvages ; Aztèques, Mayas et Incas étaient plus raffinés que nous, au moins se baignaient-ils et n'étaient-ils pas couverts de poux.

« Cupidité, pure cupidité, ajouta-t-il. Le jour où nous, les Espagnols, avons posé le pied dans le Nouveau Monde, ce fut la fin de ces cultures. Au début ils nous ont bien reçus. Leur curiosité a été plus forte que la prudence. Voyant que les étrangers barbus sortis de la mer aimaient l'or, ce métal tendre et inutile qu'ils avaient en grande quantité, ils le leur ont offert à pleines mains. Bientôt cependant, notre insatiable appétit et notre brutal orgueil leur ont paru offensifs. Quoi de plus normal ! Nos soldats abusent de leurs femmes, ils entrent dans leurs maisons et prennent sans permission ce dont ils ont envie ; et le premier qui ose s'opposer à eux, ils l'expédient dans l'autre monde d'un coup de sabre. Ils proclament que cette terre, où ils viennent de débarquer, appartient à un souverain qui vit de l'autre côté de la mer et veulent que les autochtones adorent des morceaux de bois en croix.

— Que l'on ne vous entende pas parler ainsi, monsieur Belalcázar ! On vous accuserait de trahir l'Empereur et d'être un hérétique, l'avertis-je.

— Je ne dis que la vérité. Vous verrez, madame, que les conquérants n'ont pas honte : ils arrivent comme des mendiants, se comportent comme des voleurs et se prennent pour des seigneurs. »

Ces trois mois de traversée me semblèrent aussi longs que trois années, mais ils me servirent à savourer ma liberté. Il n'y avait ni famille – hormis la timide Constanza –, ni voisins, ni moines pour m'observer ; je n'avais de comptes à rendre à personne. Je me dépouillai de mes robes noires de veuve et du corset qui emprisonnait ma chair. De son côté, Daniel Belalcázar convainquit Constanza de se défaire de son habit de religieuse et de porter mes jupes.

Les jours paraissaient interminables et les nuits plus encore. La saleté, la promiscuité, la maigre et exécrable nourriture, la mauvaise humeur des hommes, tout faisait de cette traversée un purgatoire, mais du moins avons-nous échappé aux serpents de mer capables d'avaler un navire, aux monstres, aux tritons, aux sirènes qui rendent fous les marins, aux âmes des noyés, aux bateaux fantômes et aux feux follets. L'équipage nous avait mis en garde contre ceux-ci et d'autres dangers habituels sur les mers, mais Belalcázar assurait qu'il n'avait jamais rien vu de semblable.

Nous touchâmes terre un samedi du mois d'août. Jusque-là noire et profonde, l'eau de l'océan devint bleue et cristalline.

Le canot nous conduisit sur une plage de sables ondulants léchée par de douces vagues. Les membres de l'équipage offrirent de nous porter, mais Constanza et moi relevâmes nos jupes et passâmes à gué, préférant montrer nos mollets qu'être transportées comme des sacs de farine sur les épaules des hommes. Je n'avais jamais imaginé que la mer pût être tiède ; vue du bateau, elle semblait très froide.

Le village consistait en quelques huttes de roseaux au toit de palmes ; l'unique rue était un bourbier, et l'église n'existait pas ; seule, sur un promontoire, une croix faite de deux bouts de bois marquait la maison de Dieu. Les rares habitants de ce trou perdu étaient un mélange de marins de passage, de Noirs et de mulâtres, outre quelques Indiens, que je voyais pour la première fois, de pauvres hères presque nus, misérables. Une nature dense, verte, chaude nous enveloppa. L'humidité détrempait jusqu'aux pensées et le soleil s'abattait implacablement sur nous. Les vêtements étaient insupportables, et nous ôtâmes nos cols, nos poignets, nos bas et nos chaussures.

Je vérifiai bientôt que Juan de Málaga ne se trouvait pas là. Le seul qui s'en souvenait était le père Gregorio, un malheureux dominicain souffrant de malaria et devenu un vieillard avant l'heure, car à peine âgé de quarante ans il en paraissait soixante. Cela faisait deux décennies qu'il vivait dans la forêt, ayant pour mission d'enseigner et de propager la foi du Christ, et deux ou trois fois, lors de ses voyages, le hasard lui avait fait rencontrer mon mari. Il me confirma que, comme tant d'Espagnols hallucinés, Juan cherchait la mythique cité d'or.

« Grand, beau, amateur de paris et de vin. Sympathique », dit-il. Ce ne pouvait être que lui.

« L'El Dorado est une invention des Indiens pour se débarrasser des étrangers qui, courant après l'or, finissent par trouver la mort », ajouta le moine.

Le père Gregorio nous céda, à Constanza et moi, sa hutte où nous pûmes nous reposer, tandis que l'équipage se saoulait avec une forte liqueur de palme et traînait les Indiennes, contre leur gré, dans les fourrés qui entouraient le village. Malgré les requins, qui avaient suivi le navire pendant des jours, Daniel Belalcázar se baigna des heures durant dans cette mer limpide. Lorsqu'il ôta sa chemise, nous vîmes qu'il avait le dos couvert de cicatrices de coups de fouet, mais il ne nous donna pas d'explications et personne n'osa lui en demander. Pendant le voyage, nous avions constaté que cet homme avait la manie de se laver, il connaissait apparemment d'autres peuples qui le faisaient. Il voulut que Constanza entre dans la mer avec lui, même vêtue, mais je ne le lui permis pas ; j'avais promis à ses parents de la rendre entière et non mordue par un requin.

Lorsque le soleil se coucha, les Indiens allumèrent des feux de bois vert pour combattre les moustiques qui se jetèrent sur le village. La fumée nous aveuglait et c'est à peine si nous pouvions respirer, mais l'alternative était pire, car dès que nous nous éloignions du feu un nuage de bestioles s'abattait sur nous. Nous dînâmes de viande de tapir, un animal qui ressemble au cochon, et d'une bouillie molle qu'ils appellent manioc ; c'étaient des goûts étranges, mais après trois mois de poisson et de friands, le repas nous parut princier. Pour la première fois aussi je gouttai une boisson mousseuse de cacao, un peu amère malgré les épices dont ils l'avaient agrémentée. D'après le père Gregorio, les Aztèques et d'autres Indiens d'Amérique utilisent les graines de cacao comme nous-mêmes utilisons la monnaie, tant elles sont précieuses à leurs yeux.

La soirée s'écoula à écouter les aventures du religieux, qui s'était plusieurs fois enfoncé dans la forêt pour convertir les âmes. Il admit que dans sa jeunesse il avait lui aussi poursuivi le rêve terrible de l'El Dorado. Il avait navigué sur le fleuve Orénoque, parfois calme comme une lagune, torrentueux et indigné en d'autres endroits. Il nous parla d'immenses cascades qui naissent des nuages pour s'écraser dans un arc-en-ciel d'écume, et de tunnels verts dans la forêt, éternel crépuscule de la végétation à peine touchée par la lumière du jour. Il nous dit qu'y poussaient des fleurs carnivores à l'odeur de cadavre et d'autres délicates et parfumées, mais venimeuses ; il nous parla aussi d'oiseaux au plumage fastueux, et de villages de singes à visage humain qui épiaient les intrus depuis l'épaisseur du feuillage.

« Pour nous, qui venons de l'Estrémadure sobre et sèche, pierre et poussière, ce paradis est impossible à imaginer, commentai-je.

— Ce n'est un paradis qu'en apparence, doña Inés. Dans ce monde chaud, marécageux et vorace, infesté de reptiles et d'insectes venimeux, tout se corrompt rapidement, et surtout l'âme. La forêt transforme les hommes en rufians et en assassins.

— Ceux qui s'enfoncent là uniquement par cupidité sont déjà corrompus, mon père. La forêt ne fait que mettre en évidence ce que les hommes sont déjà », répliqua Daniel Belalcázar, tandis qu'il notait fébrilement les paroles du moine dans son cahier, car son intention était de suivre la route de l'Orénoque.

*

Au cours de cette première nuit sur la terre ferme, le maître Manuel Martín et quelques marins allèrent dormir sur le bateau pour surveiller le chargement ; c'est ce qu'ils dirent, mais je pense qu'en réalité ils craignaient les serpents et les répugnantes bestioles de la forêt. Mais nous et les autres, fatigués du confinement des minuscules cabines, avons préféré nous installer dans le village. Constanza, exténuée, s'endormit aussitôt dans le hamac qu'on nous avait assigné, protégée par une immonde moustiquaire en toile ; je me préparai, quant à moi, à plusieurs heures d'insomnie. La nuit était très noire ici, peuplée de mystérieuses présences, bruyante, parfumée, redoutable. J'avais l'impression d'être entourée des créatures qu'avait mentionnées le père Gregorio : insectes énormes, vipères qui tuaient de loin, fauves inconnus. Toutefois, plus que ces dangers naturels, c'était la méchanceté des hommes ivres qui m'inquiétait. Je ne pouvais fermer les yeux.

Deux ou trois longues heures s'écoulèrent ; alors que je commençais enfin à somnoler, j'entendis soudain quelque chose ou quelqu'un rôder autour de la hutte. Mon premier soupçon fut qu'il s'agissait d'un animal, mais aussitôt je me souvins que Sebastián Romero était resté à terre et j'en déduisis que, loin de l'autorité du maître Manuel Martín, cet homme pouvait être dangereux. Je ne me trompais pas. Si j'avais été endormie, peut-être Romero serait-il parvenu à ses fins, mais, pour son malheur, je l'attendais avec une dague morisque, petite et affilée comme une aiguille, que j'avais achetée à Cadix. A l'intérieur de la cabane, la seule lumière provenait du reflet des braises qui mouraient dans le feu où le tapir avait été rôti. Un trou sans porte nous séparait de l'extérieur, et mes yeux s'étaient accoutumés à la pénombre. Romero entra à quatre pattes, flairant, comme un chien, et il s'approcha du hamac où je devais être étendue avec Constanza. Il parvint à tendre la main pour écarter la moustiquaire, mais son geste se figea lorsqu'il sentit la pointe de ma dague sur son cou, derrière l'oreille.

« Je vois que tu n'apprends pas, coquin, dis-je sans élever la voix, pour ne pas faire de scandale.

— Que le diable t'emporte, catin ! Tu as joué avec moi pendant trois mois et maintenant tu fais semblant de ne pas avoir envie de la même chose que moi », marmotta-t-il, furieux.

Constanza se réveilla, effrayée, et ses cris alertèrent le père Gregorio, Daniel Belalcázar ainsi que d'autres qui dormaient à proximité. Quelqu'un alluma une torche et à eux tous ils sortirent de force l'homme de notre paillote. Le père Gregorio ordonna qu'on l'attache à un arbre jusqu'à ce que lui passe la démence provoquée par l'alcool de palme ; et il resta là, proférant des menaces et des malédictions pendant un bon moment, jusqu'à ce qu'enfin, au jour naissant, il tombe épuisé de fatigue. Alors nous pûmes enfin dormir.

Quelques jours plus tard, après avoir chargé de l'eau fraîche, des fruits tropicaux et de la viande salée, le navire de maître Manuel Martín nous conduisit jusqu'au port de Cartagena, qui déjà à l'époque était d'une importance capitale : c'est là qu'on embarquait les trésors du Nouveau Monde expédiés en Espagne. Les eaux de la mer des Caraïbes étaient bleues et aussi propres que celle des bassins dans les palais des Maures. L'air avait une odeur capiteuse de fleurs, de fruits et de sueur. La muraille, construite avec des pierres unies par un mélange de chaux et de sang de taureau, brillait sous un soleil implacable. Des centaines d'indigènes, nus et enchaînés, transportaient de grosses pierres, encouragés à coups de fouet par les contremaîtres. Ce mur épais et une forteresse protégeaient la flotte espagnole des pirates et autres ennemis de l'Empire. Plusieurs navires ancrés dans la baie se balançaient sur la mer, certains de guerre, d'autres marchands, et même un bateau négrier transportant sa cargaison d'Afrique qui allait être adjugée à la foire aux nègres. Il se distinguait des autres par l'odeur de misère humaine et de mauvaiseté qui en émanait. Comparée à n'importe quelle vieille ville d'Espagne, Cartagena était encore un village, mais elle avait une église, des rues bien tracées, des maisons badigeonnées à la chaux, de solides édifices de gouvernement, des entrepôts de marchandises, un marché et des tavernes. La forteresse, encore en construction, dominait le sommet d'une colline, ses canons déjà installés pointés sur la baie. La population était très variée, et les femmes, décolletées et insolentes, me parurent belles, surtout les mulâtresses. Je décidai de rester là un certain temps, car je découvris que mon mari y avait vécu quelques mois plus tôt. Dans un magasin se trouvait un paquet de vêtements que Juan avait laissés en gage, promettant, à son retour, de payer l'argent qu'il devait.

La seule auberge de Cartagena n'acceptait pas les femmes seules, mais le maître Manuel Martín, qui connaissait beaucoup de monde, nous dénicha une maison à louer. Elle consistait en une pièce assez vaste, bien qu'à peu près vide, avec une porte sur la rue et une étroite fenêtre, sans autre mobilier qu'un grabat, une table et un banc, où ma nièce et moi installâmes nos affaires. Je me mis sans tarder à proposer mes services comme couturière et à chercher un four public où cuire mes friands, car mes économies disparaissaient plus vite que je ne l'avais prévu.

A peine étions-nous installées que Daniel Belalcázar vint nous rendre visite. La pièce était remplie de paquets, aussi dut-il s'asseoir sur le lit, son chapeau à la main. Nous n'avions que de l'eau à lui offrir et il en but deux verres de suite ; il transpirait. Il garda le silence un long moment, scrutant le sol de terre battue avec une énorme attention, tandis que nous attendions, aussi incommodées que lui.

« Doña Inés, je viens vous demander, avec le plus grand respect, la main de votre nièce », lâcha-t-il enfin.

De surprise, je défaillis presque. Je n'avais jamais perçu entre eux quelque chose qui indiquât une romance, et l'idée me traversa l'esprit que la chaleur avait dérangé Belalcázar, mais l'expression ébahie de Constanza m'obligea à me ressaisir.

« La petite n'a que quinze ans ! m'exclamai-je, épouvantée.

— Ici, les filles se marient jeunes, madame.

— Constanza n'a pas de dot.

— Cela n'a aucune importance. Je n'ai jamais approuvé cette coutume, et même si Constanza avait une dot de reine, je ne l'accepterais pas.

— Ma nièce veut être religieuse !

— Elle le voulait, madame, mais plus maintenant », murmura Belalcázar, ce qu'elle confirma d'une voix claire et nette.

Je leur fis remarquer que je n'avais pas autorité pour la donner en mariage, encore moins à un aventurier inconnu, un homme sans résidence fixe qui passait sa vie à noter des bêtises dans un carnet et qui avait le double de son âge. Comment pensait-il l'entretenir? Prétendait-il qu'elle le suive sur l'Orénoque pour faire le portrait des cannibales? Constanza m'interrompit pour annoncer, rouge de honte, qu'il était trop tard pour que je m'y oppose, parce qu'en réalité ils étaient déjà mariés devant Dieu, bien qu'ils ne le fussent pas devant la loi des hommes. J'appris alors que sur le bateau, la nuit, pendant que je cuisais des friands, eux faisaient ce qu'ils voulaient vraiment dans la cabine de Belalcázar. Je levai la main pour donner une paire de gifles bien méritées à Constanza, mais il me saisit le bras. Ils se marièrent le lendemain dans l'église de Cartagena, avec maître Manuel Martín et moi comme témoins. Ils s'installèrent à l'auberge et commencèrent à s'occuper des préparatifs de leur voyage pour la forêt, comme je le craignais.

*

Au cours de la première nuit que je passai seule dans la pièce que j'avais louée se produisit un malheur que j'aurais peut-être pu éviter si j'avais été plus prévoyante. Bien que je ne puisse m'offrir ce luxe, parce que les bougies étaient chères, j'en gardai une allumée une bonne partie de la nuit par crainte des cafards, qui sortent dans l'obscurité. J'étais étendue sur le lit, à peine couverte d'une chemise légère, suffoquant de chaleur et ne pouvant dormir, pensant à ma nièce, lorsqu'un coup contre la porte me fit sursauter. Il y avait une barre qu'on mettait à l'intérieur, mais j'avais oublié de la poser. Un deuxième coup de pied fit sauter la poignée et Sebastián Romero se profila sur le seuil. Je parvins à me lever, mais d'une bourrade l'homme me repoussa sur le lit, puis il se jeta sur moi en proférant des insultes. Je commençai à me débattre à coups de pied et de griffes, mais il m'étourdit d'une taloche féroce qui me coupa le souffle et m'aveugla un bref instant. Lorsque je recouvris mes sens, il me maintenait immobilisée et était sur moi, m'écrasant de tout son poids, m'éclaboussant de postillons et marmottant des grossièretés. Je sentis son haleine fétide, ses doigts forts incrustés dans ma chair, ses genoux qui tentaient d'écarter mes cuisses, la dureté de son sexe contre mon ventre. La douleur du coup et la panique avaient troublé ma conscience. Je criai, mais il me ferma la bouche d'une main, m'empêchant de respirer, tandis que de l'autre il tirait sur ma chemise et sur ses chausses, tâche peu aisée, car je suis forte et me débattais comme une belette. Pour me faire taire, il m'assena une formidable gifle, puis à deux mains arracha mes vêtements ; je compris alors que je ne me débarrasserais pas de lui par la force. Un instant j'envisageai la possibilité de me soumettre, dans l'espoir que l'humiliation serait brève, mais la colère m'aveuglait et je n'étais pas sûre non plus qu'ensuite il me laisserait en paix ; il pouvait me tuer pour que je ne le dénonce pas. J'avais la bouche pleine de sang, mais je parvins à lui demander de ne pas me faire de mal, car nous pouvions prendre du plaisir tous les deux, rien ne pressait, j'étais prête à accéder à ses désirs. Je ne me souviens pas dans le détail de ce qui s'est passé cette nuit-là, je crois que je lui ai caressé la tête en murmurant un chapelet d'obscénités apprises dans le lit de Juan de Málaga, et cela sembla calmer un peu sa violence, car il me lâcha et se mit debout pour retirer ses chausses qu'il avait baissées à hauteur des mollets. Tâtant sous l'oreiller, je trouvai la dague que je gardais toujours près de moi et l'empoignai fermement de la main droite, la tenant cachée contre mon flanc. Quand Romero me tomba à nouveau dessus, je le laissai se placer, lui enserrai la taille de mes jambes levées et du bras gauche entourai son cou. Il grogna de satisfaction, pensant que je m'étais enfin décidée à collaborer, et s'apprêta à profiter de son avantage. Pendant ce temps, j'utilisai mes jambes pour l'immobiliser, croisant les pieds sur ses reins. Je levai la dague, la pris à deux mains, calculai l'endroit précis où lui infliger le plus de dommages possible, et appuyai de toutes mes forces

73

dans une étreinte mortelle, la lui enfonçant jusqu'à la garde. Il n'est pas facile de planter un couteau dans les fortes épaules d'un homme dans cette position, mais la terreur m'y aida. C'était sa vie ou la mienne. Je craignis de m'être trompée, car pendant un instant Sebastián Romero ne réagit pas, comme s'il n'avait pas senti le coup, mais immédiatement il poussa un cri viscéral et roula à terre au milieu des paquets entassés. Il tenta de se mettre debout, puis resta à genoux, avec une expression de surprise qui rapidement tourna à l'horreur. Il leva les mains en arrière dans une tentative désespérée d'arracher le poignard. Ce que j'avais appris du corps humain en soignant des blessures à l'hôpital des religieuses me fut très utile, car le coup fut mortel. L'homme continuait à résister et moi, assise sur le grabat, je l'observais, aussi épouvantée que lui, mais prête à lui sauter dessus s'il criait et à lui fermer la bouche d'une façon ou d'une autre. Il ne cria pas, un sinistre borborygme s'échappa de ses lèvres dans une écume rosée. Au bout d'un temps qui me parut une éternité, il trembla, comme possédé, vomit du sang et peu après s'écroula. J'attendis un long moment, jusqu'à ce que mes nerfs se calment et que je parvienne à réfléchir ; alors je m'assurai qu'il n'allait plus bouger. Dans la pauvre lueur de l'unique chandelle, je vis le sang absorbé par la terre du sol.

Je passai le reste de la nuit près du corps de Sebastián Romero, d'abord à prier la Vierge de me pardonner un crime si grave, puis à imaginer la manière d'éviter d'en payer les conséquences. Je ne connaissais pas les lois de cette ville, mais si elles étaient comme celles de Plasencia j'irais moisir au fond d'un cachot jusqu'à ce que je puisse prouver que j'avais agi pour ma défense, tâche ardue, car les soupçons des magistrats retombent toujours sur la femme. Je ne me faisais pas d'illusions : nous, les femmes, sommes toujours rendues responsables des vices et péchés des hommes. Qu'est-ce que la justice allait supposer d'une femme jeune et seule ? Elle dirait que j'avais invité l'innocent marin, puis que je l'avais assassiné pour le voler. A l'aube, je couvris le cadavre d'une couverture, m'habillai et partis vers le port où le navire de Manuel Martín était toujours ancré. Le maître écouta mon histoire jusqu'à la fin, sans m'interrompre, mastiquant son tabac et se grattant la tête.

« Il semble que je vais devoir me charger de ce problème, doña Inés », décida-t-il lorsque j'eus fini de parler.

Il se rendit à ma modeste demeure avec un marin de toute confiance, et tous deux emportèrent Romero enveloppé dans un morceau de voile. Je n'ai jamais su ce qu'ils en avaient fait; sans doute l'ont-ils jeté à la mer lesté d'une pierre, et les poissons se sont-ils chargés de ses restes. Manuel Martín me suggéra de quitter Cartagena aussi vite que possible, car un secret comme celui-ci ne pouvait se cacher indéfiniment, et c'est ainsi que quelques jours plus tard je fis mes adieux à ma nièce et son mari, et partis avec deux autres voyageurs en direction de la ville de Panamá. Plusieurs Indiens portaient les bagages et nous guidaient dans les montagnes, les forêts et sur les fleuves.

L'isthme de Panamá est une étroite frange de terre qui sé-pare notre océan européen de la mer du Sud, qu'on appelle aussi Pacifique. Il a moins de vingt lieues de large, mais les montagnes sont abruptes, les eaux insalubres, les marécages putréfiés, la forêt y est très épaisse et l'air infesté de fièvre et de pestilence. Il y a des Indiens hostiles, des lézards et des ser-pents de terre et de rivière, mais le paysage est sublime et les oiseaux magnifiques. Sur le chemin nous accompagna le charivari des singes, animaux curieux et effrontés qui nous sautaient dessus pour nous voler nos provisions. La jungle était d'un vert profond, sombre, menaçante. Mes compa-gnons de route gardaient leurs armes à la main et ne perdaient pas de vue les Indiens, qui pouvaient nous trahir à chaque moment d'inattention, comme nous en avait avertis le père Gregorio. Il nous avait également mis en garde contre les caïmans, qui emportent leurs victimes au fond des fleuves; les fourmis rouges, qui arrivent par milliers et s'introduisent dans les orifices du corps, le dévorant en quelques minutes de l'intérieur; et les crapauds dont la bave empoisonnée entraîne la cécité. J'essayais de ne penser à rien de tout cela, parce que la terreur m'aurait paralysée. Comme disait Daniel Belalcázar, il n'est pas utile de souffrir à l'avance de malheurs qui n'arriveront peut-être pas. La première partie de la traversée se fit dans un bateau propulsé à la rame par huit autochtones. Je me réjouis que ma nièce ne fût pas présente, car les rameurs étaient nus et je dois à la vérité de dire que, malgré le superbe paysage, mes yeux se tournaient vers ce qu'ils ne devaient pas regarder. Nous parcourûmes la dernière partie du chemin à dos de mule. Depuis le dernier sommet, nous aperçûmes la mer couleur turquoise et les contours flous de la ville de Panamá, suffoquant dans une vapeur chaude.

CHAPITRE DEUX

Amérique, 1537-1540

PEDRO de Valdivia avait trente-cinq ans lorsqu'il arriva avec Jerónimo de Alderete au Venezuela, *Petite Venise*, comme l'avaient ironiquement baptisé les premiers explorateurs en voyant ses marais, ses canaux et ses maisons lacustres. Il avait quitté la délicate Marina Ortiz de Gaete avec la promesse de revenir riche ou de l'envoyer chercher aussitôt que possible – maigre consolation pour la jeune abandonnée –, et avait dépensé ce qu'il possédait, s'endettant même, pour financer le voyage. Comme tous ceux qui s'aventuraient au Nouveau Monde, il mit ses biens, son honneur et sa vie au service de l'entreprise, alors même que les terres conquises et le cinquième des richesses – s'il y en avait – appartenaient à la Couronne d'Espagne. Comme disait Belalcázar, avec l'autorisation du roi l'aventure prenait le nom de conquête, sans elle c'était une attaque à main armée.

Les plages de la mer des Caraïbes, avec leurs eaux et leurs sables opalescents, leurs élégants palmiers, reçurent les voyageurs avec une tranquillité trompeuse, car dès qu'ils pénétrèrent sous le feuillage, une jungle de cauchemar les enveloppa. Ils devaient s'ouvrir un chemin à coups de machette, étourdis par l'humidité et la chaleur, sans cesse harcelés par les moustiques et des bêtes inconnues. Ils avançaient sur un sol fangeux, où ils s'enfonçaient jusqu'aux cuisses dans une matière molle en putréfaction, lourds, maladroits, couverts d'écœurantes sangsues qui leur suçaient le sang. Ils ne pouvaient enlever leurs armures par crainte des flèches empoisonnées des Indiens, qui les suivaient, silencieux et invisibles, dans la végétation.

« Nous ne pouvons tomber vivants entre les mains de ces sauvages! » les avertit Alderete, et il leur rappela que le conquérant Francisco Pizarro, dans sa première expédition au sud du continent, était entré avec un groupe de ses hommes dans un village inoccupé où des feux brûlaient encore. Les Espagnols, affamés, avaient soulevé les couvercles des marmites et découvert les ingrédients de la soupe : des têtes, des mains, des pieds et des viscères humains.

« Cela s'est passé dans l'ouest, quand Pizarro cherchait le Pérou, précisa Pedro de Valdivia, qui se croyait bien informé sur les découvertes et les conquêtes.

— Les Indiens caraïbes de ces contrées aussi sont anthropophages », insista Jerónimo.

Il était impossible de s'orienter dans le vert profond de ce monde primitif, antérieur à la Genèse, un interminable labyrinthe circulaire, hors du temps, sans histoire. S'ils s'éloignaient de quelques pas de la berge des rivières, la jungle les avalait pour toujours, comme cela arriva à l'un des hommes qui s'était enfoncé dans les fougères en appelant sa mère, fou de chagrin et de peur. Ils avançaient en silence, accablés par une solitude d'abîme sans fond, une angoisse sidérale. L'eau était infestée de piranhas qui, à l'odeur du sang, se précipitaient en masse et achevaient un chrétien en quelques minutes ; seuls les os, blancs et propres, témoignaient qu'il avait un jour existé. Dans cette nature luxuriante, il n'y avait rien à manger. Bientôt les vivres furent épuisés, et commencèrent les affres de la faim. Parfois ils parvenaient à tuer un singe et ils le dévoraient cru, écœurés par son aspect humain et sa puanteur, car dans l'éternelle humidité de la forêt il était bien difficile de faire du feu. Ils tombèrent malades en goûtant des fruits inconnus et pendant des jours ne purent avancer, vaincus par les vomissements et une diarrhée implacable. Leur ventre enflait, leurs dents tombaient, la fièvre les terrassait. L'un d'eux mourut en perdant son sang jusque par les yeux, un autre fut englouti par un bourbier, un troisième broyé par un anaconda, monstrueux serpent d'eau aussi épais que la jambe d'un homme et long comme cinq lances alignées. L'air était une vapeur chaude, pourrie, malsaine, une haleine de dragon. « C'est le royaume de Satan », affirmaient les soldats, et sans doute l'était-ce, car les esprits s'échauffaient et ils se battaient à chaque instant. Les chefs avaient beaucoup de mal à maintenir un peu de discipline et à les obliger à continuer. Un seul rêve les poussait à aller de l'avant : l'El Dorado.

Tandis qu'ils avançaient péniblement, la foi de Pedro de Valdivia dans l'entreprise diminuait et son dégoût augmentait. Ce n'était pas ce dont il avait rêvé dans son ennuyeux manoir d'Estrémadure. Il était prêt à affronter les barbares dans des batailles héroïques et à conquérir des régions lointaines pour la gloire de Dieu et du roi, mais il n'avait jamais imaginé qu'il utiliserait son épée, la victorieuse épée des Flandres et d'Italie, pour lutter contre la nature. La cupidité et la cruauté de ses compagnons lui répugnaient, il n'y avait rien d'honorable ou d'idéaliste dans cette soldatesque brutale. A l'exception de Jerónimo de Alderete, qui avait donné bien des preuves de noblesse, ses compagnons étaient des gredins de la pire espèce, des traîtres et des bagarreurs. Le capitaine à la tête de l'expédition, qu'il n'avait pas tardé à détester, était un scélérat : il volait, faisait du trafic d'esclaves avec les Indiens et ne payait pas le cinquième correspondant à la Couronne. Où allons-nous, tellement coléreux et désespérés, si au bout du compte personne ne peut emporter l'or dans la tombe ? pensait Valdivia, mais il continuait à avancer parce qu'il était impossible de revenir en arrière. L'absurde aventure dura plusieurs mois, jusqu'à ce qu'enfin Pedro de Valdivia et Jerónimo de Alderete parviennent à se séparer du groupe et à s'embarquer pour la ville de Saint-Domingue, dans l'île d'Hispaniola, où ils purent se remettre des ravages du voyage.

81

Pedro en profita pour envoyer à Marina un peu d'argent qu'il avait économisé, comme il le ferait toujours, jusqu'à sa mort.

A cette époque arriva dans l'île la nouvelle que Francisco Pizarro avait besoin de renforts au Pérou. Son associé dans la conquête, Diego de Almagro, était parti pour l'extrême sud du continent dans l'intention de soumettre les terres barbares du Chili. Les associés avaient des tempéraments opposés : le premier était taciturne, méfiant et envieux, bien que très courageux, alors que le second était franc, loyal et si généreux qu'il ne souhaitait faire fortune que pour la partager. Il était inévitable que des hommes si différents, mais d'égale ambition, finissent par devenir ennemis, bien qu'ils se fussent juré fidélité en communiant devant l'autel avec la même hostie partagée en deux. L'empire des Incas s'avéra petit pour les contenir tous deux. Pizarro, devenu marquis gouverneur et chevalier de l'ordre de Saint-Jacques, resta au Pérou, secondé par ses redoutables frères, tandis qu'Almagro se dirigeait, en 1535, avec une armée de cinq cents Castillans, dix mille serviteurs indiens et le titre de gouverneur de province, vers le Chili, une région encore inexplorée, dont le nom, dans la langue aymara, signifie : « Là où la terre prend fin. » Pour financer le voyage il dépensa sur son pécule plus qu'avait payé l'Inca Atahualpa pour sa rançon.

Dès que Diego de Almagro fut parti avec ses braves pour le Chili, Pizarro dut affronter une insurrection générale. Lorsque les forces des *viracochas*, comme on appelait les Espagnols, se divisèrent, les natifs du Pérou prirent les armes contre les envahisseurs. Sans une aide rapide, la conquête de l'empire inca était en danger, ainsi que la vie des Espagnols, obligés de se battre contre des forces très supérieures. L'appel au secours de Francisco Pizarro arriva à Hispaniola, où Valdivia l'entendit ; sans hésiter, il décida de se rendre au Pérou.

Le seul nom de ce territoire – Pérou – évoquait pour Pedro de Valdivia les inconcevables richesses et la civilisation raffinée que son ami Alderete décrivait avec éloquence. Admirable, en vérité, pensait-il en écoutant ce qu'on racontait, bien que tout ne fût pas digne d'éloge. Il savait que les Incas étaient cruels, qu'ils contrôlaient le peuple avec férocité. Après une bataille, si les vaincus n'acceptaient pas d'être complètement intégrés à l'empire, ils ne laissaient personne en vie, et au moindre soupçon de mécontentement déplaçaient des villages entiers à mille lieues de distance. Ils appliquaient les pires supplices à leurs ennemis, y compris aux femmes et aux enfants. L'Inca, qui épousait ses sœurs pour garantir la pureté du sang royal, incarnait la divinité, l'âme de l'empire passé, présent et à venir. On disait d'Atahualpa qu'il avait des milliers de jeunes filles dans son sérail et un nombre incalculable d'esclaves, qu'il se divertissait en torturant les prisonniers et avait l'habitude de décapiter ses ministres de sa propre main. Le peuple, sans visage et sans voix, vivait soumis ; son destin était de travailler depuis l'enfance jusqu'à la mort au profit des hauts dignitaires – courtisans, prêtres et militaires – qui vivaient dans un luxe fastueux, tandis que l'homme de la rue et sa famille survivaient à peine de la culture d'un lopin de terre qui leur était assigné mais ne leur appartenait pas. Les Espagnols racontaient que de nombreux Indiens pratiquaient la sodomie, qui en Espagne était punie de mort, bien que les Incas l'aient interdite. Une preuve manifeste de la luxure de ces gens était les céramiques érotiques que les aventuriers montraient dans les tavernes à la grande joie des habitués, qui ne soupçonnaient pas qu'on pût se divertir de façons si variées. Ils affirmaient que les mères brisaient la virginité de leurs filles avec les doigts avant de les donner aux hommes.

Valdivia ne trouvait rien de blâmable dans le fait d'aspirer à la fortune qu'il pourrait rencontrer au Pérou ; ce n'était pas cela pourtant qui l'attirait, mais l'obligation de lutter aux côtés des siens et de gagner la gloire, qui jusqu'alors s'était montrée fuyante. Cela le distinguait des autres participants de l'expédition de renfort, qui partaient éblouis par l'éclat de l'or. C'est ce qu'il m'a lui-même affirmé bien des fois, et je le crois, parce que cette conduite s'accordait aux autres décisions de sa vie. Poussé par son idéalisme, il abandonnera quelques années plus tard la sécurité et la richesse, qu'il avait enfin obtenues, pour se lancer à la conquête du Chili, entreprise dans laquelle Diego de Almagro avait échoué. La gloire, toujours la gloire, tel aura été le seul nord de son destin. Personne n'a plus aimé Pedro que moi, personne ne l'a mieux connu que moi, c'est pourquoi je peux parler de ses vertus, de même que plus loin je devrai évoquer ses défauts, qui n'étaient pas si véniels. Il est vrai qu'il m'a trahie et qu'il s'est montré lâche envers moi, mais les hommes les plus intègres et les plus courageux eux-mêmes trompent les femmes. Et, je peux l'affirmer, Pedro de Valdivia fut l'un des hommes les plus intègres et les plus courageux de ceux qui ont émigré au Nouveau Monde.

*

Valdivia voyagea jusqu'à Panamá et de là partit pour le Pérou, en 1537, avec quatre cents soldats. Le voyage dura plus de deux mois, et lorsqu'il arriva à destination le soulèvement des Indiens avait déjà été maté par l'opportune intervention de Diego de Almagro, rentré à temps du Chili pour unir ses forces à celles de Francisco Pizarro. Almagro avait franchi les sommets les plus glacés dans sa progression vers le sud, il avait survécu à d'incroyables épreuves et était revenu, ruiné, par le désert le plus brûlant de la planète. Son expédition au Chili avait atteint le Bío-Bío, ce même fleuve jusqu'où les Incas avaient reculé soixante-dix ans plus tôt, lorsqu'ils avaient en vain voulu s'emparer du territoire des Indiens du sud, les Mapuche. Les Incas aussi, comme Almagro et ses hommes, avaient été arrêtés par ce peuple guerrier.

Mapu-ché, « gens de la terre », c'est ainsi qu'ils se nomment eux-mêmes, bien qu'on les appelle aujourd'hui Araucans, nom plus sonore, donné par le poète Alonso de Ercilla y Zúñiga, dont j'ignore d'où il l'a tiré, peut-être d'Arauco, un endroit du sud. J'ai quant à moi l'intention de continuer à les appeler Mapuche – le mot n'a pas de pluriel en castillan – jusqu'à ce que je meure, parce que c'est ainsi qu'ils disent eux-mêmes. Il ne me paraît pas juste de changer leur nom pour rendre la rime plus facile : *araucano, castellano, hermano, cristiano* (araucan, castillan, frère, chrétien), et ainsi de suite sur trois cents pages. A Madrid, Alonso était un morveux quand nous, les premiers Espagnols, luttions sur cette terre ; il arriva un peu tard pour la conquête du Chili, mais ses vers raconteront cette épopée pour les siècles des siècles. Alors qu'aura même disparu la poudre des os des vaillants fonda-teurs du Chili, on se souviendra de nous grâce à l'œuvre de ce jeune poète, qui n'est pas toujours fidèle aux faits, sacrifiant souvent la vérité aux exigences de la rime. De plus, il ne donne pas toujours de nous une image très glorieuse et je crains que nombre de ses admirateurs aient une idée quelque peu erronée de la guerre d'Araucanie. Le poète accuse les Espagnols de cruauté, et d'une ambition de richesse démesu-rée, alors qu'il exalte les Mapuche, à qui il attribue bravoure, noblesse, générosité, esprit de justice, et même tendresse à l'égard de leurs femmes. Je crois mieux les connaître qu'Alonso, car voilà quarante ans que je défends ce que nous avons fondé au Chili, alors que lui n'y a vécu que quelques mois. J'admire les Mapuche pour leur courage et l'amour passionné qu'ils portent à leur terre, mais je peux affirmer qu'ils ne sont pas un modèle de compassion et de douceur. L'amour romanti-que qu'exalte tellement Alonso est plutôt rare chez eux. Chaque homme a plusieurs épouses, qu'il traite comme des bêtes de somme et d'élevage ; c'est ce qu'affirment les Espa-gnoles qui ont été capturées. Les humiliations subies en captivité sont telles que ces pauvres femmes, honteuses, préfèrent souvent ne pas revenir au sein de leurs familles. J'admets, certes, que les Espagnols ne traitent pas mieux les Indiennes destinées à leur jouissance et leur service. Les Mapuche ont l'avantage sur nous en d'autres aspects : par exemple, ils ignorent la cupidité. L'or, les terres, les titres, les honneurs, rien de cela ne les intéresse; ils ne possèdent d'autre toit que le ciel et d'autre couche que la mousse, ils vont en toute liberté dans la forêt, le vent dans leur chevelure, galopant sur les chevaux qu'ils nous ont volés. Une autre vertu que je leur reconnais, c'est de tenir la parole donnée. Ce n'est pas eux qui trahissent les pactes passés, mais nous. En temps de guerre ils attaquent par surprise, non par traîtrise, et en temps de paix respectent les accords. Avant notre arrivée ils ne connaissaient pas la torture et respectaient les prisonniers de guerre. Le pire châtiment est l'exil, l'expulsion de la famille et de la tribu, plus redoutée que la mort. Les crimes graves sont punis d'une exécution rapide. Le condamné creuse sa propre tombe, dans laquelle il jette des petites branches et des pierres tandis qu'il nomme les êtres dont il veut être accompagné dans l'autre monde, puis il reçoit un coup de massue mortel sur le crâne.

Je m'étonne de la puissance de ces vers d'Alonso, qui inventent l'Histoire, défient l'oubli et triomphent de lui. Les mots sans rime, comme les miens, n'ont pas l'autorité de la poésie, mais je dois de toute façon raconter ma version des faits, afin de laisser le témoignage des peines que nous autres femmes avons endurées au Chili et qui en général échappent aux chroniqueurs, aussi habiles soient-ils. Toi au moins, Isabel, dois connaître toute la vérité, parce que tu es ma fille de cœur, même si tu ne l'es pas par le sang. Je suppose qu'on mettra des statues de ma personne sur les places, et que des rues et des villes porteront mon nom, comme celui de Pedro de Valdivia et d'autres conquérants, mais des centaines de femmes courageuses seront oubliées, qui ont fondé les villages tandis que leurs hommes se battaient. Je m'égare. Revenons à ce que j'étais en train de raconter, car il me reste peu de temps, mon cœur est fatigué.

Diego de Almagro abandonna la conquête du Chili, forcé par la résistance invincible des Mapuche, la pression de ses soldats – déçus par la rareté de l'or – et les mauvaises nouvelles de la rébellion des Indiens au Pérou. Il prit le chemin du retour pour aider Francisco Pizarro à étouffer l'insurrection, et ensemble ils parvinrent à mettre définitivement en déroute les troupes ennemies. L'empire inca, ravagé par la famine, la violence et le désordre de la guerre, courba la nuque. Cependant, loin d'être reconnaissants à Almagro de son intervention en leur faveur, Francisco Pizarro et ses frères se tournèrent contre lui pour lui prendre le Cuzco, ville qui lui revenait selon le partage territorial décrété par l'empereur Charles Quint. Ces terres immenses et leurs richesses incalculables ne suffisaient pas à satisfaire l'ambition des Pizarro ; ils en voulaient plus, ils voulaient tout.

Francisco Pizarro et Diego de Almagro finirent par prendre les armes et s'affrontèrent, sur le site d'Abancay, dans une courte bataille qui se termina par la défaite du premier. Almagro, toujours magnanime, traita avec une inhabituelle clémence ses prisonniers, de même que les frères Pizarro, ses ennemis implacables. Admirant son attitude, nombre de soldats vaincus passèrent dans ses rangs, tandis que ses loyaux capitaines le priaient d'exécuter les Pizarro et de profiter de son avantage pour s'emparer du Pérou. Almagro ignora les conseils et opta pour la réconciliation avec l'associé ingrat qui lui avait porté préjudice.

*

Pedro de Valdivia arriva dans la Cité des Rois à cette époque et se mit aux ordres de celui qui l'avait convoqué, Francisco Pizarro. Respectueux de la légalité, il ne remit en question ni l'autorité ni les intentions du gouverneur ; celui-ci était le représentant de Charles Quint, et cela lui suffisait. Cependant, la dernière chose que Valdivia désirait, c'était de prendre part à une guerre civile. Il avait fait le voyage jusque-là pour combattre des Indiens insurgés, et n'avait jamais imaginé devoir le faire contre d'autres Espagnols. Il tenta de servir d'intermédiaire entre Pizarro et Almagro pour parvenir à une solution pacifique, et à un moment crut être sur le point de réussir. Il ne connaissait pas Pizarro, qui disait une chose mais dans l'ombre en tramait une autre. Tandis que le gouverneur se donnait du temps avec des discours d'amitié, il préparait son plan pour en finir avec Almagro, toujours dans l'idée fixe de gouverner seul et de s'approprier le Cuzco. Il enviait les mérites d'Almagro, son éternel optimisme et, surtout, la loyauté qu'il soulevait chez ses soldats, car lui se savait détesté.

Après plus d'un an d'escarmouches, d'accords violés et de trahisons, les forces des deux rivaux s'affrontèrent à Las Salinas, près du Cuzco. Francisco Pizarro ne prit pas la tête de son armée, il la plaça sous le commandement de Pedro de Valdivia, dont les mérites militaires étaient connus de tous. Il le nomma mestre de camp, parce qu'il avait lutté sous les ordres du marquis de Pescara en Italie et savait comment se battre contre des Européens, car une chose était d'affronter des Indiens mal armés et anarchiques, une autre de le faire contre des soldats espagnols disciplinés. Son frère Hernando Pizarro, haï pour sa cruauté et son arrogance, le représenta dans la bataille. Je souhaite que cela soit bien clair, afin qu'on n'accuse pas Pedro de Valdivia des atrocités commises en ces journées, atrocités dont j'eus la preuve accablante, car il me revint de soigner les malheureux dont les blessures n'étaient pas guéries des mois après la bataille. Les partisans de Pizarro avaient des canons et deux cents hommes de plus qu'Almagro ; ils étaient bien armés de nouvelles arquebuses et de balles mortelles : des billes métalliques qui en s'ouvrant déployaient plusieurs lames affilées. Ils avaient bon moral et étaient bien reposés, tandis que leurs adversaires venaient de traverser de grandes épreuves au Chili et d'étouffer le soulèvement des Indiens du Pérou. Diego de Almagro, gravement malade, ne participa pas non plus à la bataille.

Les deux armées se donnèrent rendez-vous dans la vallée de

Las Salinas, par une aube rosée, tandis que des milliers d'Indiens quechua observaient depuis les collines le spectacle divertissant des *viracochas* s'entre-tuant comme des fauves enragés. Ils ne comprenaient ni les cérémonies ni les raisons de ces guerriers barbus. Ceux-ci, arborant leurs armures fourbies et des chevaux magnifiques, commençaient par former des rangs ordonnés, puis ils posaient un genou à terre, tandis que d'autres *viracochas*, vêtus de noir, accomplissaient des actes de magie avec des croix et des ciboires. Ils mangeaient un petit morceau de pain, se signaient, recevaient des bénédictions, se saluaient de loin et enfin, alors que près de deux heures s'étaient écoulées dans cette danse, ils se préparaient à s'assassiner mutuellement. Ils le faisaient avec méthode et acharnement. Pendant des heures et des heures ils se battaient corps à corps en criant toujours la même chose : *Viva el Rey y España! Santiago y a ellos!*, « Vive le Roi et l'Espagne! Saint Jacques, sus à l'ennemi! » Dans la confusion et la poussière que soulevaient les pattes des bêtes et les bottes des hommes, on ne savait qui était qui, car tous les uniformes avaient la couleur de l'argile. Pendant ce temps, les Indiens applaudissaient, faisaient des paris, savouraient leur repas de maïs grillé et de viande salée, mâchaient de la coca, buvaient de la chicha, s'excitaient et se fatiguaient, car la bataille durait trop longtemps.

A la fin de la journée les partisans de Pizarro sortirent vainqueurs grâce à l'adresse militaire du mestre de camp, Pedro de Valdivia, héros de la journée, mais c'est Hernando Pizarro qui lança le dernier ordre : « Pas de quartier! » Ses soldats, emportés par une haine nouvelle, qu'eux-mêmes ensuite ne purent expliquer et que les chroniqueurs ne parviendraient pas à corriger, s'acharnèrent dans un bain de sang contre des centaines de leurs compatriotes, dont beaucoup avaient été leurs frères dans l'aventure de la découverte et de la conquête du Pérou. Ils achevèrent les blessés de l'armée d'Almagro, puis entrèrent en semant feu et sang dans le Cuzco, où ils violèrent les femmes espagnoles, indiennes ou noires, volèrent et détruisirent jusqu'à épuisement. Ils s'abattirent sur les vaincus avec une sauvagerie semblable à celle des Incas, ce qui n'est pas peu dire, car ces derniers n'ont jamais été pondérés ; il suffit de se souvenir que parmi les tortures habituelles était celle consistant à pendre les condamnés par les pieds, les tripes enroulées autour du cou, ou celle de les écorcher vifs et de faire des tambours avec leur peau. Les Espagnols ne sont pas allés jusque-là cette fois, parce qu'ils étaient pressés, d'après ce que m'ont raconté quelques survivants. Plusieurs soldats d'Almagro qui ne périrent pas immédiatement des mains de leurs compatriotes furent achevés par les Indiens, qui descendirent des montagnes à la fin de la bataille, en poussant des cris de joie, parce que pour une fois ce n'étaient pas eux les victimes. Ils s'amusèrent à persécuter les cadavres, en firent de la chair à pâté à coups de couteau et de pierre. Pour Valdivia, qui avait combattu dès l'âge de vingt ans sur de nombreux fronts et contre divers ennemis, ce fut l'un des moments les plus honteux de sa carrière militaire. Il s'est souvent réveillé en hurlant dans mes bras, tourmenté par des cauchemars où lui apparaissaient ses compagnons écorchés, de même qu'après le pillage de Rome lui étaient apparues des mères qui se suicidaient avec leurs enfants pour échapper à la soldatesque.

*

Diego de Almagro, âgé de soixante et un ans, très affaibli par sa maladie et par la campagne du Chili, fut fait prisonnier, humilié et soumis à un procès qui dura deux mois, au cours duquel ne lui fut pas donnée l'occasion de se défendre. Lorsqu'il apprit qu'il avait été condamné à mort, il demanda que le mestre de camp ennemi, Pedro de Valdivia, fût témoin de ses dernières volontés ; il n'en trouva pas d'autre plus digne de sa confiance. Diego de Almagro était encore un homme de belle apparence, malgré les ravages de la syphilis et de tant de batailles. Il portait un bandeau noir sur l'œil qu'il avait perdu lors d'une rencontre avec des sauvages avant de découvrir le Pérou. A cette occasion, lui-même s'était d'un coup arraché la flèche et l'œil embroché dessus, et il avait continué à se battre. Une hache de pierre au fil coupant lui ayant tranché trois doigts de la main droite, il avait alors empoigné l'épée de la main gauche et ainsi, aveugle et couvert de sang, s'était battu jusqu'à ce que ses compagnons viennent à sa rescousse. On lui avait ensuite cautérisé la blessure au fer rouge et à l'huile bouillante, ce qui avait déformé son visage sans détruire le charme de son rire franc et de son expression aimable.

« Qu'on le torture sur la place, devant toute la population ! Il mérite un châtiment exemplaire ! ordonna Hernando Pizarro.

— Je ne prendrai point part à cela, Excellence. Les soldats ne l'accepteront pas. Il a été dur de se battre entre frères, ne mettons pas de sel sur les blessures. Il pourrait y avoir une révolte dans la troupe, lui conseilla Valdivia.

— Almagro est né roturier, qu'il meure en roturier », répliqua Hernando Pizarro.

Pedro de Valdivia s'abstint de lui rappeler que les Pizarro n'étaient pas de meilleure lignée que Diego de Almagro. Francisco Pizarro aussi était un enfant illégitime, il n'avait pas reçu d'éducation et avait été abandonné par sa mère. Tous deux étaient des pauvres notoires avant qu'un heureux coup du destin les place au Pérou et les rende plus riches que le roi Salomon.

« Don Diego de Almagro porte les titres de pionnier et gouverneur de Nouvelle-Tolède. Quelle explication donnerez-vous à notre empereur ? insista Valdivia. Je vous répète, avec tout le respect que je vous dois, Excellence, qu'il ne convient pas de provoquer les soldats dont les esprits sont déjà assez exaltés. Diego de Almagro est un militaire sans tache.

— Il est revenu du Chili vaincu par une bande de sauvages nus ! s'exclama Hernando Pizarro.

« — Non, Excellence. Il est revenu du Chili pour porter secours au frère de Votre Grâce, monsieur le marquis gouverneur. »

Hernando Pizarro comprit que le mestre de camp avait raison, mais il n'était pas dans son caractère de se rétracter et moins encore de pardonner à l'ennemi. Il ordonna qu'Almagro soit décapité sur la place du Cuzco.

Au cours des journées qui précédèrent l'exécution, Valdivia fut souvent seul avec Almagro dans la cellule sombre, immonde, qui fut la dernière demeure du gouverneur. Il l'admirait pour ses exploits de soldat et sa réputation de générosité, même s'il connaissait certaines de ses erreurs et faiblesses. En captivité, Almagro lui raconta ce qu'il avait vécu au Chili pendant les dix-huit mois de ses pérégrinations, imprimant dans l'imagination de Valdivia le projet de la conquête qu'il n'avait pu mener à bien. Il lui décrivit le terrifiant voyage dans les hautes chaînes de montagnes, surveillés par les condors qui planaient en cercles lents au-dessus de leurs têtes, attendant de nouvelles victimes pour nettoyer leurs os. Le froid avait tué plus de deux mille Indiens auxiliaires – ceux qu'on appelle *yanaconas* –, deux cents Noirs, près de cinquante Espagnols, un grand nombre de chevaux et de chiens. Même les poux disparaissaient, et les puces tombaient des vêtements comme des graines. Rien ne poussait là, pas même le lichen, tout n'était que roche, vent, glace et solitude.

« La consternation était telle, don Pedro, que nous mastiquions la chair crue des animaux congelés et buvions l'urine des chevaux. Le jour nous avancions à marche forcée, pour éviter que nous couvre la neige et nous paralyse la peur. La nuit nous dormions entre les pattes des bêtes. Chaque matin nous comptions les Indiens morts et murmurions rapidement un Notre Père pour leurs âmes, car nous n'avions pas le temps de faire davantage. Les corps sont restés là où ils étaient tombés, tels des monolithes de glace montrant le chemin aux futurs voyageurs égarés. »

Il ajouta que les Castillans restaient emprisonnés dans leurs armures gelées et que, lorsqu'ils ôtaient leurs bottes ou leurs gants, leurs doigts se détachaient sans qu'ils sentent rien. Même un fou n'aurait pas entrepris le retour par la même route, lui expliqua-t-il, c'est pourquoi il avait préféré affronter le désert ; il n'imaginait pas que ce serait aussi terrible. Que d'efforts et de souffrances coûte le devoir chrétien de conquérir ! pensait Valdivia.

« Pendant la journée, la chaleur du désert est celle d'un bûcher et la lumière si intense qu'elle rend fous les hommes et les chevaux, leur donnant des visions d'arbres et de nappes d'eau douce, raconta le gouverneur. Dès que le soleil disparaît, la température baisse brusquement et alors tombe la *camanchaca*, un épais brouillard aussi froid que les neiges profondes qui nous avaient tourmentés sur les sommets de la cordillère. Nous transportions beaucoup d'eau dans des tonneaux et des outres de cuir, mais elle nous a très vite manqué. La soif a tué de nombreux Indiens et affaibli les Espagnols.

— En vérité, cela ressemble à un voyage en enfer, don Diego, commenta Valdivia.

— Ce le fut, don Pedro, mais je vous assure que si je vivais assez longtemps je le tenterais de nouveau.

— Pourquoi, si les obstacles sont si terribles et si piètre la récompense ?

— Parce que, une fois vaincus la cordillère et le désert qui séparent le Chili du reste de la terre connue, on trouve de douces collines, des forêts parfumées, des vallées fertiles, des fleuves abondants et un climat agréable qu'il n'y a ni en Espagne ni nulle part ailleurs. Le Chili est un paradis, don Pedro. C'est là que nous devons fonder nos villes et prospérer.

— Et quelle opinion a Votre Grâce des Indiens du Chili ? demanda Valdivia.

— Au début nous avons rencontré des sauvages amicaux,

des Indiens qu'on appelle Promaucaes et qui sont de même race que les Mapuche, mais d'autres tribus. Ensuite, ils se sont retournés contre nous. Ils sont mélangés à des Indiens du Pérou et de l'Equateur, ce sont des sujets de l'Inca, dont la domination ne va que jusqu'au fleuve Bío-Bío. Nous nous sommes entendus avec quelques caciques incas, mais nous n'avons pu continuer plus au sud, où se trouvent ces Mapuche, qui sont très aguerris. Il suffit de dire, don Pedro, qu'en aucune de mes expéditions et batailles hasardeuses je n'ai rencontré d'ennemis aussi formidables que ces barbares armés de bâtons et de pierres.

— Ils doivent l'être, Gouverneur, s'ils ont pu vous arrêter vous et vos soldats, si renommés...

— Les Mapuche ne connaissent que la guerre et la liberté. Ils n'ont pas de roi et ignorent ce qu'est la hiérarchie, ils n'obéissent à leurs chefs, les *toquis*, que le temps de la bataille. Liberté, liberté, seule compte la liberté. C'est ce qu'il y a de plus important à leurs yeux, voilà pourquoi nous n'avons pu les soumettre, pas plus que n'y sont parvenus les Incas. Les femmes réalisent tout le travail, tandis que les hommes ne font rien d'autre que se préparer au combat.

L'exécution de Diego de Almagro eut lieu un matin, au cœur de l'hiver, en 1538. Au dernier moment, Pizarro modifia la sentence, craignant la réaction des soldats si on le décapitait en public, comme il l'avait ordonné. Il le fit exécuter dans sa cellule. Le bourreau lui appliqua la torture du vil garrot, en l'étranglant lentement à l'aide d'une corde, puis son corps fut porté sur la place du Cuzco, où il fut décapité, mais on n'osa pas non plus exposer sa tête à un crochet de boucher, comme cela était prévu. A cette époque, Hernando Pizarro commençait à se rendre compte de la gravité de ce qu'il avait fait, et à se demander quelle serait la réaction de l'empereur Charles Quint. Il décida de donner un enterrement digne à Diego de Almagro, et lui-même, strictement vêtu de deuil, prit la tête du cortège funèbre. Quelques années plus tard, les frères Pizarro devaient payer leurs crimes, mais c'est là une autre histoire.

*

J'ai dû m'étendre sur la narration de ces épisodes parce qu'ils expliquent la détermination de Pedro de Valdivia à s'éloigner du Pérou déchiré par la conspiration et la corruption, et à conquérir le territoire encore innocent du Chili, entreprise qu'il a partagée avec moi.

La bataille de Las Salinas et la mort de Diego de Almagro eurent lieu quelques mois avant mon arrivée au Cuzco. A ce moment, je me trouvais à Panamá, où plusieurs personnes m'apprirent qu'elles avaient vu Juan de Málaga, et j'attendais des nouvelles de mon mari. Dans le port se donnaient rendez-vous ceux qui partaient pour l'Espagne ou qui en venaient. De nombreux voyageurs passaient par là – des soldats, des employés de la Couronne, des chroniqueurs, des moines, des scientifiques, des aventuriers et des bandits –, tous mijotant dans la même vapeur des tropiques. Par leur intermédiaire, j'envoyais des messages aux quatre points cardinaux, mais les jours se traînaient sans qu'arrive aucune réponse de mon mari. Pendant tout ce temps, je gagnais ma vie grâce aux métiers que je connais : coudre, cuisiner, réparer les os et soigner les blessures. Je ne pouvais rien faire pour ceux qui souffraient de la peste, des fièvres qui changent le sang en mélasse, du mal français et des piqûres de bêtes venimeuses qui abondent dans ces parages et n'ont pas de remèdes. Comme ma mère et ma grand-mère, j'ai une santé de fer, qui m'a permis de vivre sous les tropiques sans tomber malade. Plus tard, au Chili, j'ai survécu sans inconvénients dans le désert, aussi chaud qu'un four, dans les déluges hivernaux qui tuaient de grippe les hommes les plus robustes, et dans les épidémies de typhus et de vérole, pendant lesquelles j'eus à soigner et enterrer des victimes pestilentielles.

95

Un jour, en interrogeant l'équipage d'une goélette amarrée dans le port, j'appris que Juan s'était embarqué pour le Pérou depuis déjà un certain temps, comme l'avaient fait d'autres Espagnols en entendant parler des richesses découvertes par Pizarro et Almagro. Je rassemblai mes biens, utilisai mes économies et trouvai à m'embarquer pour le sud avec un groupe de frères dominicains, car je ne pus obtenir de permis pour le faire seule. J'imagine que ces curés étaient de l'Inquisition, mais je ne le leur ai jamais demandé, parce que ce seul mot me terrorisait, et me terrorise encore. Jamais je n'oublierai le bûcher sur lequel furent brûlés des hérétiques, à Plasencia, alors que j'avais huit ou neuf ans. De nouveau je me vêtis de noir et assumai le rôle d'épouse inconsolée pour qu'ils m'aident à atteindre le Pérou. Les frères s'émerveillaient de ma fidélité conjugale, qui me conduisait de par le monde à la poursuite d'un époux qui ne m'avait pas appelée à ses côtés et dont j'ignorais où il se trouvait. Mon mobile n'était pas la fidélité, mais le désir de sortir de l'état d'incertitude où Juan m'avait laissée. Cela faisait bien des années que je ne l'aimais plus, je me souvenais à peine de son visage, et je craignais de ne pas le reconnaître lorsque je le verrais. Je n'avais pas non plus l'intention de rester à Panamá, exposée aux appétits de la soldatesque de passage et au climat insalubre.

La traversée dura environ sept semaines, passées à zigzaguer sur l'océan en fonction des caprices des vents. A cette époque, des dizaines de bateaux espagnols parcouraient la route du Pérou et retour, mais les précieuses cartes de navigation restaient un secret d'Etat. Comme elles étaient incomplètes, à chaque voyage les pilotes devaient noter leurs observations, depuis la couleur de l'eau et les nuages jusqu'à la moindre nouveauté sur le contour de la côte lorsque celle-ci était visible : ils précisaient ainsi les cartes qui serviraient plus tard à d'autres voyageurs. Nous avons eu une mer agitée, du brouillard, des tempêtes, des querelles entre les membres de l'équipage et d'autres inconvénients que je m'abstiendrai de relater ici pour ne pas trop m'attarder. Je préciserai seulement que les frères disaient la messe chaque matin et nous faisaient réciter le chapelet l'après-midi pour apaiser l'océan et les esprits bagarreurs des hommes. Tous les voyages sont dangereux. J'ai horreur d'être à la merci de l'eau immense dans une frêle embarcation, défiant Dieu et la Nature, loin de tout secours humain. Je préfère me voir assiégée par des Indiens sauvages, comme je l'ai été tant de fois, que de monter à nouveau sur un bateau, raison pour laquelle je n'ai jamais eu l'idée de retourner en Espagne, pas même lorsque la menace des indigènes nous a obligés à évacuer les villes et à fuir comme des rats. J'ai toujours su que mes os finiraient en terre des Indes.

En haute mer, il me fallut à nouveau subir le harcèlement des hommes, malgré la vigilance permanente des moines. Je les sentais me guetter, telle une meute de chiens. Emanait-il de moi l'odeur d'une femelle en chaleur? Dans l'intimité de ma cabine, je me lavais avec de l'eau de mer, effrayée de ce pouvoir que je ne désirais pas, car il pouvait se retourner contre moi. Je rêvais de loups haletants, langues pendantes, canines ensanglantées, prêts à me sauter dessus tous en même temps. Parfois, les loups avaient le visage de Sebastián Romero. Je passais mes nuits à veiller, enfermée dans ma cabine, cousant, priant, sans oser sortir me calmer les nerfs à l'air frais de la nuit, par crainte de la constante présence masculine dans l'obscurité. Je redoutais cette menace, c'est sûr, mais elle m'attirait et me fascinait aussi. Le désir était un abîme terrible qui s'ouvrait à mes pieds, m'invitant à faire un bond et à me perdre dans ses profondeurs. Je connaissais la fête et le tourment de la passion, les ayant vécus avec Juan de Málaga dans les premières années de notre union. Mon mari avait beaucoup de défauts, mais je ne peux nier qu'il était un amant infatigable et drôle, raison pour laquelle je lui ai maintes fois pardonné. Je continuais à le désirer alors qu'il ne me restait plus rien de l'amour ou du respect que j'avais eus

97

pour lui. Pour me protéger de la tentation de l'amour, je me disais que je n'en trouverais jamais aucun autre capable de me donner autant de plaisir. Je savais que je devais me préserver des maladies que transmettent les hommes ; j'avais vu leurs effets et, bien que je sois en bonne santé, je les craignais comme le Diable, car le moindre contact avec le mal français suffit pour en être infecté. En plus, je pouvais me retrouver enceinte, les éponges imprégnées de vinaigre ne sont pas un remède sûr, et j'avais tant prié la Vierge de me donner un enfant qu'elle pouvait, à contretemps, m'accorder cette faveur. Les miracles sont souvent inopportuns.

Ces bonnes raisons m'ont servi pendant des années de chasteté forcée ; mon cœur y a appris à vivre étouffé, mais mon corps n'a jamais cessé de réclamer. Dans ce Nouveau Monde l'air est chaud, propice à la sensualité, tout est plus intense, la couleur, les parfums, les saveurs ; même les fleurs, avec leurs terribles fragrances, et les fruits, tièdes et poisseux, incitent à la lascivité. A Cartagena, et ensuite à Panamá, je doutais des principes qui me soutenaient en Espagne. Ma jeunesse s'en allait, ma vie s'usait... Qui ma vertu pouvait-elle bien intéresser ? Qui me jugeait ? J'en vins à la conclusion que Dieu devait être plus complaisant dans les Indes qu'en Estrémadure. S'il pardonnait les offenses commises en son nom contre des milliers d'indigènes, il devait certainement pardonner les faiblesses d'une pauvre femme.

*

Je ressentis une grande joie lorsque nous arrivâmes sains et saufs au port du Callao et que je pus quitter le navire, où je commençais à perdre la raison. Il n'y a rien de plus oppressant que le confinement d'un bateau sur l'immensité des eaux noires de l'océan, sans fond et sans limites. « Port » est un bien grand mot pour le Callao de ces années-là. Il paraît que c'est aujourd'hui le port le plus important du Pacifique, d'où partent d'immenses trésors pour l'Espagne, mais à cette époque c'était un quai misérable. Du Callao, je partis avec les moines pour la Cité des Rois, qu'on appelle aujourd'hui Lima, nom moins joli. Comme je préfère le premier, je continuerai à l'appeler ainsi. La ville, récemment fondée par Francisco Pizarro dans une grande vallée, me parut éternellement couverte de nuages ; la lumière du soleil, lorsqu'elle filtrait à travers l'air humide, lui donnait un aspect éthéré, comme les dessins imprécis de Daniel Belalcázar. J'entrepris les démarches nécessaires et, au bout de quelques jours, je rencontrai un soldat qui connaissait Juan de Málaga.

« Vous arrivez trop tard, madame, me dit-il. Votre mari a péri à la bataille de Las Salinas.

— Juan n'était pas soldat, précisai-je.

— Ici, il n'y a pas d'autre métier, même les moines prennent l'épée. »

L'homme avait une sale tête, une barbe sauvage qui lui couvrait la moitié de la poitrine, des vêtements en lambeaux, immondes, la bouche édentée et il se comportait comme un ivrogne. Il me jura qu'il avait été l'ami de mon mari, mais je ne le crus point, car après m'avoir dit que Juan était soldat dans l'infanterie, endetté par le jeu et affaibli par le vice des femmes et du vin, il se mit à divaguer sur un panache de plumes et une cape de brocart. Pour finir de m'épouvanter, il me sauta dessus pour m'embrasser, et lorsque je le rejetai, il offrit d'acheter mes faveurs avec des pièces d'or.

Etant arrivée si loin – d'Estrémadure aux anciens domaines d'Atahualpa –, je décidai que je pouvais bien faire un dernier effort et rejoignis une caravane qui transportait des vivres et emmenait un troupeau de lamas et d'alpagas au Cuzco. Une troupe de soldats nous protégeait sous le commandement d'un certain sous-lieutenant Núñez, célibataire, bel homme, bavard et, apparemment, accoutumé à satisfaire ses caprices. Dans la caravane, en plus des soldats, venaient deux moines, un écrivain, un commissaire aux comptes et un médecin allemand, tous à cheval, à dos de mule ou transportés dans des litières par des Indiens. J'étais la seule Espagnole, mais quelques Indiennes quechua accompagnées de leurs enfants suivaient l'interminable file des porteurs, chargées de victuailles pour leurs maris. Les vêtements de laine de couleurs vives leur donnaient un air joyeux, mais en réalité elles avaient l'expression renfrognée et rancunière des gens soumis. De petite taille, elles avaient des pommettes hautes, des petits yeux bridés et des dents noires à cause des feuilles de coca qu'elles mâchaient pour se donner du courage. Les enfants me parurent enchanteurs, et certaines femmes attrayantes, même si elles ne souriaient jamais. Elles nous suivirent pendant plusieurs lieues, jusqu'à ce que Núñez leur donne l'ordre de retourner chez elles ; alors elles partirent une à une, en tenant leurs enfants par la main. Les hommes qui portaient les bagages sur leur dos étaient très forts et, bien que pieds nus et chargés comme des bêtes, ils résistaient aux caprices du climat et aux fatigues du voyage mieux que nous qui allions à cheval. Ils pouvaient marcher des heures et des heures sans perdre le rythme de leur petit trot, silencieux et absents, comme s'ils marchaient en rêve. Ils parlaient un castillan limité, plaintif, chantant, sur un ton toujours interrogatif. Ils ne se troublaient qu'aux aboiements des chiens du sous-lieutenant Núñez, deux féroces mâtins entraînés à tuer.

Núñez commença à me harceler dès le premier jour de marche et il ne me laissa plus en paix. Je m'efforçais prudemment de le tenir à distance, lui rappelant ma condition de femme mariée, car il ne me convenait pas de me brouiller avec lui, mais à mesure que nous avancions son audace augmentait. Il se targuait de sa condition d'hidalgo, ce que j'avais du mal à croire étant donné sa conduite. Il avait amassé une petite fortune et entretenait une trentaine de concubines indiennes réparties entre la Cité des Rois et le Cuzco, « toutes très complaisantes », telles qu'il les décrivait. Dans son village d'Espagne, cela aurait été un scandale, mais au Nouveau

Monde, où les Espagnols prennent à leur guise les Indiennes et les Noires, c'est la norme. La plupart les abandonnent après les avoir violées, mais certains les gardent à leur service, bien qu'ils s'occupent rarement des enfants qui naissent de ces mères soumises. Ainsi, peu à peu, ils peuplent ces terres de métis pleins de ressentiment. Núñez m'offrit de se séparer de ses concubines lorsque j'accepterais sa proposition, car il ne faisait pour lui aucun doute que je le ferais dès que j'aurais la preuve de la mort de mon mari qui, d'après lui, était certaine. Ce présomptueux sous-lieutenant ressemblait trop à Juan de Málaga par ses défauts, sans aucune de ses vertus, pour que je puisse l'aimer. Je ne suis pas de ces personnes qui trébuchent deux fois sur la même pierre.

A cette époque, au Pérou, les femmes espagnoles se comptaient encore sur les doigts des deux mains et je n'en ai connu aucune qui fût arrivée seule, comme moi. C'étaient des épouses ou des filles de soldats qui voyageaient sur les instances de la Couronne qui s'obstinait à réunir les familles et à créer dans les colonies une société légitime et décente. Ces femmes menaient leur vie solitaire et ennuyeuse, bien que luxueuse, à l'intérieur, disposant de douzaines d'Indiennes pour satisfaire leurs moindres caprices. On m'a raconté que les dames espagnoles du Pérou ne nettoyaient même pas leur derrière toutes seules, les servantes se chargeaient de le faire. Peu habitués à voir une Espagnole non accompagnée, les hommes de la caravane firent de leur mieux pour me traiter avec la plus grande considération, comme s'ils avaient affaire à une personne de rang et de noble lignée, non à la pauvre couturière que j'étais en réalité. Au cours de ce long et lent voyage vers le Cuzco, ils veillèrent à satisfaire mes besoins, partagèrent avec moi leur nourriture, me prêtèrent leurs tentes et leurs montures, m'offrirent des bottes et une couverture de vigogne, l'étoffe la plus fine au monde. En échange, tout ce qu'ils me demandaient, c'était de leur chanter une chanson ou de leur parler de l'Espagne lorsque nous campions, à la fin de la journée, et que la nostalgie devenait trop pesante. C'est grâce à leur aide que j'ai pu m'en sortir, car au Pérou tout coûtait cent fois plus cher qu'en Espagne et je me suis bientôt retrouvée sans un maravédis. L'abondance d'or était telle que l'argent se dévaluait, et tel le manque de choses essentielles, comme les fers pour les chevaux ou l'encre pour écrire, que les prix grimpaient jusqu'à des sommets absurdes. En un tour de main j'arrachai une dent pourrie à l'un des voyageurs – chose aisée et vite expédiée, pour laquelle il n'est besoin que de l'invocation à sainte Apollonie et de tenailles – et il me paya avec une émeraude digne d'un évêque. Enchâssée dans une couronne de Notre-Dame du Secours, elle a aujourd'hui plus de valeur qu'à cette époque, car au Chili les pierres précieuses sont rares.

Au bout de plusieurs jours de marche sur les chemins de l'Inca, à travers des plaines sèches et des montagnes, franchissant des précipices sur des ponts suspendus en corde végétale et passant à gué des rivières et des bourbiers de sel, montant et montant encore, nous arrivâmes enfin au bout du voyage. Le sous-lieutenant Núñez, du haut de son cheval, m'indiqua le Cuzco avec sa lance.

*

Je n'ai jamais rien vu de plus magnifique que la ville du Cuzco, nombril de l'empire inca, lieu sacré où les hommes parlent à la divinité. Peut-être Madrid, Rome ou certaines villes des Maures, qui ont réputation d'être splendides, peuvent-elles se comparer au Cuzco, mais je ne les connais point. Malgré les dégâts de la guerre et du vandalisme subi, c'était un joyau blanc, resplendissant sous un ciel de couleur pourpre. J'en eus le souffle coupé, et pendant plusieurs jours j'en restai suffoquée, non pas en raison de l'altitude et de l'air raréfié, comme on m'en avait avertie, mais à cause de la lourde beauté de ses temples, de ses forteresses, de ses édifices.

On raconte que lorsque les premiers Espagnols arrivèrent, les murs des palais, à présent dépouillés, étaient couverts d'or. Au nord de la ville se dresse une construction spectaculaire, Sacsayhuamán, la forteresse sacrée, avec ses trois rangées de hautes murailles en zigzag, le Temple du Soleil, son labyrinthe de rues, ses grosses tours, ses accotements, ses escaliers, ses terrasses, ses caves et ses habitations, où vivaient dans le confort cinquante ou soixante mille personnes. Son nom signifie « faucon satisfait », et tel un faucon elle veille sur le Cuzco. Elle fut construite avec des blocs monumentaux de pierres taillées assemblées sans mortier, avec une telle perfection qu'une fine dague n'entre pas entre les jointures. Comment a-t-on coupé ces énormes roches sans outils de métal ? Comment les a-t-on transportées sans roues ni chevaux sur des lieues de distance ? Et je me demandais aussi comment une poignée de soldats espagnols avait pu, en si peu de temps, conquérir un empire capable d'ériger pareille merveille. Même en considérant qu'ils avaient utilisé les disputes qui opposaient les Incas, et compté sur des milliers de *yanaconas* prêts à les servir et à se battre pour eux, aujourd'hui encore l'épopée me paraît inexplicable. « Nous avons Dieu de notre côté, outre la poudre et le fer », disaient les Castillans, reconnaissants de ce que les autochtones se défendent avec des armes de pierre. « Lorsqu'ils nous ont vus arriver sur la mer dans de grandes maisons pourvues d'ailes, ils ont cru que nous étions des dieux », ajoutaient-ils, mais je crois que ce sont eux qui ont répandu cette idée si opportune et que les Indiens, comme eux-mêmes, ont fini par y croire.

Je marchais dans les rues du Cuzco, émerveillée, scrutant la foule. Ces visages cuivrés ne souriaient jamais ni ne me regardaient dans les yeux. J'essayais d'imaginer leur vie avant notre arrivée, lorsque dans ces mêmes rues se promenaient des familles entières magnifiquement vêtues d'habits colorés, des prêtres arborant des plastrons en or, l'Inca couvert de bijoux transporté dans une litière d'or décorée de plumes d'oiseaux fabuleux, accompagné de ses musiciens, de ses fiers guerriers et de son interminable suite d'épouses et de vierges du Soleil. Cette culture complexe restait pratiquement intacte, malgré les envahisseurs, mais elle se faisait moins visible. Mis sur le trône, l'Inca était entretenu comme un prisonnier de luxe par Francisco Pizarro ; je ne l'ai jamais vu, car je n'ai pu approcher sa cour séquestrée. Dans les rues se trouvait le peuple, nombreux, silencieux. Pour chaque barbu il y avait des centaines d'indigènes imberbes. Les Espagnols, hautains et bruyants, existaient dans une autre dimension, comme si les autochtones, invisibles, n'avaient été que des ombres dans les étroites ruelles de pierre. Ils cédaient le passage aux étrangers qui les avaient vaincus, mais conservaient leurs coutumes, leurs croyances et leurs hiérarchies, dans l'espoir de se débarrasser des barbus à force de temps et de patience. Ils ne pouvaient concevoir qu'ils resteraient pour toujours.

A cette époque, la violence fratricide qui avait divisé les Espagnols du temps de Diego de Almagro s'était calmée. Au Cuzco, la vie reprenait à un rythme lent, d'un pas prudent, car il y avait beaucoup de rancœur accumulée et les esprits s'échauffaient facilement. Les soldats étaient toujours sur des charbons ardents à cause de l'impitoyable guerre civile, le pays se trouvait appauvri et en désordre, les Indiens soumis aux travaux forcés. Dans ses édits royaux, notre empereur Charles Quint avait ordonné de traiter les natifs avec respect, de les évangéliser et de les civiliser par la bonté et les bonnes œuvres, mais ce n'était pas la réalité. L'Empereur, qui n'avait jamais foulé le Nouveau Monde, dictait ses lois pleines de sagesse dans d'obscurs salons de palais fort anciens, à des milliers de lieues des villages qu'il prétendait gouverner, sans prendre en compte la sempiternelle cupidité humaine. Très peu d'Espagnols respectaient ces ordonnances, et le marquis gouverneur Francisco Pizarro moins que tout autre. Même le plus misérable Castillan possédait des Indiens pour le servir, et les riches propriétaires en avaient des centaines, car la terre et les mines ne valaient rien sans des bras pour les travailler. Les Indiens obéissaient sous le fouet des contremaîtres, mais certains préféraient donner une mort compatissante à leur famille avant de se suicider.

En interrogeant les soldats, je pus rassembler les bribes de l'histoire de Juan et j'eus la certitude de sa mort. Mon mari était arrivé au Pérou après avoir épuisé ses forces à chercher l'El Dorado dans les chaudes forêts du nord, puis il s'était enrôlé dans l'armée de Francisco Pizarro. Il n'avait pas l'étoffe d'un soldat, mais s'était débrouillé pour survivre lors des rencontres avec les Indiens. Il avait gagné un peu d'or, vu qu'il existait en abondance, mais il le perdait dans des paris. Il devait de l'argent à plusieurs de ses camarades et une somme importante à Hernando Pizarro, frère du gouverneur. Cette dette en avait fait son laquais et, à sa demande, il avait commis divers méfaits.

*

Mon mari a combattu avec les troupes victorieuses dans la bataille de Las Salinas, où il a dû remplir une étrange mission, la dernière de sa vie, Hernando Pizarro lui ayant ordonné d'échanger son uniforme contre le sien. Ainsi, tandis que Juan portait le costume de velours orange, la fine armure, le heaume à salade d'argent couronné du panache blanc et la cape damassée qui caractérisaient le premier, celui-ci se mêlait aux fantassins, vêtu comme un simple soldat. Il est possible qu'Hernando Pizarro ait choisi mon mari en raison de sa taille : Juan était aussi grand que lui. Il supposait que ses ennemis le chercheraient pendant la bataille, comme ce fut le cas. L'extravagante tenue attira les capitaines d'Almagro, qui s'approchèrent à coups d'épée et donnèrent la mort à l'insignifiant Juan de Málaga, le confondant avec le frère du gouverneur. Hernando Pizarro sauva sa vie, mais son nom resta pour toujours entaché d'une réputation de lâche. Ses précédents exploits militaires furent effacés d'un trait de plume et rien ne put lui rendre son prestige perdu ; la honte de cette ruse éclaboussa les Espagnols, amis et ennemis, qui ne lui pardonnèrent jamais.

Une conspiration du silence se trama rapidement pour protéger ce Pizarro que tous craignaient, mais la vilenie commise au cours de la bataille circulait à voix basse dans les tavernes et les petits groupes. Personne ne l'ignorait, tous la commentaient, et c'est ainsi que j'ai pu en connaître les détails, mais je n'ai pas retrouvé les restes de mon mari. Dès lors, j'ai été tourmentée par le soupçon que Juan n'avait pas reçu de sépulture chrétienne, et que pour cette raison son âme en peine errait, cherchant le repos. Juan de Málaga m'a suivie tout au long du voyage au Chili, il m'a accompagnée dans la fondation de Santiago, a soutenu mon bras pour exécuter les caciques et s'est moqué de moi quand je pleurais de rage et d'amour pour Valdivia. Aujourd'hui encore, plus de quarante ans après, il m'apparaît de temps à autre, bien que mes yeux me fassent à présent défaut et que je le confonde avec d'autres fantômes du passé. Ma maison de Santiago est grande, elle occupe tout le pâté de maisons, avec ses cours, ses écuries et un jardin ; ses murs sont de pisé, très épais, et les plafonds, hauts, ont des poutres en chêne. Il y a bien des cachettes où peuvent s'installer des âmes errantes, des démons ou la Mort, qui n'est pas un épouvantail encapuchonné aux orbites vides, comme l'affirment les moines pour nous effrayer, mais une femme grande, potelée, à la poitrine opulente et aux bras accueillants, un ange maternel. Je me perds dans cette de-meure. Voilà des mois que je n'ai pas dormi, la main tiède de Rodrigo sur mon ventre me manque. La nuit, quand les gens de maison se retirent et que ne restent que les gardiens dehors et les servantes de garde, qui veillent pour le cas où j'aurais besoin d'elles, je parcours la maison avec une lampe, j'examine les grandes pièces aux murs blanchis à la chaux et aux plafonds bleus, je redresse les tableaux et les fleurs dans les

106

vases, et j'observe les cages à oiseaux. En réalité, je vais à la poursuite de la Mort. J'ai parfois été si près d'elle que j'ai pu sentir son odeur de linge fraîchement lavé, mais elle est joueuse et rusée, je ne peux la saisir, elle m'échappe et se cache au milieu de la foule d'esprits qui habitent cette maison. Parmi eux se trouve le pauvre Juan, qui m'a suivie aux confins de la terre, avec ses sonnailles d'os sans sépulture et ses haillons de brocart ensanglanté.

Au Cuzco disparut jusqu'à la dernière trace de mon premier mari. Sans doute son corps, vêtu de la tenue princière de Hernando Pizarro, fut-il le premier que les soldats victorieux soulevèrent du sol à la fin de la bataille, avant que les Indiens ne dévalent des montagnes pour s'acharner sur les dépouilles des vaincus. Sans doute furent-ils surpris de constater que sous le heaume de l'armure ne se trouvait pas son propriétaire, mais un soldat anonyme, et je suppose qu'ils obéirent de mauvaise grâce à l'ordre de dissimuler ce qui s'était passé, car la dernière chose que pardonne un Espagnol, c'est la lâcheté, mais ils le firent si bien qu'ils effacèrent toute trace du passage de mon mari sur terre.

Lorsqu'on sut que la veuve de Juan de Málaga allait de-ci de-là en posant des questions, le marquis gouverneur lui-même, Francisco Pizarro, voulut me connaître. Il avait fait construire un palais dans la Cité des Rois, et de là dominait l'Empire d'une main de fer, avec faste et perfidie, mais à ce moment il se trouvait en visite au Cuzco. Il me reçut dans un salon décoré de tapis péruviens en belle laine et de meubles sculptés. Le dessus de la grande table principale, les dossiers des chaises, les coupes, les chandeliers et les crachoirs étaient en argent massif. Il y avait plus d'argent que de fer au Pérou. Plusieurs courtisans sombres comme des vautours, entassés dans les coins, chuchotaient et remuaient des papiers en se donnant des airs importants. Pizarro était vêtu de velours noir, pourpoint ajusté avec des manches à crevés, fraise blanche, une épaisse chaîne en or sur la poitrine, des boucles également en or sur les chaussures et une cape de marte sur les épaules. C'était un homme de soixante et quelques années, hautain, à la peau verdâtre, à la barbe poivre et sel, aux yeux enfoncés à force de regarder avec méfiance et une désagréable voix de fausset. Il m'adressa brièvement ses condoléances pour la mort de mon mari, sans mentionner son nom, et ensuite, dans un geste inattendu, me tendit une bourse d'argent afin que je survive « en attendant de pouvoir embarquer pour retourner en Espagne », comme il le dit. A l'instant même je pris une décision impulsive, dont je ne me suis jamais repentie.

« Avec tout mon respect, Excellence, je n'ai pas l'intention de retourner en Espagne », lui dis-je.

Une ombre terrible traversa furtivement le visage du marquis gouverneur. Il s'approcha de la fenêtre et resta un long moment à contempler la ville qui s'étendait à ses pieds. Je pensais qu'il m'avait oubliée et commençai à reculer en direction de la porte, mais tout à coup, sans se retourner, il s'adressa de nouveau à moi.

« Quel est votre nom, disiez-vous, madame ?

— Inés Suárez, pour vous servir, monsieur le marquis gouverneur.

— Et comment pensez-vous gagner votre vie ?

— Honnêtement, Excellence.

— Et avec discrétion, j'espère. La discrétion est très appréciée ici, particulièrement chez les femmes. La municipalité vous procurera une maison. Bonne journée et bonne chance. »

Ce fut tout. Je compris que si je voulais rester au Cuzco, mieux valait renoncer à poser des questions. Juan de Málaga était bien mort, et moi, j'étais libre. Je peux dire avec certitude que ma vie a commencé ce jour-là ; les années précédentes avaient été un entraînement pour ce qui allait venir. Je te demande un peu de patience, Isabel ; bientôt, tu verras, ce récit désordonné arrivera au moment où mon destin croise celui de Pedro de Valdivia et où commence l'épopée que je

108

veux te raconter. Avant cela, mon existence fut celle d'une insignifiante cousette de Plasencia, semblable à celles de centaines et de centaines d'ouvrières qui sont venues avant et viendront après moi. Avec Pedro de Valdivia j'ai vécu un amour de légende, et avec lui j'ai conquis un royaume. Bien que j'aie adoré Rodrigo de Quiroga, ton père, et que j'aie vécu trente ans avec lui, ma vie ne vaut la peine d'être contée qu'à cause de la conquête du Chili, que j'ai partagée avec Pedro de Valdivia.

*

Je m'installai au Cuzco, dans la maison prêtée par la municipalité sur les instructions du marquis gouverneur Pizarro. Elle était modeste, mais décente, avec trois pièces et une cour, bien située au centre de la ville et parfumée par le chèvrefeuille qui grimpait sur ses murs. On m'avait également assigné trois Indiennes pour mon service, deux jeunes et une plus âgée, qui avait adopté le nom chrétien de Catalina et qui allait devenir ma meilleure amie. Je me disposai à exercer mon métier de couturière, très apprécié des Espagnols, qui se trouvaient dans l'embarras pour faire durer les quelques vêtements rapportés d'Espagne. Je soignai aussi les soldats estropiés ou grièvement blessés pendant la guerre, des combattants de Las Salinas pour la plupart. Le médecin allemand, qui avait voyagé avec moi dans la caravane depuis la Cité des Rois jusqu'au Cuzco, me convoquait souvent pour l'aider à soigner les cas les plus difficiles, et j'accourais avec Catalina, qui connaissait des remèdes et des incantations. Entre Catalina et lui existait une certaine rivalité, qui ne convenait pas toujours aux malheureux patients. Elle ne montrait aucun intérêt pour les quatre humeurs qui déterminent l'état de santé du corps, et lui méprisait la sorcellerie, même si elle s'avérait parfois efficace. Le pire, dans mon travail avec eux, c'étaient les amputations, qui m'ont toujours répugnée, mais il fallait les faire, car si la chair commence à pourrir il n'y a aucune autre manière de sauver le blessé. De toute façon, très peu survivaient à ces opérations.

Je ne sais rien de la vie de Catalina avant l'arrivée des Espagnols au Pérou ; méfiante et mystérieuse, elle ne parlait pas de son passé. Petite, carrée, couleur noisette, deux épaisses tresses nouées dans le dos par des laines de couleurs, les yeux charbon et l'odeur de fumée, cette Catalina pouvait se trouver à plusieurs endroits à la fois et disparaître en un soupir. Elle avait appris le castillan, s'était adaptée à nos coutumes et semblait satisfaite de vivre avec moi ; deux ans plus tard, elle insista pour m'accompagner au Chili. « Moi vouloir aller avec toi, *señoray* », me supplia-t-elle dans sa langue chantante. Elle avait accepté le baptême pour éviter les problèmes, mais n'avait pas abandonné ses croyances ; de même qu'elle récitait le rosaire et allumait des bougies sur l'autel de Notre-Dame du Secours, elle récitait des invocations au Soleil. Cette sage et loyale compagne m'a instruite sur l'utilisation des plantes médicinales et les méthodes curatives du Pérou, différentes de celles d'Espagne. Cette excellente femme affirmait que les maladies proviennent d'esprits espiègles et de démons qui s'introduisent par les orifices du corps et logent dans le ventre. Elle avait travaillé avec des médecins incas, qui faisaient des perforations dans le crâne de leurs patients pour soulager migraines et démences, procédé qui fascinait l'Allemand, mais auquel aucun Espagnol n'était disposé à se soumettre. Catalina savait saigner les malades aussi bien que le meilleur chirurgien, elle était experte en purges pour soulager les coliques et la lourdeur du corps, mais elle se moquait de la pharmacopée de l'Allemand. « Avec ça, tout ce qu'on fait, c'est tuer, *tatay* », lui disait-elle, souriant de ses dents noires de coca, et il a fini par douter des remèdes réputés qu'avec tant d'efforts il avait apportés de son pays. Catalina connaissait de puissants poisons, des potions aphrodisiaques, des herbes qui donnaient une énergie inépuisable et d'autres qui favorisaient le sommeil, arrêtaient les hémorragies ou atténuaient la douleur. C'était une magicienne, elle pouvait parler avec les morts et lire l'avenir ; parfois, elle buvait une mixture de plantes qui l'expédiait dans l'autre monde, où elle recevait les conseils des anges. Elle ne les appelait pas ainsi, mais les décrivait comme des êtres transparents, ailés et capables de foudroyer avec le feu de leur regard ; ce ne pouvait être que des anges. Nous nous abstenions de mentionner ces sujets devant des tierces personnes, car elles nous auraient accusées de sorcellerie et de relations avec le Malin. Il n'est pas drôle d'atterrir dans un cachot de l'Inquisition ; pour moins que ce que nous savions bien des malheureux ont fini sur le bûcher. Les exhortations de Catalina ne donnaient pas toujours le résultat espéré, comme c'est naturel. Une fois, elle tenta de jeter hors de la maison l'âme de Juan de Málaga, qui nous dérangeait trop, mais tout ce qu'elle obtint, c'est que plusieurs de nos poules meurent la nuit même et que le lendemain apparaisse au centre du Cuzco un lama à deux têtes. L'animal aggrava la discorde entre Indiens et Castillans : les premiers crurent qu'il s'agissait de la réincarnation de l'immortel Inca Atahualpa, les seconds le tuèrent d'un coup de lance pour prouver qu'il n'avait rien d'immortel. Il s'ensuivit une altercation qui fit plusieurs morts parmi les Indiens et un blessé chez les Espagnols. Catalina vécut avec moi de nombreuses années, elle veilla sur ma santé, me prévint de dangers et me guida dans des décisions importantes. La seule promesse qu'elle ne tint pas fut celle de m'accompagner dans la vieillesse, car elle est morte avant moi.

J'appris aux deux jeunes Indiennes que m'avait assignées la municipalité à raccommoder, laver et repasser le linge comme on le faisait à Plasencia, service très apprécié en ce temps-là au Cuzco. Je fis construire un four en terre dans le patio et, avec Catalina, nous passions nos journées à cuisiner des friands. La farine de blé étant chère, nous les avons préparés avec de la farine de maïs. Ils n'avaient pas le temps de refroidir en sortant du four ; l'odeur les annonçait dans le quartier et les clients accouraient en troupe. Nous en gardions toujours quelques-uns pour les mendiants et les distraits, qui se nourrissaient de la charité publique. Cet arôme dense de viande, d'oignons frits, de cumin et de pâte cuite au four a pénétré jusque sous ma peau, si bien que j'en suis encore imprégnée. Je mourrai avec l'odeur des friands.

Je pouvais entretenir ma maison, mais dans cette ville, si chère et si corrompue, une veuve avait bien du mal à sortir de la pauvreté. J'aurais pu me marier, car les hommes seuls et désespérés ne manquaient pas, certains assez séduisants, mais Catalina me mettait toujours en garde contre eux. Elle me prédisait mon avenir avec ses graines et ses coquillages de divination et m'annonçait toujours la même chose : je vivrais très longtemps et je deviendrais reine, mais mon avenir dépendait de l'homme de ses visions. D'après elle, ce n'était aucun de ceux qui frappaient à ma porte ou me poursuivaient dans la rue. « Patience, *mamitay*, il viendra ton *viracocha* », me promettait-elle.

Parmi mes prétendants se comptait l'orgueilleux sous-lieutenant Núñez, qui ne renonçait pas à son désir de me mettre le grappin dessus, comme il disait lui-même avec peu de délicatesse. Il ne comprenait pas pourquoi je rejetais ses avances, puisque ma précédente excuse ne servait plus. Il était démontré que j'étais veuve, comme il me l'avait affirmé depuis le début. Il imaginait que mes refus étaient une sorte de coquetterie et ainsi, plus je m'obstinais dans mon mépris, plus il avait le béguin pour moi. Je dus lui interdire de faire irruption chez moi avec ses mâtins, parce qu'ils terrorisaient mes servantes. Ces bêtes, entraînées à assujettir les Indiens, commençaient à tirer sur leurs chaînes dès qu'elles les sentaient, grognant et aboyant en montrant les dents. Rien n'amusait davantage le sous-lieutenant que d'exciter ses fauves contre les Indiens, aussi ignorait-il mes requêtes et envahissait-il ma maison avec ses chiens, comme il le faisait ailleurs.

Un jour, les deux animaux se réveillèrent le museau couvert d'écume verte, et quelques heures plus tard ils étaient raides. Leur maître, indigné, menaça de tuer celui qui les avait empoisonnés, mais le médecin allemand le convainquit qu'ils étaient morts de la peste et qu'il fallait immédiatement brûler leurs restes pour éviter la contagion. Ce qu'il fit, craignant d'être le premier à succomber à la maladie.

Les visites du sous-lieutenant devinrent de plus en plus fréquentes et, comme il m'ennuyait aussi dans la rue, ma vie devint un enfer. « Ce Blanc ne comprend pas avec les mots, *señoray*. Je dis qu'il peut bien mourir, comme ses chiens », m'annonça Catalina. Je préférais ne pas savoir ce qu'elle voulait dire. Un jour, Núñez arriva, comme toujours, avec son odeur de mâle et ses cadeaux, dont je ne voulais pas, emplissant ma maison de sa présence bruyante.

« Pourquoi me tourmentez-vous, belle Inés ? me demanda-t-il pour la énième fois en me prenant par la taille.

— Ne m'offensez pas, monsieur. Je ne vous ai pas autorisé à me traiter avec familiarité, répliquai-je en me libérant de ses griffes.

— Bien, alors, chère Inés, quand nous marions-nous ?

— Jamais. Voici vos chemises et vos chausses, raccommodées et lavées. Cherchez une autre lavandière, je ne veux plus vous voir dans ma maison. Adieu. »

Et je le poussai jusqu'à la porte.

« Adieu, dites-vous, Inés ? Femme, vous ne me connaissez pas ! Moi, personne ne m'insulte, et surtout pas une catin ! » me cria-t-il depuis la rue.

C'était l'heure douce du crépuscule, où les clients se réunissaient pour attendre que les derniers friands sortent du four, mais je n'eus pas le courage de les servir ; je tremblais de colère et de honte. Je me contentai de distribuer quelques friands aux pauvres, pour qu'ils ne restent pas le ventre vide, puis je fermai ma porte, que je laissais d'habitude ouverte jusqu'à ce que tombe le froid de la nuit.

« Maudit soit-il, *mamitay*, mais ne t'en fais pas. Ce Núñez va t'apporter la chance, me consola Catalina.

— Il ne peut m'apporter que le malheur, Catalina ! Un homme fanfaron et dépité est toujours dangereux. »

*

Catalina avait raison. Grâce au néfaste sous-lieutenant, qui s'installa dans une taverne pour boire et se vanter de ce qu'il avait l'intention de me faire, je connus cette nuit-là l'homme de mon destin, celui que Catalina m'annonçait inlassablement.

La taverne, une salle au plafond bas, avec plusieurs lucarnes par où entrait à peine assez d'air pour respirer, était tenue par un Andalou au grand cœur qui faisait crédit aux soldats désargentés. Pour cette raison, et pour la musique de cordes et de tambours que jouaient deux Noirs, le local était très populaire. La figure sobre d'un homme qui buvait seul dans un coin contrastait avec le joyeux brouhaha des clients. Il était assis sur une banquette devant une petite table, où il avait étalé un bout de papier jaunâtre qu'il tenait à plat avec sa carafe de vin. C'était Pedro de Valdivia, mestre de camp du gouverneur Francisco Pizarro et héros de la bataille de Las Salinas, alors devenu l'un des plus riches propriétaires du Pérou. En récompense pour les services rendus, Pizarro lui avait concédé, pour la durée de sa vie, une splendide mine d'argent à Porco, une propriété dans la vallée de la Canela, très fertile et très productive, et des centaines d'Indiens pour les travailler. Et que faisait à ce moment le célèbre Valdivia ? Il ne calculait pas les arrobes d'argent extraites de sa mine, ni le nombre de ses lamas ou de ses sacs de maïs ; il étudiait une carte rapidement tracée par Diego de Almagro dans sa prison, avant d'être exécuté. Il était tourmenté par l'idée fixe de triompher là où le gouverneur Almagro avait échoué, sur ce territoire mystérieux au sud de l'hémisphère. Celui-ci restait à

114

conquérir et à peupler, c'était le seul lieu vierge où un militaire comme lui pouvait trouver la gloire. Il n'avait pas l'intention de rester dans l'ombre de Francisco Pizarro et de vieillir confortablement au Pérou. Il ne voulait pas non plus rentrer en Espagne, aussi riche et respectable fût-il. Il était encore moins attiré par l'idée de retrouver Marina, qui l'attendait fidèlement depuis des années et ne cessait de l'appeler dans ses lettres, toujours pleines de bénédictions et de reproches. L'Espagne, c'était le passé. Le Chili, c'était l'avenir. La carte montrait les chemins parcourus par Almagro lors de son expédition et les points les plus difficiles : la cordillère, le désert et les zones où se concentraient les ennemis. « Du Bío-Bío vers le sud on ne peut passer, les Mapuche l'empêchent », lui avait répété Almagro à plusieurs reprises. Ces paroles poursuivaient et excitaient Valdivia. Moi, je serais passé, pensait-il, bien qu'il n'eût jamais douté du courage du pionnier.

Il en était là lorsqu'il distingua dans la bruyante taverne une grosse voix d'ivrogne et, sans le vouloir, y prêta attention. Elle parlait de quelqu'un à qui on voulait donner une leçon bien méritée, une certaine Inés, femme pleine d'orgueil qui osait défier un honnête sous-lieutenant du très chrétien empereur Charles Quint. Le nom lui sembla connu et il en déduisit bientôt qu'il s'agissait de la jeune veuve qui lavait et raccommodait le linge dans la rue du Temple des Vierges. Lui-même n'avait pas recouru à ses services – il avait pour cela les Indiennes de sa maison –, mais il l'avait vue plusieurs fois dans la rue ou à l'église et l'avait remarquée, parce que c'était l'une des rares Espagnoles du Cuzco, et il s'était demandé combien de temps une femme comme elle resterait seule. Deux ou trois fois, il l'avait suivie un bout de chemin, à une certaine distance, juste pour le plaisir d'admirer le mouvement de ses hanches – elle marchait du pas ferme d'une gitane – et le reflet du soleil sur ses cheveux cuivrés. Il lui sembla qu'elle irradiait l'assurance et la force de caractère, qualités que lui-même exigeait de ses capitaines, mais qu'il n'avait jamais imaginé voir chez une femme. Jusqu'alors, seules l'avaient attiré les jeunes filles douces et fragiles qui éveillaient son désir de les protéger, raison pour laquelle il avait épousé Marina. Cette Inés n'avait rien de vulnérable ou d'innocent, elle était plutôt intimidante, pure énergie, tel un cyclone contenu ; ce fut pourtant ce qui, chez elle, attira le plus son attention. Du moins est-ce ainsi qu'il me le raconta plus tard.

A travers les bribes de phrases qui parvenaient jusqu'à lui, étouffées par le bruit de la taverne, Valdivia put déduire le plan du sous-lieutenant ivre, qui demandait à grands cris deux ou trois volontaires pour séquestrer cette femme, la nuit, et l'emmener chez lui. Un chœur d'éclats de rire et de blagues obscènes accueillit sa requête, mais personne n'offrit de l'aider, car non seulement c'était une action lâche, mais également dangereuse. Une chose était de violer dans la guerre et de se divertir avec les Indiennes, qui ne valaient rien, une autre d'agresser une veuve espagnole qui avait été reçue par le gouverneur en personne. Mieux valait oublier cela, l'avertirent ses acolytes, mais Núñez proclama qu'il ne manquerait pas de bras pour exécuter son projet.

Pedro de Valdivia ne le perdit pas de vue, et une demi-heure plus tard il le suivit dans la rue. L'homme sortit en titubant, sans se rendre compte que quelqu'un le suivait. Il s'arrêta un moment devant ma porte, se demandant s'il pourrait réaliser seul son forfait, mais décida de ne pas courir un tel risque ; bien que l'alcool eût troublé ses esprits, il savait que sa réputation et sa carrière militaire étaient en jeu. Valdivia le vit s'éloigner et se planta au coin de la rue, dissimulé dans l'ombre. Il n'eut pas à attendre longtemps : bientôt, des Indiens silencieux se mirent à tourner autour de la maison, examinant la porte et les volets des fenêtres qui donnaient sur la rue. Lorsqu'ils eurent constaté qu'ils étaient bâclés de l'intérieur, ils décidèrent de grimper sur la clôture en pierre, d'à peine cinq pieds de hauteur, qui protégeait la maison par-derrière. En quelques minutes ils tombèrent dans la cour, avec tant de malchance pour eux qu'ils renversèrent et cassèrent une jarre en terre. J'ai le sommeil léger et le bruit me réveilla. Pendant un moment Pedro les laissa faire, pour voir jusqu'où ils étaient capables d'aller, puis il sauta par-dessus le mur derrière eux. A ce moment, j'avais allumé une lampe et empoigné le long couteau dont je me servais pour couper la viande des friands. J'étais prête à l'utiliser, mais priais de ne pas avoir à le faire, car Sebastián Romero me pesait suffisamment, et j'aurais été désolée de me mettre un autre cadavre sur la conscience. Je sortis dans le patio, suivie de près par Catalina. Nous arrivâmes trop tard pour le meilleur du spectacle : le chevalier avait déjà confondu les assaillants et s'apprêtait à les attacher avec la corde qu'ils avaient apportée pour moi. Les faits se succédèrent très rapidement, sans grand effort pour Valdivia, qui paraissait plus gai qu'ennuyé, comme s'il s'agissait d'une espièglerie de gamins.

La situation était assez ridicule : moi dépeignée, en chemise de nuit ; Catalina maudissant en quechua ; deux Indiens qui grelottaient de terreur ; un hidalgo vêtu d'un pourpoint en velours, de culottes en soie et de hautes bottes en cuir tanné, l'épée à la main, qui balayait le patio de la plume de son chapeau pour me saluer. Nous éclatâmes tous deux de rire.

« Ces malheureux ne reviendront pas vous déranger, madame, dit-il, galant.

— Ce ne sont pas eux qui m'inquiètent, monsieur, mais plutôt celui qui les a envoyés.

— Lui non plus ne recommencera pas ses friponneries, car demain il aura affaire à moi.

— Vous savez qui il est ?

— J'en ai bien l'impression, mais si je ne me trompe pas, ces deux-là confesseront sous la torture à qui ils obéissent. »

A ces mots, les Indiens se jetèrent au sol pour baiser les

bottes du chevalier et implorer sa grâce, le nom du sous-lieutenant Núñez sur les lèvres. Catalina opina qu'il fallait tout de suite leur trancher la gorge, et Valdivia approuva, mais je m'interposai entre son épée et ces malheureux.

« Non, monsieur, je vous en prie. Je ne veux pas de morts dans ma cour, ils salissent et attirent le malheur. »

Valdivia se remit à rire, il ouvrit le portail et les renvoya avec un coup de pied au derrière à chacun, après leur avoir conseillé de disparaître du Cuzco la nuit même s'ils ne voulaient pas payer les conséquences.

« Je crains que le sous-lieutenant Núñez ne soit pas aussi magnanime que vous, chevalier. Il remuera ciel et terre pour retrouver ces hommes, ils en savent trop et il ne lui convient pas qu'ils parlent, dis-je.

— Croyez-moi, madame, j'ai assez d'autorité pour envoyer Núñez pourrir dans la forêt des Chunchos, et je vous assure que je le ferai », répliqua-t-il.

C'est alors que je le reconnus. C'était le mestre de camp, héros de nombreuses guerres, l'un des hommes les plus riches et les plus puissants du Pérou. Je l'avais parfois aperçu, mais toujours de loin, admirant son cheval arabe et son autorité naturelle.

*

Cette nuit-là a déterminé la vie de Pedro de Valdivia et la mienne. Nous avions marché en rond pendant des années, nous cherchant à l'aveuglette, jusqu'à nous rencontrer enfin dans la cour de cette petite maison de la rue du Temple des Vierges. Reconnaissante, je l'invitai à entrer dans ma modeste salle, pendant que Catalina allait chercher un verre de vin – qui ne manquait point dans ma maison – pour le recevoir. Avant de se volatiliser, comme à son habitude, Catalina me fit un signe à l'insu de mon invité et je sus ainsi qu'il s'agissait de l'homme qu'elle avait aperçu dans ses petits coquillages de prédiction. Surprise, car je n'avais jamais imaginé que le sort me réservait quelqu'un d'aussi important que Valdivia, je me mis à l'étudier des pieds à la tête, sous la lumière jaune de la lampe. Ce que je vis me plut : des yeux bleus comme le ciel d'Estrémadure, des traits virils, un visage ouvert bien que sévère, robuste, l'allure guerrière, des mains endurcies par l'épée mais aux doigts longs et élégants. Un homme tel que lui, entier, était sans doute un luxe dans les Indes, où il y a tant d'hommes marqués par d'horribles cicatrices ou l'absence d'un œil, du nez et même de membres. Et lui, que vit-il ? Une femme mince, de taille moyenne, les cheveux dénoués et en désordre, aux yeux châtains, aux sourcils épais, déchaussée, couverte d'une chemise de toile ordinaire. Muets, nous nous regardâmes pendant une éternité sans pouvoir détourner les yeux. Malgré la fraîcheur de la nuit, la peau me brûlait et un filet de sueur coulait dans mon dos. Je sais qu'il était secoué par la même tempête, parce que l'air de la pièce devint dense. Catalina surgit du néant avec le vin, mais lorsqu'elle perçut ce qui nous arrivait, elle disparut pour nous laisser seuls.

Pedro m'avouerait ensuite que cette nuit-là, s'il n'avait pas pris l'initiative dans l'amour, c'était qu'il avait besoin de temps pour se calmer et réfléchir. « Quand je t'ai vue, j'ai eu peur pour la première fois de ma vie », me dirait-il bien plus tard. Ce n'était pas un homme à avoir des maîtresses ou des concubines, on ne lui connaissait pas d'amantes et il n'avait jamais eu de relations avec des Indiennes, mais je suppose qu'il en eut avec des femmes de location. A sa manière, il avait été fidèle à Marina Ortiz de Gaete, vis-à-vis de laquelle il était en faute parce que, l'ayant séduite à treize ans, il ne l'avait pas rendue heureuse et l'avait abandonnée pour se lancer dans l'aventure des Indes. Il se sentait responsable d'elle devant Dieu. Mais j'étais libre, et même si Pedro avait eu une demi-douzaine d'épouses, je l'aurais aimé de toute façon, c'était inévitable. Il avait près de quarante ans et moi la trentaine, ni l'un ni l'autre n'avions de temps à perdre, c'est pourquoi je me préparai à conduire les choses sur la voie qui devait être la leur.

Comment en sommes-nous venus à nous embrasser si vite? Lequel a tendu la main le premier? Qui a cherché les lèvres de l'autre pour les baiser? Sûrement moi. Dès que je pus parler pour rompre le silence chargé d'intentions dans lequel nous nous regardions, je lui annonçai sans préambule que je l'attendais depuis longtemps, parce que je l'avais vu en rêve et dans les graines et coquillages de divination, que j'étais prête à l'aimer pour toujours, et d'autres promesses, sans rien garder et sans pudeur. Pedro recula, rigide, pâle, jusqu'à se trouver dos au mur. Quelle femme raisonnable parle ainsi à un inconnu? Cependant, il ne pensa pas que j'avais perdu la raison et que j'étais une putain lâchée dans le Cuzco, car lui aussi ressentait dans ses os et dans les cavernes de son âme cette certitude que nous étions nés pour nous aimer. Il exhala un soupir, presque un sanglot, et, la voix brisée, murmura mon nom. « Moi aussi je t'ai toujours attendue », m'a-t-il dit. Ou peut-être ne l'a-t-il pas dit. Je suppose qu'au fil des ans nous embellissons certains souvenirs et essayons d'en oublier d'autres. Ce dont je suis sûre, c'est que nous nous sommes aimés cette nuit même, et que dès la première étreinte la même ardeur nous a embrasés.

Pedro de Valdivia s'était formé dans le fracas de la guerre, il ne savait rien de l'amour, mais il était prêt à le recevoir lorsque celui-ci s'est présenté. Il m'a soulevée dans ses bras et en quatre grandes enjambées m'a portée sur mon lit, où nous sommes tombés, lui sur moi, m'embrassant, me mordant, tandis qu'il se défaisait par brusques secousses de son pourpoint, de ses chausses, de ses bottes, de ses chaussettes, désespéré, avec la fougue d'un adolescent. Je l'ai laissé faire ce qu'il voulait, afin qu'il se soulage; combien de temps avait-il passé sans femme? Je l'ai pressé contre ma poitrine, sentant les battements de son cœur, sa chaleur animale, son odeur d'homme. Pedro avait beaucoup à apprendre, mais rien ne pressait, nous avions le reste de nos vies, et j'étais un bon professeur ; de cela, au moins, je pouvais être reconnaissante à Juan de Málaga. Une fois que Pedro eut compris qu'à huis clos, c'était moi qui commandais et qu'il n'y avait aucun déshonneur à cela, d'excellente humeur, il se disposa à m'obéir. Cela demanda un certain temps, disons quatre ou cinq heures, parce qu'il croyait que l'abandon revient à la femme et la domination au mâle ; c'est ce qu'il avait vu chez les animaux et appris dans son métier de soldat, mais Juan de Málaga n'avait pas passé en vain des années à m'apprendre à connaître mon corps et celui des hommes. Je n'affirme pas qu'ils sont tous pareils, mais ils se ressemblent assez, et avec un minimum d'intuition n'importe quelle femme peut les rendre heureux. L'inverse n'est pas vrai ; peu d'hommes savent satisfaire une femme et ils sont encore moins nombreux à avoir envie de le faire. Pedro eut l'intelligence de laisser son épée de l'autre côté de la porte et de se rendre devant moi. Les détails de cette première nuit importent peu, il suffit de dire que nous découvrîmes tous deux le véritable amour, car jusque-là nous n'avions pas connu la fusion du corps et de l'âme. Ma relation avec Juan avait été charnelle, et la sienne, avec Marina, spirituelle ; la nôtre fut complète.

Valdivia resta deux jours enfermé chez moi. Tout ce temps les volets ne furent pas ouverts, personne ne fit de friands, les Indiennes restaient muettes et marchaient sur la pointe des pieds, Catalina s'arrangea pour nourrir les mendiants avec de la soupe de maïs. La fidèle femme nous apportait au lit du vin et de quoi manger ; elle prépara aussi une jarre d'eau chaude afin que nous nous lavions, coutume péruvienne qu'elle m'avait apprise. Comme tout Espagnol d'origine, Pedro croyait que le bain est dangereux, qu'il entraîne un affaiblissement des poumons et altère le sang, mais je lui assurai que les gens du Pérou se baignaient chaque jour et que personne n'avait les poumons fragiles ni le sang aqueux. Ces deux journées passèrent en un soupir à nous raconter le passé et à nous aimer dans un brûlant tourbillon, un abandon qui n'était jamais suffisant, un désir dément de nous fondre dans l'autre, de mourir et mourir, « Ah Pedro ! », « Ah Inés ! » Nous nous écroulions ensemble, restions bras et jambes enlacés, épuisés, baignés de la même sueur, parlant dans un murmure. Puis le désir renaissait avec plus d'intensité entre les draps mouillés ; odeur d'homme – métal, vin, cheval –, odeur de femme – cuisine, fumée, mer –, parfum des deux, unique et inoubliable, haleine de forêt, bouillon épais. Nous apprîmes à nous élever jusqu'au ciel et à gémir ensemble, blessés par le même coup de fouet qui nous suspendait au bord de la mort et, enfin, nous submergeait dans un sommeil profond. Nous nous réveillions chaque fois prêts à réinventer l'amour, jusqu'à ce qu'arrive l'aube du troisième jour, avec son tapage de coqs et l'odeur du pain. Alors Pedro, transformé, demanda ses vêtements et son épée.

*

Que la mémoire est tenace ! La mienne ne me laisse pas en paix, elle me remplit la tête d'images, de paroles, de douleur et d'amour. Je me sens revivre encore et encore ce que j'ai vécu. L'effort que me demande l'écriture de ce récit n'est pas dans le souvenir, mais dans le lent exercice qui consiste à le coucher sur le papier. Mon écriture n'a jamais été bonne, malgré la persévérance de González de Marmolejo, mais à présent elle est presque illisible. J'ai une certaine urgence, car les semaines s'envolent et il me reste beaucoup à relater. Je me fatigue. La plume déchire le papier et des éclaboussures d'encre le salissent ; en résumé, ce travail exige de moi un trop gros effort. Pourquoi est-ce que j'insiste ? Ceux qui m'ont bien connue sont morts, toi seule, Isabel, as une idée de la personne que je suis, mais cette idée est faussée par ton affection et la dette que tu crois avoir à mon égard. Tu ne me dois rien, je te l'ai souvent dit ; c'est moi qui ai une dette envers toi, parce que tu es venue satisfaire mon plus profond besoin, celui d'être mère. Tu es mon amie et ma confidente, la seule personne qui connaisse mes secrets, y compris certains que, par pudeur, je n'ai pas partagés avec ton père. Nous nous entendons bien toi et moi, tu as bonne humeur et nous rions ensemble, avec ce rire des femmes, né de la complicité. Je te remercie de t'être installée ici avec tes enfants, bien que ta demeure ne soit qu'à deux pâtés de maisons de la mienne. Tu prétends avoir besoin de compagnie pendant que ton mari est à la guerre, comme autrefois l'était le mien, mais je ne te crois pas. La vérité, c'est que tu as peur que je meure seule dans cette grande maison de veuve, qui bientôt sera la tienne, comme le sont déjà tous mes biens terrestres. L'idée de te voir devenue une femme riche me réconforte ; je peux partir en paix pour l'autre monde, car j'ai parfaitement tenu la promesse que j'ai faite à ton père de te protéger, lorsqu'il t'a amenée chez moi. Alors, j'étais encore la maîtresse de Pedro de Valdivia, mais cela ne m'a pas empêchée de t'accueillir à bras ouverts. A cette époque, la ville de Santiago s'était remise des dégâts causés par la première attaque des Indiens, nous étions sortis de la pauvreté et nous nous donnions de grands airs, mais ce n'était pas encore vraiment une ville, à peine une bourgade. Par ses mérites et son caractère irréprochable, Rodrigo de Quiroga était devenu le capitaine préféré de Pedro et mon meilleur ami. Je savais qu'il était amoureux de moi, une femme le sait toujours, même s'il ne laisse échapper aucun geste, aucune parole qui le trahisse. Rodrigo aurait été incapable de l'admettre, même au plus secret de son cœur, par loyauté pour Valdivia, son chef et son ami. Je suppose que moi aussi je l'aimais – on peut aimer deux hommes à la fois –, mais j'ai caché ce sentiment pour ne pas risquer l'honneur et la vie de Rodrigo. Le moment n'est pas encore venu d'évoquer cela, ce sera pour plus tard.

Il y a des choses que je n'ai pas eu l'occasion de te raconter, car j'étais trop occupée par les tâches quotidiennes, et si je ne les écris pas je les emporterai dans la tombe. Malgré mon désir d'exactitude, j'en ai omis beaucoup. J'ai dû sélectionner l'essentiel, mais je suis sûre de ne pas avoir trahi la vérité. C'est mon histoire et celle d'un homme, don Pedro de Valdivia, dont les exploits héroïques ont été retenus avec rigueur par les chroniqueurs, et ils perdureront dans leurs pages jusqu'à la fin des temps ; cependant, je sais de lui ce que l'Histoire ne pourra jamais vérifier : ce qu'il craignait et comment il a aimé.

*

La relation avec Pedro de Valdivia m'a bouleversée. Je ne pouvais vivre sans lui, un seul jour sans le voir me rendait fiévreuse, une nuit loin de ses bras était un tourment. Au début, plus que de l'amour, ce fut une passion aveugle, déchaînée, qu'heureusement il partageait, sinon j'aurais perdu la raison. Plus tard, lorsque nous avons peu à peu surmonté les obstacles du destin, la passion a fait place à l'amour. Je l'admirais autant que je le désirais, j'ai complètement succombé devant son énergie ; son courage et son idéalisme m'ont séduite. Valdivia exerçait son autorité sans démonstrations exagérées, il se faisait obéir par sa seule présence, il avait une personnalité imposante, irrésistible, mais dans l'intimité il se transformait. Dans mon lit il était mien, il s'abandonnait à moi sans réticence, comme un jeune homme à son premier amour. Habitué à la rudesse de la guerre, il était impatient et inquiet, mais nous pouvions passer des jours entiers d'oisiveté, occupés à nous connaître, à nous raconter les détails de nos destins respectifs avec une véritable urgence, comme si notre vie devait s'achever dans moins d'une semaine. Je tenais le compte des jours et des heures que nous passions ensemble, il était mon trésor. Pedro faisait le compte de nos étreintes et de nos baisers. Je suis étonnée qu'aucun des deux n'ait eu peur de cette passion qui aujourd'hui, vue de la distance du désamour et de la vieillesse, me paraît oppressante.

Pedro passait ses nuits chez moi, sauf lorsqu'il devait se rendre à la Cité des Rois ou visiter ses propriétés de Porco ou de La Canela, et qu'alors il m'emmenait avec lui. J'aimais le voir sur son cheval – il avait un air martial – et exercer son don de commandement sur ses subalternes et camarades d'armes. Il savait beaucoup de choses que je ne soupçonnais pas, il me commentait ses lectures, partageait avec moi ses idées. Il était merveilleux à mon égard, m'offrait des vêtements somptueux, des tissus, des bijoux et des pièces d'or. Au début, cette générosité me gênait, car elle m'apparaissait comme une tentative d'acheter mon affection, mais par la suite je m'y suis habituée. J'ai commencé à économiser, avec l'idée d'avoir quelque chose de plus ou moins sûr pour le futur. « On ne sait jamais ce qui peut arriver », disait toujours ma mère, qui m'a appris à cacher l'argent. Je me suis en outre aperçue que Pedro n'était pas un bon administrateur et qu'il ne s'intéressait que peu à ses biens ; comme tout hidalgo espagnol, il se croyait au-dessus du travail ou du vil argent, qu'il pouvait dépenser comme un duc, mais ne savait pas gagner. La terre et les mines données par Pizarro furent une chance qu'il reçut avec la même aisance qu'il aurait mise à les perdre. Un jour j'ai osé le lui dire, parce que, ayant dû gagner ma vie depuis mon enfance, j'ai horreur du gaspillage, mais il m'a fait taire d'un baiser. « L'or est fait pour être dépensé et, grâce à Dieu, j'en ai plus qu'il n'en faut », a-t-il répliqué. Ce qui ne m'a pas rassurée, bien au contraire.

Valdivia traitait les Indiens sous sa protection avec plus de considération que d'autres Espagnols, mais toujours avec rigueur. Il avait établi des tours de travail, nourrissait bien ses gens et obligeait les contremaîtres à être mesurés dans leurs châtiments, alors que dans d'autres mines et haciendas on faisait même travailler les femmes et les enfants.

« Ce n'est pas mon cas, Inés. Je respecte les lois de l'Espagne jusqu'où cela est possible, répliqua-t-il, hautain, lorsque je lui en fis la remarque.

— Qui décide jusqu'où cela est possible ?

— La morale chrétienne et le bon sens. De même qu'il ne convient pas de crever les chevaux de fatigue, on ne doit pas abuser des Indiens. Sans eux, les mines et les terres ne valent rien. Je voudrais vivre en harmonie avec eux, mais on ne peut les soumettre sans employer la force.

— Je doute que les soumettre leur fasse du bien, Pedro.

— Tu doutes des bienfaits du christianisme et de la civilisation ? réfuta-t-il.

— Il arrive que des mères laissent mourir de faim leurs nouveau-nés pour ne pas s'y attacher, car elles savent qu'on les leur enlèvera pour en faire des esclaves. Ne vivaient-ils pas mieux avant notre arrivée ?

— Non, Inés. Sous la domination de l'Inca ils souffraient plus que maintenant. Nous devons regarder vers l'avenir. Nous sommes ici et nous y resterons. Un jour il y aura une nouvelle race sur cette terre, un mélange de nous et des Indiennes, nous serons tous chrétiens, unis par notre langue castillane et la loi. Alors régneront la paix et la prospérité. »

Il le croyait, mais il est mort sans le voir, et moi aussi je mourrai avant que ce rêve se réalise, car nous sommes à la fin de l'année 1580 et les Indiens nous haïssent toujours autant.

Bientôt la population du Cuzco prit l'habitude de nous considérer comme un couple, mais j'imagine que dans notre dos circulaient des commentaires malicieux. En Espagne on m'aurait traitée comme une concubine, mais au Pérou personne ne me manquait de respect, du moins jamais en face, car cela eût été en manquer à l'égard de Pedro de Valdivia. On savait qu'il avait une épouse en Estrémadure, mais cela n'était pas une nouveauté, la moitié des Espagnols se trouvaient dans la même situation, leurs épouses légitimes n'étaient que de vagues souvenirs ; au Nouveau Monde ils avaient besoin d'un amour immédiat ou d'un substitut. Et puis, en Espagne aussi les hommes avaient des maîtresses ; l'Empire était semé de bâtards et bien des conquérants l'étaient. Deux ou trois fois Pedro m'a parlé de ses remords, non pas d'avoir cessé d'aimer Marina, mais de ne pouvoir m'épouser. J'aurais pu me marier avec n'importe lequel de ceux qui autrefois me courtisaient et qui maintenant n'osaient pas me regarder, m'a-t-il dit. Mais cette possibilité ne m'a jamais empêchée de dormir. Dès le début il fut clair à mes yeux que Pedro et moi ne pourrions jamais nous marier, à moins que Marina ne meure, ce qu'aucun de nous deux ne souhaitait, c'est pourquoi je sortis cet espoir de mon cœur et me disposai à célébrer l'amour et la complicité que nous partagions, sans penser à l'avenir, aux ragots, à la honte ou au péché. Nous étions amants et amis. Nous nous disputions à grands cris, car aucun des deux n'avait un tempérament doux, mais cela ne parvenait pas à nous séparer. « Désormais, Pedro, je couvre tes arrières, concentre-toi sur tes batailles de front », lui ai-je annoncé au cours de notre deuxième nuit d'amour ; il l'a pris au pied de la lettre et ne l'a jamais oublié. De mon côté, j'ai appris à surmonter le mutisme obstiné qui m'accablait lorsque j'étais furieuse. La première fois que j'ai décidé de le punir par le silence, Pedro a pris mon visage entre ses mains, planté ses yeux bleus dans les miens et il m'a obligée à confesser ce qui m'irritait. « Je ne suis pas devin, Inés. Nous pouvons écourter le chemin si tu me dis ce que tu veux de moi », a-t-il insisté. De la même manière, j'allais à sa rencontre lorsque l'impatience et l'orgueil le dominaient, ou lorsqu'une de ses décisions ne me paraissait pas juste. Nous étions semblables, forts tous deux, autoritaires et ambitieux ; lui voulait fonder un royaume et je voulais l'accompagner. Ce qu'il sentait, je le sentais, ainsi avons-nous partagé le même rêve.

Au début, lorsqu'il évoquait le Chili, je me contentais de l'écouter en silence. Je ne savais pas de quoi il parlait, mais je dissimulais mon ignorance. Je m'informais auprès de mes clients, les soldats qui m'apportaient leur linge à laver ou venaient acheter des friands, et c'est ainsi que j'ai eu connaissance de l'échec de la tentative de Diego de Almagro. Les hommes qui avaient survécu à cette aventure et à la bataille de Las Salinas n'avaient pas un maravédis en poche, leurs vêtements étaient en loques et ils venaient souvent, discrètement, par la porte de la cour, chercher un repas gratuit, c'est pourquoi on les appelait les « gueux du Chili ». Ils ne se mettaient pas dans la file des mendiants indigènes, bien qu'ils fussent aussi pauvres qu'eux, parce qu'il y avait un certain orgueil à être l'un de ces gueux, mot qui désignait l'homme courageux, audacieux, brave et hautain. Le Chili, d'après la description de ces hommes, était une terre maudite, mais j'imaginais que Pedro de Valdivia avait d'excellentes raisons de vouloir aller là-bas. A l'écouter, mon enthousiasme grandit pour son idée.

« Même si cela me coûte la vie, je tenterai la conquête du Chili, me dit-il.

— Et moi, j'irai avec toi.

— Ce n'est pas une entreprise pour les femmes. Je ne peux pas te soumettre aux dangers de cette aventure, Inés, mais je ne veux pas non plus me séparer de toi.

— N'y pense même pas! Nous partons ensemble ou tu ne vas nulle part », répliquai-je.

*

Nous partîmes pour la Cité des Rois, fondée sur un cimetière inca, afin que Pedro obtienne de Francisco Pizarro l'autorisation d'aller au Chili. Nous ne pouvions loger dans la même maison – même si nous passions toutes nos nuits ensemble –, pour ne pas provoquer les mauvaises langues et les religieux, qui se mêlent de tout, bien qu'eux-mêmes ne soient pas des exemples de vertu. J'ai rarement vu le soleil briller sur la Cité des Rois, le ciel était toujours couvert; il ne pleuvait pas non plus, mais l'humidité de l'air collait aux cheveux et recouvrait tout d'une patine verdâtre. D'après Catalina, qui était venue avec nous, les momies des Incas, enterrées sous les maisons, se promenaient la nuit dans les rues, mais je n'en ai jamais vu.

Tandis que je me renseignais sur ce dont nous avions besoin pour une entreprise aussi compliquée que traverser mille lieues, fonder des villes et pacifier des Indiens, Pedro perdait des journées entières dans le palais du marquis gouverneur, participant à des réunions sociales et des conciliabules politiques qui l'ennuyaient. Les exubérantes démonstrations de respect et d'amitié que Pizarro prodiguait à Valdivia provoquaient l'envie des autres militaires et des propriétaires de concessions. Déjà à cette époque, la ville était enveloppée dans le tissu de discordes qui la caractérise aujourd'hui. La cour était une fourmilière d'intrigues et tout avait un prix, même l'honneur. Les ambitieux et les flatteurs se mettaient en quatre pour obtenir les faveurs du marquis gouverneur, le seul ayant le pouvoir d'attribuer des exploitations agricoles. Il y avait d'immenses trésors au Pérou, mais ils ne suffisaient pas pour tant de quémandeurs. Pizarro ne comprenait pas pourquoi, alors que les autres essayaient de prendre à pleines mains, Valdivia était prêt à lui rendre sa mine et son hacienda pour revivre l'horreur qui avait coûté si cher à Diego de Almagro.

« Pourquoi vous entêtez-vous dans cette aventure du Chili, cette terre pelée, don Pedro? lui a-t-il demandé plus d'une fois.

— Pour laisser renommée et mémoire de moi, Excellence », répliquait toujours Valdivia.

Et c'était, en vérité, son unique raison. Le chemin menant au Chili équivalait à l'enfer, les Indiens étaient indomptés et il n'y avait pas d'or en abondance, comme au Pérou, mais pour Valdivia ces inconvénients constituaient des avantages. Les défis que représentaient le voyage et le combat contre des ennemis sauvages l'attiraient, et, bien qu'il n'en eût rien dit devant Pizarro, il aimait la pauvreté du Chili, comme il me l'a souvent expliqué. Il avait la conviction que l'or corrompt et précipite dans la débauche. L'or divisait les Espagnols au Pérou, il attisait la méchanceté et la cupidité, alimentait les machinations, amollissait les coutumes et perdait les âmes. Dans son idée, le Chili, loin des courtisans de la Cité des Rois, était l'endroit idéal où il pourrait créer une société juste, fondée sur le dur labeur et le travail de la terre, sans la richesse mal acquise des mines et de l'esclavage. Au Chili, la religion elle-même serait simple, parce que lui – qui avait lu Erasme – se chargerait de faire venir des prêtres généreux, vrais serviteurs de Dieu, et non pas une troupe de moines corrompus et odieux. Les descendants des fondateurs seraient des Chiliens sobres, honnêtes, vaillants, respectueux de la loi. Parmi eux il n'y aurait pas d'aristocrates, qu'il détestait, parce que le seul titre valable n'est pas celui dont on hérite, mais celui que l'on gagne par les mérites d'une existence digne et d'une âme noble. Je passais des heures à l'écouter parler ainsi, les yeux humides et le cœur troublé par l'émotion, imaginant cette nation utopique que nous allions fonder ensemble.

Au bout de plusieurs semaines passées à se promener dans les salons et les couloirs du palais, Pedro commença à perdre patience, convaincu qu'il n'obtiendrait jamais l'autorisation, mais j'étais sûre que Pizarro la lui accorderait. Le retard était une habitude chez le marquis, qui n'était pas l'ami des choses droites ; il feignait la préoccupation pour les dangers que son « ami » devrait affronter au Chili, mais il lui convenait en réalité que Valdivia fût loin, où il ne pourrait conspirer contre lui ni lui faire de l'ombre avec son prestige. Les dépenses, les risques et les souffrances revenaient à Valdivia, alors que la terre soumise dépendrait du gouverneur du Pérou ; lui n'avait rien à perdre dans cet audacieux projet, vu qu'il n'avait pas l'intention d'y investir un seul maravédis.

« Le Chili est encore à conquérir et à christianiser, monsieur le marquis gouverneur, devoir que nous autres, sujets de

Sa Majesté impériale, ne pouvons négliger, argumenta Valdivia.

— Je doute que vous trouviez des hommes prêts à vous accompagner, don Pedro.

— Il n'a jamais manqué d'hommes héroïques et bons guerriers parmi les Espagnols, Excellence. Lorsque courra le bruit de cette expédition au Chili, il y aura plus de bras armés qu'il n'en faut. »

Une fois que le sujet du financement fut éclairci – c'est-à-dire que les dépenses revenaient à Valdivia –, le marquis gouverneur accorda son autorisation, apparemment à contre-cœur, et il récupéra rapidement la riche mine d'argent et l'hacienda qu'il avait accordées peu auparavant à son valeureux mestre de camp. Peu importait à ce dernier. Il avait assuré le bien-être de Marina en Espagne et sa fortune personnelle ne l'intéressait pas. Il avait les neuf mille pesos d'or et les documents nécessaires pour l'entreprise.

« Il manque un permis, lui rappelai-je.

— Lequel ?

— Le mien. Sans lui je ne peux t'accompagner. »

Pedro exposa au marquis, de façon quelque peu exagérée, mon expérience dans les soins aux malades et aux blessés, ainsi que mes connaissances en couture et cuisine, indispensables pour un voyage tel que celui-ci, mais de nouveau il se vit embarqué dans des intrigues de palais et des objections morales. J'insistai tellement que Pedro m'obtint une audience pour parler à Pizarro en personne. Je refusai qu'il m'accompagnât, parce qu'il y a des choses qu'une femme fait mieux toute seule.

Je me présentai au palais à l'heure indiquée, mais je dus attendre des heures dans une salle pleine de gens qui, comme moi, venaient demander des faveurs. La salle était chargée de décorations et profusément éclairée par des rangées de bougies dans des candélabres d'argent ; c'était un jour plus gris que les autres et très peu de lumière naturelle filtrait à travers les gran-

131

des fenêtres. En apprenant que je venais recommandée par Pedro de Valdivia, les laquais m'offrirent une chaise, alors que les autres solliciteurs devaient rester debout ; cela faisait des mois que certains venaient chaque jour, et ils avaient la mine cendrée de la résignation. J'attendis calmement, sans me sentir visée par les regards torves de certaines personnes, qui sans doute connaissaient ma relation avec Valdivia et devaient se demander comment une insignifiante couturière, une femme qui vivait en concubinage, osait demander audience au marquis gouverneur. Vers midi arriva un secrétaire qui annonça que c'était mon tour. Je le suivis dans une pièce imposante, décorée avec un luxe exagéré – rideaux, blasons, pennons, or et argent –, choquant pour le sobre tempérament espagnol, en particulier pour des natifs d'Estrémadure. Des gardes empanachés protégeaient le marquis gouverneur, plus d'une douzaine de greffiers, secrétaires, avocaillons, bacheliers et moines étaient penchés sur de gros livres et documents que lui-même ne pouvait lire, et plusieurs serviteurs indigènes en livrée, mais pieds nus, servaient du vin, des fruits et des pâtisseries confectionnées par les religieuses. Francisco Pizarro, installé sur une estrade dans un fauteuil couvert de velours et d'argent, me fit l'honneur de me reconnaître et de mentionner qu'il se souvenait de notre précédente entrevue. Je m'étais fait une robe noire de veuve pour l'occasion, je portais une mantille, et une toque cachait mes cheveux. Je doute que le rusé marquis se soit laissé tromper par mon apparence ; il savait fort bien pourquoi Valdivia voulait m'emmener avec lui.

« En quoi puis-je vous servir, madame ? me demanda-t-il de sa voix éraillée.

— C'est moi qui désire vous servir, vous et l'Espagne, Excellence », lui répondis-je avec une humilité que j'étais loin de ressentir, et j'entrepris de lui montrer la carte jaunie de Diego de Almagro, que Valdivia portait toujours sur sa poitrine. Je lui montrai la route du désert, que devrait suivre l'expédition, et lui racontai que j'avais hérité de ma mère le don de trouver l'eau.

Francisco Pizarro, perplexe, resta à me regarder comme si je m'étais moquée de lui. Je crois qu'il n'avait jamais entendu parler d'une chose semblable, bien qu'il s'agisse d'une faculté assez courante.

« Vous me dites que vous pouvez trouver de l'eau dans le désert, madame ?

— Oui, Excellence.

— Nous parlons du désert le plus aride du monde !

— D'après ce que disent certains soldats qui ont participé à la première expédition, il y pousse de l'herbe et des brous-sailles, Excellence. Cela veut dire qu'il y a de l'eau, bien qu'elle soit sans doute à une certaine profondeur. S'il y en a, je peux la trouver. »

A ce moment, toute activité avait cessé dans la salle d'audience et les personnes présentes, y compris les serviteurs indiens, suivaient, bouche bée, notre conversation.

« Permettez-moi de vous prouver ce que j'affirme, mon-sieur le marquis gouverneur. Je peux me rendre avec des témoins sur le site le plus désolé que vous m'indiquerez et, avec une petite baguette, je vous montrerai que je suis capable d'y trouver de l'eau.

— Ce ne sera pas nécessaire, madame. Je vous crois », dé-clara Pizarro après une longue pause.

Il se mit en devoir de donner des ordres afin que l'on me donne l'autorisation sollicitée et, en plus, m'offrit une luxueuse tente de campagne, en gage d'amitié, « pour alléger les sacrifices du voyage », déclara-t-il. Au lieu de suivre le secrétaire, qui prétendait me reconduire à la porte, je me plantai à côté de l'un des écritoires afin d'attendre mon do-cument, car autrement il pouvait tarder des mois. Une demi-heure plus tard, Pizarro y apposait son sceau et me le tendait avec un sourire tordu. Il me manquait seulement le permis de l'Eglise.

*

Pedro et moi reprîmes le chemin du Cuzco afin d'y organiser l'expédition, tâche qui n'avait rien de facile parce que, outre les dépenses, apparut le problème que très peu de soldats voulaient se joindre à nous. Cette histoire qu'il y aurait plus de bras bien armés qu'il n'en fallait, comme l'avait tant de fois annoncé Valdivia, s'avéra pure ironie. Ceux partis avec Diego de Almagro quelques années plus tôt étaient revenus en racontant des horreurs sur ce lieu, qu'ils appelaient « sépulture d'Espagnols » et qui, d'après ce qu'ils affirmaient, était très misérable et ne permettait même pas de nourrir seulement trente propriétaires. Les « gueux du Chili » étaient revenus sans rien et ils vivaient de la charité, preuve du reste que le Chili n'offrait que souffrances. Cela décourageait même les plus braves, mais Valdivia pouvait être très éloquent lorsqu'il assurait qu'après avoir surmonté les obstacles du chemin nous arriverions sur une terre fertile et douce, de grande satisfaction, où nous pourrions prospérer. « Et l'or ? » demandaient les hommes. De l'or aussi il y en aurait, leur garantissait-il, il suffisait de le chercher. Les seuls volontaires manquaient tellement de moyens qu'il dut leur prêter de l'argent afin qu'ils s'équipent d'armes et de chevaux, comme l'avait fait Almagro auparavant avec les siens, sachant d'ailleurs qu'il ne récupérerait jamais son investissement. Les neuf mille pesos ne suffirent pas à acquérir l'indispensable ; Valdivia trouva alors le financement auprès d'un commerçant sans scrupules à qui il consentit cinquante pour cent de ce qu'il recueillerait dans l'entreprise de la conquête.

J'allai me confesser à l'évêque du Cuzco, que j'attendris préalablement avec des nappes brodées pour sa sacristie, car j'avais besoin de son autorisation pour le voyage. Ayant entre les mains le document de Pizarro, je m'y rendis plutôt sûre de moi, mais on ne sait jamais comment réagiront les moines et encore moins les évêques. Pendant la confession, je ne pus faire autrement qu'exposer la vérité toute nue de mes amours.

« L'adultère est un péché mortel, me rappela l'évêque.

— Je suis veuve, Éminence. Je suis coupable de fornication, qui est un horrible péché, mais pas d'adultère, qui est bien plus grave.

— Sans repentir et sans la ferme décision de ne plus pécher, comment prétendez-vous que je vous absolve ?

— Comme vous l'avez fait avec tous les Castillans du Pérou, Éminence, qui autrement iraient tous finir en enfer. »

Il me donna l'absolution et l'autorisation. En échange, je lui promis qu'au Chili je ferais construire une église dédiée à Notre-Dame du Secours ; il préférait que ce fût à Notre-Dame de la Merci, ce qui revient au même sous un autre nom, mais à quoi bon me mettre à discuter avec l'évêque ?

Pendant ce temps, Pedro s'occupait de recruter les soldats, de trouver les *yanaconas* – ou Indiens auxiliaires – nécessaires, d'acheter des armes, des munitions, des tentes et des chevaux. Moi, je me chargeais des choses de moindre importance, qui distraient rarement l'esprit des grands hommes : la nourriture, les outils de labour, les ustensiles de cuisine, les lamas, les vaches, les mules, les cochons, les poules, les semences, les couvertures, les étoffes, la laine, et bien d'autres encore. Les dépenses étaient nombreuses, je dus investir mes économies et vendre mes bijoux, que de toute façon je ne portais pas ; je les avais gardés en cas d'urgence et considérai qu'il n'y avait pas de plus grande urgence que la conquête du Chili. De plus, je confesse que je n'ai jamais aimé les bijoux, et encore moins aussi somptueux que ceux que Pedro m'avait offerts. Les rares fois où je les avais portés, il me semblait voir ma mère froncer les sourcils, me rappelant qu'il n'est pas convenable d'attirer l'attention et de provoquer l'envie. Le médecin allemand me remit un coffret contenant des couteaux, des tenailles, d'autres instruments de chirurgie et des médicaments : vif-argent, fine céruse, mercure doux, jalap en poudre, précipité blanc, crème de tartre, sel de saturne, onguent, antimoine cru, sang de dragon, pierre de l'enfer, bol arménien, terre du Japon, éther. Catalina jeta un regard sur les flacons et haussa les épaules avec mépris. Elle emportait ses sacs contenant l'herboristerie indigène, qu'elle enrichirait en chemin des plantes médicinales du Chili. De plus, elle voulut absolument emporter le baquet en bois pour le bain, car rien ne l'incommodait davantage que la puanteur des *viracochas*, convaincue qu'elle était que la crasse est responsable de presque toutes les maladies.

J'en étais là lorsque vint frapper à ma porte un homme d'âge mûr, simple, avec un visage d'enfant, qui se présenta sous le nom de don Benito. C'était l'un des hommes d'Almagro, tanné par des années de vie militaire, le seul à être revenu amoureux du Chili, mais il n'osait pas le dire en public de peur qu'on le croie fou. Aussi loqueteux que les autres « Chiliens », il avait cependant une grande dignité de soldat : il ne venait pas pour demander de l'argent ou poser des conditions, mais pour nous accompagner et nous offrir son aide. Il partageait l'idée de Valdivia qu'au Chili on pourrait fonder un pays juste et sain.

« Cette terre s'étend sur mille lieues du nord au sud et la mer la baigne à l'ouest, alors qu'à l'est il y a une cordillère majestueuse comme on n'en a pas en Espagne, madame », me dit-il.

Don Benito nous raconta en détail le funeste voyage de Diego de Almagro. Il nous apprit que le pionnier avait permis à ses hommes de commettre des atrocités indignes d'un chrétien. Ils avaient emmené du Cuzco des milliers d'Indiens attachés avec des chaînes et des cordes au cou, pour éviter qu'ils s'échappent. Ceux qui mouraient, ils leur coupaient simplement la tête, pour ne pas prendre la peine de détacher les files de captifs ou de ralentir la progression de l'expédition, qui se traînait dans la montagne. Lorsqu'ils manquaient d'Indiens pour les servir, ils tombaient comme des démons sur des villages sans défenses, enchaînaient les hommes, violaient et enlevaient les femmes, tuaient ou abandonnaient les enfants et, après avoir volé la nourriture et les animaux domestiques, ils brûlaient les maisons et les récoltes. Ils obligeaient les Indiens à porter plus de poids qu'il n'est humainement possible, et même à mettre sur leurs épaules les poulains nouveau-nés et les litières et hamacs dans lesquels eux-mêmes se faisaient transporter pour ne pas fatiguer leurs chevaux. Dans le désert, plus d'un *viracocha* avait attaché à sa monture une Indienne ayant accouché depuis peu, pour téter son lait, car il n'y avait rien d'autre à boire, tandis que l'enfant était jeté sur le sable brûlant. Les Noirs fouettaient à mort ceux qui se courbaient de fatigue, et la faim dont souffraient les malheureux indigènes était telle qu'ils en vinrent à manger les cadavres de leurs compagnons. Le cruel Espagnol qui tuait le plus d'Indiens était considéré comme bon ; celui qui ne le faisait pas, comme un lâche. Valdivia regretta ces faits, certain que lui les aurait évités, mais il comprenait que le désordre de la guerre était ainsi, comme l'attestait le pillage de Rome auquel il avait assisté. Douleur, toujours plus de douleur, sang sur le chemin, sang des victimes, sang qui avilit les oppresseurs.

Don Benito connaissait les souffrances du voyage parce qu'il les avait vécues, et il nous raconta la traversée du désert d'Atacama, qu'ils avaient pris pour revenir au Pérou. C'est la route que nous avions choisie pour nous rendre au Chili, à l'inverse du parcours d'Almagro.

« Nous ne devons pas considérer seulement les nécessités des soldats, madame. Nous devons aussi nous occuper de celui des Indiens, ils ont besoin de vêtements, de nourriture, d'eau. Sans eux nous n'irons pas loin », me rappela-t-il.

J'en avais parfaitement conscience, mais prévoir pour mille *yanaconas* avec l'argent disponible était œuvre de magicien.

*

137

Parmi les rares soldats qui venaient avec nous au Chili se trouvait Juan Gómez, un élégant et valeureux jeune officier, neveu du défunt Diego de Almagro. Un jour il se présenta chez moi, son bonnet de velours à la main, très intimidé, et il m'avoua sa relation avec une princesse inca, baptisée du nom de Cecilia.

« Nous nous aimons, doña Inés, nous ne pouvons nous séparer, Cecilia veut venir avec moi au Chili, me dit-il.

— Eh bien, qu'elle vienne !

— Je ne crois pas que don Pedro de Valdivia le permette, parce que Cecilia est enceinte », balbutia le jeune homme.

C'était un sérieux problème. Pedro avait été très clair sur ce point : pour un voyage d'une telle importance on ne pouvait emmener de femmes dans cet état, car c'était très délicat, mais en voyant l'angoisse de Juan Gómez je me sentis obligée de lui venir en aide.

« De combien est-elle enceinte ? lui demandai-je.

— Trois ou quatre mois, environ.

— Vous vous rendez compte du risque que cela suppose pour elle, n'est-ce pas ?

— Cecilia est très forte, elle disposera des commodités nécessaires et je l'aiderai, doña Inés.

— Une princesse gâtée et sa suite seront un terrible embarras.

— Cecilia ne sera pas une gêne, madame. Je vous assure qu'on la remarquera à peine dans la caravane.

— C'est bien, don Juan, ne parlez de cela à personne pour le moment. Je verrai comment et quand l'annoncer au capitaine général. Préparez-vous à partir bientôt. »

Reconnaissant, Juan Gómez m'apporta comme présent un chiot noir au pelage rêche, aussi dur que celui d'un cochon, qui devint mon ombre. Je le nommai Baltasar, parce qu'on était le 6 janvier, jour des Rois Mages. Cet animal fut le premier d'une lignée de chiens semblables, ses descendants, qui m'ont accompagnée pendant plus de quarante ans. Deux jours plus tard, la princesse inca vint me rendre visite, elle arriva dans une litière portée par quatre hommes, suivie de quatre servantes chargées de cadeaux. Je n'avais jamais vu de près un membre de la cour de l'Inca ; j'en conclus que les princesses d'Espagne pâliraient d'envie devant Cecilia. Très jeune et très belle, de traits délicats, presque enfantins, elle était de petite taille et mince, mais imposante, car elle possédait la morgue naturelle d'une femme née dans un berceau d'or et habituée à être servie. Vêtue selon la mode inca, avec simplicité et élégance, elle allait tête nue et sa chevelure dénouée, tel un manteau noir, lisse et luisant, lui couvrait le dos jusqu'à la taille. Elle m'annonça que sa famille était disposée à contribuer aux dépenses des *yanaconas*, à condition qu'ils ne soient pas enchaînés. Almagro avait agi ainsi avec l'excuse de faire d'une pierre deux coups : il évitait que les Indiens s'enfuient et ils transportaient les fers. Ces lourdes chaînes avaient tué plus de malheureux que les rigueurs du climat. Je lui expliquai que Valdivia n'avait pas l'intention d'agir de la sorte, mais elle me rappela que les *viracochas* traitaient les indigènes plus mal que les bêtes. Pouvais-je en répondre au nom de Valdivia et des autres soldats ? demanda-t-elle. Non, je ne le pouvais pas, mais je promis de rester vigilante et, au passage, la félicitai de ses sentiments compatissants, vu que les Incas de la noblesse montraient rarement de la considération à l'égard de leur peuple. Elle me regarda, surprise.

« La mort et les supplices sont normaux, pas les chaînes. Elles sont humiliantes », me précisa-t-elle dans le bon castillan que lui avait appris son amant.

Cecilia attirait l'attention par sa beauté, son linge de la plus fine étoffe péruvienne et son incomparable port de reine, mais elle fit en sorte de passer quasiment inaperçue au cours des cinquante premières lieues du voyage, jusqu'à ce que je trouve le moment opportun de parler à Pedro, qui au début réagit avec colère, comme il fallait s'y attendre lorsque l'un de ses ordres était ignoré.

« Si j'étais dans la situation de Cecilia, j'aurais dû rester au Cuzco, soupirai-je.

— Le serais-tu? demanda-t-il plein d'espoir, car il avait toujours voulu un fils.

— Non, malheureusement, mais Cecilia l'est, et ce n'est pas la seule. Chaque nuit tes soldats engrossent les Indiennes auxiliaires, et une bonne douzaine déjà ont le ventre plein. »

Cecilia résista à la traversée du désert, en partie montée sur sa mule, en partie portée sur un hamac par ses serviteurs, et son fils fut le premier enfant né au Chili. Juan Gómez nous remercia par une loyauté indéfectible, qui allait nous être utile au cours des mois et des années à venir.

Alors que tout était prêt pour nous mettre en route avec la poignée de soldats qui avaient accepté de nous accompagner, survint un inconvénient inattendu. Un courtisan, ancien secrétaire de Pizarro, arriva d'Espagne avec une autorisation du roi pour conquérir les territoires au sud du Pérou, depuis Atacama jusqu'au détroit de Magellan. Soigné dans ses manières et amical en paroles, ce Sancho de la Hoz était faux et avait le cœur vil. Coquettement paré, il portait des jabots de dentelle et s'arrosait de parfum; les hommes se moquaient de lui dans son dos, mais bientôt ils commencèrent à l'imiter. Il finit par être plus dangereux pour l'expédition que les rigueurs du désert et la haine des Indiens; il ne mérite pas que son nom figure dans cette chronique, mais je ne peux éviter de le citer, vu qu'il réapparaît plus loin et que, s'il avait atteint son but, Pedro de Valdivia et moi n'aurions pas accompli nos destins. Du fait de son arrivée, il y avait deux hommes pour la même entreprise, et pendant quelques semaines il sembla que celle-ci fût irrémédiablement compromise, mais au terme de nombreuses discussions et d'une longue attente le marquis gouverneur Francisco Pizarro décida que tous deux feraient la conquête du Chili en qualité d'associés : Valdivia irait par voie de terre, De la Hoz par la mer, et ils se retrouveraient à Atacama. « Tu dois bien te garder de ce Sancho, *mamitay* », m'avertit Catalina lorsqu'elle apprit ce qu'il se passait. Ne l'ayant jamais vu, elle l'avait percé à jour avec ses coquillages de divination.

Nous partîmes enfin par une chaude matinée de janvier 1540. Francisco Pizarro était venu de la Cité des Rois, avec plusieurs de ses officiers, pour faire ses adieux à Valdivia, amenant quelques chevaux en cadeau, sa seule contribution à l'expédition. L'écho des cloches des églises, qui sonnèrent dès l'aube, affola les oiseaux dans le ciel et les animaux sur la terre. L'évêque donna une messe chantée, à laquelle nous assistâmes tous, et il nous expédia un sermon sur la foi et le devoir de porter la Croix aux confins de la Terre ; puis il sortit sur la place pour donner sa bénédiction aux deux mille *yanaconas* qui attendaient près des bagages et des animaux. Chaque groupe d'Indiens recevait des ordres d'un cacique, ou chef, qui à son tour obéissait aux contremaîtres noirs, et ces derniers aux *viracochas* barbus. Je ne crois pas que les Indiens aient apprécié la bénédiction épiscopale, mais peut-être eurent-ils le sentiment que le soleil radieux qui brillait ce jour-là était de bon augure. C'étaient pour la plupart des hommes jeunes, accompagnés de quelques épouses dévouées prêtes à les suivre, sachant pourtant qu'elles ne reverraient pas leurs enfants, qui restaient au Cuzco. Bien sûr, il y avait aussi les maîtresses des soldats, dont le nombre augmenta au cours du voyage avec les jeunes filles captives des villages ravagés.

Don Benito me commenta la différence qu'il voyait entre cette seconde expédition et la première. Almagro était parti à la tête de cinq cents soldats dans des armures étincelantes, avec des drapeaux et des pennons flamboyants, chantant à tue-tête, et plusieurs moines portant de grandes croix, des milliers et des milliers d'Indiens chargés de fournitures, et des troupeaux de chevaux et autres animaux, tous avançant au son de trompettes et de cymbales. En comparaison, nous formions un groupe plutôt pathétique, comptant seulement onze soldats, outre Pedro de Valdivia et moi, qui étais également prête à brandir une épée s'il le fallait.

« Que nous ne soyons pas nombreux importe peu, madame, car nous compensons par le courage et un bon état d'esprit. Avec l'aide de Dieu, d'autres vaillants viendront nous rejoindre en chemin », m'assura don Benito.

Pedro de Valdivia chevauchait en tête, suivi de Juan Gómez, nommé alguazil, de don Benito et d'autres soldats. Il était splendide dans son armure, avec le heaume empanaché et les armes reluisantes, monté sur Sultan, son précieux coursier arabe. Plus en arrière venaient Catalina et moi, également à cheval. J'avais calé Notre-Dame du Secours dans l'arçon de ma monture, et Catalina portait dans ses bras le chiot Baltasar, afin qu'il s'habitue à l'odeur des Indiens. Nous voulions l'entraîner comme gardien, non comme assassin. Cecilia était accompagnée d'une suite d'Indiennes à son service, dissimulées parmi les maîtresses des soldats. Venait ensuite la file interminable des animaux et des porteurs ; beaucoup pleuraient parce qu'ils partaient contraints et s'éloignaient de leur famille. Les contremaîtres noirs avançaient sur le côté du long serpent d'Indiens. Ils étaient plus redoutés que les *viracochas*, à cause de leur cruauté, mais Valdivia avait donné des instructions selon lesquelles lui seul pouvait autoriser les châtiments importants et la torture ; les contremaîtres devaient se limiter au fouet et l'employer avec mesure. Cet ordre se dilua en chemin, je serais bientôt la seule à le rappeler. Au son des cloches, qui continuaient à sonner dans les églises, s'ajoutaient les cris d'adieu, le piaffement des chevaux, le tintement des harnais, la longue plainte des *yanaconas* et le bruit sourd de leurs pieds nus frappant la terre.

Cuzco resta derrière nous, couronné par la forteresse sacrée de Sacsayhuamán, sous un ciel bleuté. En sortant de la ville, à la vue du marquis gouverneur, de sa suite, de l'évêque et de la population de la ville qui nous disait adieu, Pedro m'appela à ses côtés d'une voix claire et pleine de défi.

142

« Ici, avec moi, doña Inés Suárez ! » s'exclama-t-il, et lors-que je dépassai les soldats et les officiers pour placer mon cheval à côté du sien, il ajouta à voix basse : « Nous partons pour le Chili, Inés de mon âme... »

CHAPITRE TROIS

Voyage au Chili, 1540-1541

NOTRE intrépide caravane se mit en chemin pour le Chili en suivant la route du désert, que Diego d'Almagro avait empruntée pour revenir, d'après le fragile papier sur lequel était dessinée la carte que celui-ci avait donnée à Pedro de Valdivia. Alors que, telle une lente chenille, notre petite troupe de soldats et de mille Indiens auxiliaires montait et descendait les montagnes, traversait vallées et rivières en direction du sud, la nouvelle de notre arrivée nous avait précédés et les tribus chiliennes nous attendaient de pied ferme. Les Incas utilisaient de rapides messagers, les *chasquis*, qui couraient par des passages secrets de la montagne, faisant office de relais de postes et couvrant l'Empire de l'extrême nord jusqu'au fleuve Bío-Bío, au Chili. Ainsi les Indiens chiliens apprirent-ils notre expédition dès que nous sortîmes du Cuzco, et lorsque nous arrivâmes sur leur territoire, quelques mois plus tard, ils étaient prêts à nous faire la guerre. Ils savaient que les *viracochas* contrôlaient le Pérou depuis déjà un bon bout de temps, que l'Inca Atahualpa avait été exécuté et qu'à sa place régnait son frère, l'Inca Paullo, véritable marionnette. Ce prince avait livré son peuple pour servir les étrangers et il passait sa vie dans la cage dorée de son palais, perdu dans les plaisirs de la luxure et de la cruauté. Ils savaient également qu'au Pérou se tramait dans l'ombre une vaste insurrection indigène dirigée par un autre membre de la famille royale, le fugitif Inca Manco, qui avait juré de chasser les étrangers. Ils avaient entendu dire que les *viracochas* étaient féroces, expéditifs, tenaces, insatiables et, le plus inouï, qu'ils ne respectaient pas la parole donnée. Comment pouvaient-ils vivre avec cette honte ? C'était un mystère. Les Indiens chiliens nous donnèrent le nom de *huincas,* qui dans leur langue, le *mapudungu,* signifie « menteurs, voleurs de terre ». J'ai dû apprendre cette langue parce qu'elle est parlée dans tout le Chili, du nord au sud. Les Mapuche compensent l'absence d'écriture par une mémoire infaillible ; l'histoire de la Création, leurs lois, leurs traditions et le passé de leurs héros sont enregistrés dans leurs récits en mapudungu, qui se transmettent intacts, de génération en génération, depuis le commencement des temps. J'en ai traduit quelques-uns au jeune Alonso de Ercilla y Zúñiga, dont j'ai déjà parlé, afin qu'il s'en inspire alors qu'il composait *La Araucana.* Il semble que ce poème ait été publié et qu'il circule à la cour de Madrid, mais quant à moi je n'ai en ma possession que les vers griffonnés que m'a laissés Alonso après que je l'eus aidé à les copier au propre. Si je me souviens bien, il décrit ainsi le Chili et les Mapuche, ou Araucans, dans ses huitains.

> *Chili, insigne et fertile province*
> *de la célèbre région antarctique*
> *respectée par de lointaines nations*
> *pour sa force, sa noblesse, sa puissance ;*
> *le peuple qui l'habite est si glorieux,*
> *si fier, si hardi, si belliqueux,*
> *que jamais il n'a été gouverné par un roi*
> *ni soumis à la domination de l'étranger.*

Alonso exagère, bien sûr, mais les poètes en ont le droit, autrement les vers manqueraient de la vigueur nécessaire. Le Chili n'est pas aussi noble et puissant, ni son peuple si glorieux et hardi qu'il le dit, mais je suis d'accord en ce que les Mapuche sont fiers et belliqueux, qu'ils n'ont jamais été gouvernés par un roi ni soumis à la domination étrangère. Ils méprisent la douleur ; ils peuvent subir de terribles supplices sans une plainte, non parce qu'ils sont moins sensibles que nous à la souffrance, mais parce qu'ils sont courageux. Il n'existe pas de meilleurs guerriers, ils considèrent comme un honneur de perdre la vie au combat. Jamais ils ne pourront nous vaincre, mais nous ne parviendrons pas non plus à les soumettre, même si tous meurent dans l'entreprise. Je crois que la guerre contre les Indiens durera des siècles, car elle fournit aux Espagnols des esclaves. Esclave est le mot juste. Non seulement les prisonniers terminent dans l'esclavage, mais les Indiens libres aussi, que les Espagnols chassent au lasso et vendent à deux cents pesos la femme enceinte, cent pesos l'homme adulte et l'enfant sain. Le commerce illégal de ces gens ne se limite pas au Chili, il a cours aussi dans la Cité des Rois ; tous, des propriétaires et contremaîtres des mines aux capitaines des bateaux, sont impliqués. Nous extermine-rons ainsi les autochtones de cette terre, comme le craignait Valdivia, parce qu'ils préfèrent mourir libres que vivre en esclaves. Si n'importe lequel d'entre nous, Espagnols, avait à choisir, il n'hésiterait pas non plus. Valdivia était indigné par la stupidité de ceux qui se rendaient coupables de ces abus et dépeuplaient ainsi le Nouveau Monde. Sans indigènes, disait-il, cette terre ne vaut rien. Il est mort sans voir la fin du mas-sacre, qui dure depuis quarante ans. Les Espagnols continuent à arriver et des métis naissent, mais les Mapuche disparaissent peu à peu, exterminés par la guerre, l'esclavage et les maladies des Espagnols, auxquelles ils ne résistent pas. Je redoute les Mapuche pour les vicissitudes par lesquelles ils nous ont fait passer ; cela me contrarie qu'ils aient rejeté la parole du Christ et résisté à nos tentatives de les civiliser ; je ne leur pardonne-rai pas la férocité avec laquelle ils ont donné la mort à Pedro de Valdivia, bien qu'ils n'aient fait que lui rendre la monnaie de sa pièce, parce que celui-ci avait commis bien des cruautés et abus à leur encontre. Qui tue par le fer meurt par le fer,

149

dit-on en Espagne. Je les respecte et les admire aussi, je ne peux le nier. Espagnols et Mapuche, nous sommes de dignes ennemis : de part et d'autre courageux, brutaux et déterminés à vivre au Chili. Eux sont arrivés ici avant nous et cela leur donne un plus grand droit, mais jamais ils ne pourront nous chasser et, selon toute apparence, nous ne pourrons pas non plus cohabiter en paix.

D'où sont venus ces Mapuche ? On dit qu'ils ressemblent à certains peuples d'Asie. S'ils viennent de là-bas, je ne m'explique pas comment ils ont pu traverser des mers si tumultueuses et des terres si étendues pour arriver jusqu'ici. Ce sont des sauvages, ils ignorent l'art et l'écriture, ne construisent pas de villes ni de temples, n'ont pas de castes, de classes ni de prêtres, seulement des capitaines pour la guerre, leurs *toquis*. Ils vont d'un côté et d'autre, libres et nus, avec leurs nombreuses épouses et leurs enfants, qui combattent auprès d'eux dans les batailles. Ils ne font pas de sacrifices humains, comme d'autres Indiens d'Amérique, et n'adorent pas d'idoles. Ils croient en un seul dieu, mais ce n'est pas notre Dieu, c'est un autre qu'ils nomment Ngenechén.

*

Tandis que nous campions à Tarapacá, où Pedro de Valdivia projetait d'attendre l'arrivée de renforts, et que nous nous remettions de nos fatigues, les Indiens chiliens s'organisaient pour nous rendre la traversée aussi difficile que possible. Ils nous affrontaient rarement de face, mais nous volaient ou attaquaient nos arrières. Ainsi m'ont-ils toujours tenue occupée avec les blessés, surtout *yanaconas*, qui se battaient sans chevaux ni armures. Chair de choc, les appelait-on. Les chroniqueurs oublient toujours de parler d'eux, mais sans ces masses silencieuses d'Indiens amis, qui suivaient les Espagnols dans leurs entreprises et leurs guerres, la conquête du Nouveau Monde aurait été impossible.

150

Entre le Cuzco et Tarapacá, plus de vingt soldats espagnols nous avaient rejoints, et Pedro était certain qu'il en viendrait d'autres lorsque le bruit courrait que l'expédition s'était mise en chemin, mais nous en avions perdu cinq, nombre très élevé si l'on considère que nous étions si peu. L'un d'eux fut grièvement blessé par une flèche empoisonnée et, comme je ne pus le soigner, Pedro le renvoya au Cuzco, accompagné de son frère, de deux soldats et de plusieurs *yanaconas*. Quelques jours plus tard, notre mestre de camp se réveilla joyeux parce qu'il avait rêvé de sa femme, qui l'attendait en Espagne, et qu'enfin avait cédé une douleur aiguë qui lui transperçait la poitrine depuis plus d'une semaine. Je lui servis un grand bol de farine grillée avec de l'eau et du miel, qu'il mangea lentement, comme s'il s'agissait d'un mets exquis. « Vous êtes plus belle que jamais aujourd'hui, doña Inés », me dit-il avec son habituelle galanterie, et aussitôt ses yeux devinrent vitreux et il tomba mort à mes pieds. Nous lui donnâmes une sépulture chrétienne, après laquelle je conseillai à Pedro de nommer don Benito à sa place, parce que cet homme connaissait la route et qu'il avait de l'expérience dans l'organisation des campements et le maintien de la discipline.

Nous avions quelques soldats en moins, mais peu à peu il en arrivait d'autres, ombres en haillons qui erraient dans les champs et les montagnes, des hommes d'Almagro, vaincus, sans amis dans l'empire de Pizarro. Ils vivaient de la charité depuis des années et n'avaient pas grand-chose à perdre dans l'aventure du Chili.

Nous campâmes plusieurs semaines à Tarapacá, afin de donner aux Indiens comme aux bêtes le temps de reprendre du poids avant d'entreprendre la traversée du désert qui, d'après don Benito, serait la plus mauvaise partie du voyage. Il expliqua que la première partie était très pénible, mais bien pire la seconde, qu'on appelait le Lieu inhabité. Pendant ce temps, Pedro de Valdivia parcourait des lieues à cheval, scrutant l'horizon dans l'attente de nouveaux volontaires.

Sancho de la Hoz aussi devait nous rejoindre, transportant par mer les soldats et l'approvisionnement promis, mais cet associé de haut rang ne donnait aucun signe de vie.

Tandis que je faisais tisser plus de couvertures et préparais de la viande séchée, des céréales et d'autres aliments durables, don Benito mettait les Noirs au travail sur les forges, du lever au coucher du soleil, pour nous ravitailler en munitions, en fers à cheval et en lances. Il organisa également des bandes de soldats chargés de trouver les aliments que les Indiens enterraient avant d'abandonner leurs camps. Il avait installé notre campement à l'endroit le mieux adapté et le plus sûr, avec de l'eau et de l'ombre, entouré de collines pour y placer les guetteurs. La seule tente décente était celle que Pizarro m'avait offerte, spacieuse, divisée en deux pièces, confectionnée avec de la toile cirée et portée par une solide armature de bois, aussi confortable qu'un vrai logis. Les soldats se débrouillaient comme ils pouvaient, avec des toiles rapiécées qui les protégeaient à peine des intempéries. Certains, ne possédant même pas cela, dormaient couchés contre leurs chevaux. Le campement des Indiens auxiliaires, à l'écart, était surveillé en permanence, pour éviter qu'ils s'enfuient. La nuit brillaient des centaines de petits feux, sur lesquels ils faisaient cuire leurs aliments, et la brise nous apportait le son lugubre de leurs instruments de musique, qui ont le pouvoir de rendre tristes les hommes et les animaux.

Nous étions installés près de deux villages abandonnés, où nous n'avons pas trouvé de nourriture malgré nos recherches, mais découvert que les Indiens ont l'habitude de cohabiter de façon amiable avec leurs parents morts, les vivants se tenant dans une partie de la hutte et les morts dans l'autre. Dans chaque demeure il y avait une pièce avec des momies très bien conservées, obscures, qui exhalaient une odeur de mousse ; auprès de chacun, grands-parents, femmes, enfants, se trouvaient ses objets personnels, mais pas de bijoux. Au Pérou, en revanche, on avait découvert des tombes remplies d'objets précieux, y compris des statues en or massif. « Même les morts sont misérables au Chili, on ne voit nulle part une pincée d'or », maudissaient les soldats. Pour se dédommager, ils attachèrent les momies avec des cordes et les traînèrent au galop, jusqu'à ce que les paquets se défassent et qu'il ne reste qu'un éparpillement d'os. Ils célébrèrent leur exploit avec de longs éclats de rire, tandis que l'épouvante se répandait dans le campement des *yanaconas*. Après que le soleil se fût couché, parmi eux commença à circuler la rumeur que les os profanés se rassemblaient et qu'avant le lever du jour les squelettes s'abattraient sur nous comme une armée d'outre-tombe. Les Noirs, terrifiés, répétèrent l'histoire, qui arriva aux oreilles des Espagnols. Alors ces vandales invincibles, qui ne connaissent pas la peur, même par son nom, se mirent à geindre comme des nourrissons. Vers minuit, les claquements de dents étaient tels parmi les nôtres que Pedro de Valdivia dut les haranguer pour leur rappeler qu'ils étaient des soldats d'Espagne, les plus vigoureux et les mieux entraînés au monde, et pas un tas de lavandières ignorantes. Je ne dormis pas pendant plusieurs nuits, les passant à prier, parce que les squelettes rôdaient, et si quelqu'un dit le contraire, c'est qu'il n'était pas là.

Les soldats, très mécontents, se demandaient ce que diable nous faisions cantonnés des semaines dans cet endroit maudit, pourquoi nous ne continuions pas vers le Chili, comme prévu, ou ne retournions pas au Cuzco, ce qui serait le plus sage. Alors que Valdivia avait déjà perdu tout espoir de voir arriver des renforts, apparut soudain un détachement de quatre-vingts hommes, parmi eux quelques grands capitaines, que je ne connaissais pas mais dont Pedro m'avait parlé parce qu'ils étaient célèbres, comme Francisco de Villagra et Alonso de Monroy. Le premier, blond, rougeaud, robuste, avait un rictus méprisant sur les lèvres et des manières abruptes. Je l'ai toujours trouvé désagréable : avare et ennemi des pauvres, il traitait mal les Indiens, mais j'ai appris à le respecter pour son courage et sa loyauté. Monroy, né à Salamanque et descendant d'une famille noble, était tout le contraire : fin, élégant, généreux, et nous sommes tout de suite devenus amis. Avec eux venait Jerónimo de Alderete, l'ancien compagnon d'armes de Valdivia, qui quelques années plus tôt l'avait incité à venir au Nouveau Monde. Villagra les avait convaincus de rejoindre Valdivia : « Mieux vaut servir Sa Majesté que rester sur des terres où le démon est en liberté », leur dit-il en faisant référence à Pizarro, qu'il méprisait. Avec eux arriva également un chapelain andalou, un homme d'une cinquantaine d'années, González de Marmolejo, qui allait devenir mon mentor, comme je l'ai déjà dit. Ce religieux montra beaucoup de bonté au cours de sa longue vie, mais je crois qu'il aurait dû être soldat plutôt que moine, parce qu'il aimait trop l'aventure, la richesse et les femmes.

Ces hommes avaient passé des mois dans la terrible forêt des Chunchos, à l'Orient du Pérou. L'expédition était partie avec trois cents Espagnols, mais les deux tiers avaient péri, et les survivants ressemblaient à des ombres faméliques, défaites par les maladies tropicales. Sur les deux mille Indiens, pas un seul ne restait en vie. Parmi ceux qui laissèrent là-bas leurs os se trouvait l'infortuné sous-lieutenant Núñez que Valdivia avait condamné à aller pourrir dans les Chunchos comme il avait dit qu'il le ferait lorsque celui-ci avait essayé de m'enlever au Cuzco. Personne ne put me donner d'information précise sur sa fin, il disparut simplement dans la forêt dense, sans laisser de trace. J'espère qu'il est mort en chrétien et non dans l'estomac de cannibales. Les pénuries qu'avaient endurées Pedro de Valdivia et Jerónimo de Alderete quelques années plus tôt dans la jungle vénézuélienne étaient des enfantillages comparées à celles que connurent ces hommes dans les Chunchos, sous des pluies chaudes torrentielles et des nuages de moustiques, embourbés, malades, affamés et poursuivis par des sauvages qui se dévoraient même entre eux lorsqu'ils ne parvenaient pas à tuer un Castillan.

Avant de poursuivre, je dois présenter de manière spéciale

celui qui dirigeait ce détachement. C'était un homme haut de taille, très beau, au front large, au nez aquilin et aux yeux marron, grands et liquides comme ceux d'un cheval. Il avait les paupières lourdes et le regard lointain, un peu endormi, qui adoucissait son visage. Cela, je pus le remarquer le deuxième jour, après qu'il se fut débarrassé de la crasse qui le couvrait, rasé le visage et coupé les cheveux, qui lui donnaient un air de naufragé. Bien qu'il fût plus jeune que les autres célèbres militaires, ces derniers l'avaient désigné capitaine des capitaines, pour son courage et son intelligence. Son nom était Rodrigo de Quiroga. Neuf ans plus tard, il deviendrait mon mari.

*

Je me chargeai de rendre force et santé aux soldats des Chunchos, aidée par Catalina et plusieurs Indiennes à mon service que j'avais formées au métier des soins. Comme le dit don Benito, ces pauvres âmes tout juste sorties de l'enfer humide et inextricable de la forêt allaient bientôt devoir s'enfoncer dans l'enfer sec et pelé du désert. Les laver, nettoyer leurs abcès, ôter leurs poux, les raser, couper tignasses et ongles, ce seul travail prit plusieurs jours. Certains étaient si faibles que les Indiennes devaient les nourrir à la petite cuiller de bouillies pour enfant. Catalina me souffla à l'oreille le remède des Incas pour les cas extrêmes et, sans leur dire ce que c'était, pour ne pas les écœurer, nous le fîmes avaler aux plus mal en point. La nuit, secrètement, Catalina saignait les lamas d'une incision au cou. Nous donnions le sang frais à boire aux malades, mélangé à du lait et à un peu d'urine ; ainsi furent-ils remis sur pied et, au bout de deux semaines, étaient-ils en état de se mettre en chemin.

Les *yanaconas* se préparèrent à la souffrance qui les attendait ; ils ne connaissaient pas le terrain, mais ils avaient entendu parler du terrible désert. Chacun portait à son cou une

155

outre d'eau, confectionnée avec la peau d'une patte de lama, de guanaco ou d'alpaga; après avoir entièrement dépouillé l'animal, ils retournaient la peau comme une chaussette, en laissant les poils à l'intérieur. D'autres utilisaient des vessies ou de la peau de phoque. Ils ajoutaient à l'eau quelques grains de maïs grillé pour en masquer l'odeur. Don Benito organisa le transport de l'eau à une plus grande échelle, utilisant les barils qu'il put fabriquer ainsi que des outres en peau, comme les Indiens. Nous supposions bien que ça ne suffirait pas pour tant de monde, mais on ne pouvait charger davantage hommes et lamas. En plus, non contents de cacher la nourriture, les Indiens chiliens de la région avaient empoisonné les puits, comme nous l'apprit sous la torture un messager de l'Inca Manco. Don Benito le découvrit caché parmi nos Indiens auxiliaires et demanda à Valdivia la permission de l'interroger. Les Noirs le brûlèrent à petit feu. Je n'ai pas assez d'estomac pour assister aux supplices et je me retirai aussi loin que possible, mais les horribles cris du malheureux, qui faisaient chorus avec les hurlements de terreur des *yanaconas*, s'entendaient à une lieue à la ronde. Pour se libérer de la torture, le messager admit qu'il venait du Pérou avec des instructions intimant aux indigènes du Chili d'empêcher la progression des *viracochas*. C'est pourquoi les Indiens se cachaient dans les montagnes, avec les animaux qu'ils pouvaient emmener, après avoir enterré la nourriture et brûlé leurs récoltes. Il ajouta qu'il n'était pas le seul messager, des centaines de *chasquis* trottaient vers le sud, par des sentiers secrets, avec les mêmes instructions de l'Inca Manco. Après qu'il eut avoué, ils terminèrent de le rôtir sur le bûcher, pour l'exemple. Je reprochai à Valdivia de permettre une telle cruauté, mais il me fit taire, indigné. « Don Benito sait ce qu'il fait. Je t'ai avertie avant de partir que cette entreprise n'était pas pour les cœurs sensibles. Il est trop tard pour reculer maintenant », répliqua-t-il.

Que ce chemin du désert est long et ardu! Que le passage

est lent et pénible! Que la solitude est chaude! Les journées s'écoulaient, longues, toutes semblables, dans une sécheresse infinie, un paysage inculte de terre âpre et de pierre dure, sentant la poussière brûlée et la cendre d'épineux, peint de couleurs ardentes par la main de Dieu. D'après don Benito, ces couleurs étaient des minéraux cachés, et de ce fait une moquerie diabolique, car aucun n'était de l'or ou de l'argent. Pedro et moi avancions à pied pendant des heures et des heures, menant nos chevaux par la bride pour ne pas les fatiguer. Nous parlions peu, car nous avions la gorge irritée et les lèvres sèches, mais nous étions ensemble et chaque pas nous rapprochait davantage, nous conduisait à l'intérieur du pays, au rêve que nous avions fait ensemble et qui nous coûtait tant de sacrifices : le Chili. Je me protégeais avec un chapeau à large bord, un chiffon sur le visage, pourvu de deux trous pour les yeux, et d'autres chiffons noués sur les mains, car je n'avais pas de gants et le soleil les écorchait. Les soldats ne supportaient pas les armures brûlantes et les traînaient derrière eux. La longue file d'Indiens avançait lentement, en silence, peu surveillée par les Noirs qui marchaient tête basse, si découragés qu'ils en oubliaient de lever les fouets. Pour les porteurs, le chemin était mille fois plus pénible que pour nous ; ils avaient l'habitude de traverser les pires difficultés et de manger peu, de monter et descendre en trottant dans les montagnes, poussés par l'énergie mystérieuse des feuilles de coca, mais ils ne supportaient pas la soif. Notre désespoir augmentait à mesure que passaient les jours sans rencontrer un puits sain, les seuls que nous rencontrions avaient été contaminés avec des cadavres d'animaux par les invisibles Indiens chiliens. Quelques *yanaconas* burent l'eau putréfiée et moururent en se tordant de douleur, les boyaux en feu.

Alors que nous croyions avoir atteint la limite de nos forces, la couleur des montagnes et du sol changea. L'air s'arrêta, le ciel devint blanc et toute forme de vie disparut, depuis les broussailles jusqu'aux oiseaux solitaires que l'on voyait jusque-là : nous étions entrés dans le redoutable Lieu inhabité. Dès qu'apparaissait la première lueur de l'aube nous nous mettions en marche, car plus tard le soleil ne permettait pas d'avancer. Pedro avait décidé que plus le voyage serait rapide, moins nous perdrions de vies, bien que chaque pas demandât un effort démesuré. Nous nous reposions aux heures les plus chaudes, couchés sur cette mer de sable calciné, un soleil de plomb coulant sur nous, dans une atmosphère de mort. Nous nous remettions en marche vers cinq heures de l'après-midi, jusqu'à ce que la nuit tombe et qu'on ne puisse continuer dans l'épaisse obscurité. C'était un paysage âpre, d'une immense cruauté. Nous n'avions pas assez d'énergie pour monter les tentes et organiser les campements pour quelques heures seulement. Il n'y avait pas à craindre d'être attaqués par des ennemis, personne ne vivait ni ne s'aventurait dans ces solitudes. La nuit, la température tombait brutalement, et de la chaleur insupportable du jour nous passions à un froid glacial. Chacun se couchait là où il pouvait, grelottant, sans tenir compte des instructions de don Benito, le seul qui insistait sur la discipline. Pedro et moi, enlacés entre nos chevaux, essayions de nous tenir chaud. Nous étions si fatigués que nous oubliâmes de faire l'amour au cours des semaines que dura cette partie du voyage. L'abstinence nous donna l'occasion de connaître à fond nos faiblesses et de cultiver une tendresse qui jusque-là était étouffée par la passion. Le plus admirable chez cet homme, c'est qu'il n'a jamais douté de sa mission : peupler le Chili de Castillans et évangéliser les Indiens. Il n'a jamais pensé que nous mourrions rôtis dans le désert, comme disaient les autres ; sa volonté n'a pas tremblé.

Malgré le sévère rationnement imposé par don Benito, un jour arriva où il n'y eut plus d'eau. A ce moment nous étions malades de soif, nous avions la gorge écorchée par le sable, la langue enflée, les lèvres gercées. Il nous semblait tout à coup entendre le bruit d'une cascade et voir une lagune cristalline entourée de fougères. Les capitaines devaient retenir les hommes de force afin qu'ils ne périssent pas en se traînant dans le sable derrière un mirage. Certains soldats buvaient leur propre urine et celle des chevaux, qui était fort peu abondante et très foncée; d'autres, rendus fous, se jetaient sur les *yanaconas* pour leur arracher les dernières gouttes d'eau qui restaient dans leurs outres. Si Valdivia n'avait pas mis de l'ordre avec des punitions exemplaires, je crois qu'ils les auraient tués pour boire leur sang. Cette nuit-là, Juan de Málaga vint à nouveau me rendre visite, éclairé par le clair de lune. Je le montrai à Pedro, mais il ne put le voir et me crut victime d'hallucinations. Mon mari allait très mal, ses haillons étaient couverts de croûtes de sang séché et de poussière sidérale, il avait une expression désespérée, comme si ses pauvres os souffraient aussi de la soif.

Le lendemain, alors que nous nous croyions irrémédiablement perdus, un étrange reptile glissa vivement entre mes pieds. Depuis des jours nous n'avions vu d'autre forme de vie que la nôtre, pas même les broussailles qui abondaient dans d'autres parties du désert. Peut-être s'agissait-il d'une salamandre, ce lézard qui vit dans le feu. J'en conclus qu'aussi diabolique que fût la bestiole, elle devait avoir besoin d'un peu d'eau de temps à autre. « C'est notre tour maintenant, Petite Vierge », avertis-je alors Notre-Dame du Secours. Je sortis le rameau que je transportais dans mes bagages et me mis à prier. Nous étions à l'heure méridienne où la foule d'hommes et d'animaux assoiffés se reposait. J'appelai Catalina pour qu'elle m'accompagne et, toutes les deux, nous avons commencé à avancer lentement, protégées par une ombrelle, marmonnant moi un Ave Maria, elle ses invocations en quechua. Nous avons marché un bon moment, peut-être une heure, en cercles de plus en plus grands, couvrant de plus en plus de terrain. Don Benito crut que la soif m'avait fait perdre la tête et, épuisé comme il l'était, il demanda à un plus jeune et plus fort, Rodrigo de Quiroga, d'aller me chercher.

« Pour l'amour de Dieu, madame ! me supplia l'officier avec le peu de voix qui lui restait. Venez vous reposer. Nous vous ferons de l'ombre avec une toile...

— Capitaine, allez dire à don Benito de m'envoyer des gens avec des pioches et des pelles, l'interrompis-je.

— Des pioches et des pelles ? répéta-t-il, abasourdi.

— Et dites-lui, je vous prie, de m'apporter aussi des jarres, avec plusieurs soldats armés. »

Rodrigo de Quiroga partit avertir don Benito que j'allais bien plus mal qu'on ne le supposait, mais Pedro de Valdivia l'entendit et, plein d'espoir, ordonna au mestre de camp de m'envoyer ce que je demandais. Peu après, six *yanaconas* étaient en train de creuser un trou. Les Indiens résistent moins bien que nous à la soif, et ils étaient tellement déshydratés que c'est à peine s'ils pouvaient manier les pioches et les pelles, mais le terrain était mou et ils parvinrent à creuser un trou d'une aune et demie de profondeur. Au fond, le sable était brun. Soudain, l'un des Indiens poussa un cri rauque et nous vîmes que de l'eau commençait à sourdre, d'abord une légère humidité, comme la sueur de la terre, mais au bout de deux ou trois minutes il y avait déjà une petite mare. Pedro, qui m'avait rejointe et était resté à côté de moi, donna l'ordre aux soldats de défendre le trou au péril de leur vie, parce qu'il craignait, avec raison, le féroce assaut de mille hommes désespérés pour quelques gouttes de liquide. Je lui affirmai qu'il y en aurait pour tous, à condition que nous buvions de façon ordonnée. Il en fut ainsi. Don Benito passa le reste de la journée à distribuer une tasse d'eau par personne, puis, avec plusieurs soldats, Rodrigo de Quiroga passa la nuit à donner à boire aux animaux et à remplir les barils et les outres des Indiens. L'eau surgissait avec force ; elle était trouble et avait un goût métallique, mais elle nous parut aussi fraîche que celle des fontaines de Séville. Les gens attribuèrent cela à un miracle et baptisèrent le puits Source de la Vierge, en l'honneur de Notre-Dame du Secours. Nous installâmes le cam-

160

pement et restâmes trois jours à cet endroit, abreuvant notre soif, et lorsque nous reprîmes la marche un ruisselet coulait encore à la surface calcinée du désert.

« Ce n'est pas la Vierge qui a fait ce miracle, c'est toi, Inés, me dit Pedro, très impressionné. Grâce à toi nous traverserons sains et saufs cet enfer.

— Je ne peux trouver de l'eau que là où il y en a, Pedro, je ne peux la faire jaillir. Je ne sais s'il y aura une autre source plus loin, et, en tout cas, elle ne sera pas aussi abondante. »

Valdivia m'ordonna de partir à une demi-journée de marche en avant, afin d'explorer le terrain à la recherche d'eau, protégée par un détachement de soldats, avec quarante Indiens auxiliaires et vingt lamas pour le transport des jarres. Les autres suivraient en groupes séparés de plusieurs heures, afin qu'ils ne s'élancent pas en masse pour boire au cas où nous trouverions des puits. Don Benito désigna Rodrigo de Quiroga comme chef de l'escorte qui m'accompagnait, car en peu de temps le jeune capitaine avait gagné toute sa confiance. De plus, il était celui qui avait la meilleure vue ; ses grands yeux marron pouvaient voir y compris ce qui n'existait pas. S'il y avait eu du danger sur l'horizon hallucinant du désert, il l'aurait aperçu avant tout autre, mais il n'y en eut pas. Je découvris plusieurs points d'eau, aucun aussi abondant que le premier, mais suffisants pour survivre pendant la traversée du Lieu inhabité. Un jour, à nouveau la couleur du sol changea et deux oiseaux passèrent dans le ciel.

*

Lorsque s'acheva la traversée du désert, je calculai que près de cinq mois avaient passé depuis que nous avions quitté le Cuzco. Valdivia décida de camper et d'attendre, parce qu'il avait reçu des nouvelles lui disant que son ami de l'âme, Francisco de Aguirre, pourrait le rejoindre dans cette région. Des Indiens hostiles nous espionnaient à distance, sans s'approcher. Une fois de plus, je pus m'installer dans l'élégante tente que nous avait donnée Pizarro. Je couvris le sol de couvertures péruviennes et de coussins, sortis la vaisselle en céramique des coffres, pour ne pas continuer à manger dans des écuelles en bois, et fis construire un four en terre pour préparer de vrais repas, car depuis deux mois nous ne mangions que des céréales et de la viande séchée. Dans la grande pièce de la tente, que Valdivia utilisait comme quartier général, salle d'audience et de justice, j'installai son fauteuil et quelques tabourets en cuir, pour les visiteurs qui arrivaient à toute heure. Catalina passait la journée à parcourir le campement, telle une ombre discrète, glanant les nouvelles qu'elle venait ensuite me rapporter. Rien ne se passait chez les Espagnols ou les *yanaconas* sans que je le sache. Les capitaines venaient souvent dîner et ils avaient la désagréable surprise de voir Valdivia m'inviter à m'asseoir à table avec eux. Il est possible qu'aucun n'ait de sa vie pris un repas avec une femme, ce n'est pas l'habitude en Espagne, mais ici les coutumes sont plus souples. Nous nous éclairions avec des bougies et des lampes à huile et nous chauffions avec deux grands braseros péruviens, car les nuits étaient fraîches. González de Marmolejo, qui en plus d'être moine était bachelier, nous expliqua pourquoi les saisons étaient inversées, pourquoi lorsque c'est l'hiver en Espagne, c'est l'été au Chili, mais personne ne le comprit et nous continuâmes à penser qu'au Nouveau Monde les lois de la nature sont bouleversées. Dans l'autre pièce de la tente Pedro et moi avions notre lit, un écritoire, mon autel, nos malles, et le baquet pour le bain, qui n'avait pas été utilisé depuis longtemps. Pedro avait moins peur du bain et, de temps en temps, il acceptait de se mettre dans le baquet pour que je le savonne, mais il préférait toujours se laver à moitié avec un chiffon mouillé. Ce furent des journées très agréables, au cours desquelles nous redevînmes les amoureux que nous avions été au Cuzco. Avant de faire l'amour, il aimait me lire ses livres préférés à voix haute. Il ne savait pas, parce que je voulais lui en faire la surprise, que le prêtre González de Marmolejo m'apprenait à lire et à écrire.

Quelques jours plus tard, Pedro partit avec quelques-uns de ses hommes parcourir la région à la recherche de Francisco de Aguirre et voir s'il pouvait parlementer avec les Indiens. Il était le seul à croire possible de s'entendre avec eux. Je profitai de son absence pour prendre un bain et me laver les cheveux avec du *quillaja*, l'écorce d'un arbre du Chili qui tue les poux et rend la chevelure soyeuse, sans un cheveu blanc jusqu'au cimetière. Avec moi, cela n'a pas marché, car je l'ai toujours employé et j'ai la tête toute blanche ; bon, au moins ne suis-je pas à moitié chauve, comme tant d'autres personnes de mon âge. De tant marcher et monter à cheval, j'avais mal au dos, et l'une de mes Indiennes me fit une friction avec un baume de *peumo* préparé par Catalina. Je me mis au lit très soulagée, Baltasar couché à mes pieds. Le chien avait dix mois et il jouait encore beaucoup, mais il avait atteint une belle taille et l'on pouvait deviner son tempérament de gardien. Pour une fois, je ne fus pas tourmentée par l'insomnie et m'endormis rapidement.

Peu après minuit, je fus réveillée par les grognements sourds de Baltasar. Je m'assis dans le lit, tâtonnant d'une main dans l'obscurité à la recherche d'un châle pour me couvrir, et retenant le chien de l'autre. Alors j'entendis un bruit étouffé dans l'autre pièce et je ne doutai plus que quelqu'un s'y trouvait. J'ai d'abord pensé que Pedro était revenu, parce que les sentinelles à la porte n'auraient laissé entrer personne d'autre, mais l'attitude du chien me mit sur mes gardes. Je n'avais pas le temps d'allumer une lampe.

« Qui va là ? », criai-je, effrayée.

Il y eut un silence dense, et aussitôt, dans l'obscurité, quelqu'un appela Pedro de Valdivia.

« Il n'est pas là. Qui le cherche ? demandai-je alors d'une voix irritée.

— Excusez-moi, madame, je suis Sancho de la Hoz, loyal

163

serviteur du capitaine général. Il m'a fallu beaucoup de temps pour arriver jusqu'ici et je désire le saluer.

— Sancho de la Hoz? Comment osez-vous, chevalier, entrer dans ma tente au milieu de la nuit? », m'exclamai-je.

A ce moment, Baltasar aboya de rage, ce qui alerta les gardes. En quelques minutes accoururent don Benito, Quiroga, Juan Gómez et d'autres, avec des lumières et les sabres au clair, pour trouver dans ma chambre non seulement l'insolent De la Hoz, mais encore quatre autres hommes qui l'accompagnaient. La première réaction des miens fut de les arrêter sur-le-champ, mais je les convainquis qu'il s'agissait d'un malentendu. Je les priai de se retirer et ordonnai à Catalina d'improviser un repas pour les nouveaux venus, tandis que je m'habillais en hâte. De ma propre main je leur versai du vin et leur servis le dîner avec l'hospitalité qui se doit, très attentive à ce qu'ils voulurent me raconter des difficultés de leur voyage.

Entre deux verres, je sortis dire à don Benito d'envoyer immédiatement un messager chercher Pedro de Valdivia. La situation était très délicate, car De la Hoz avait plusieurs partisans parmi les mécontents et les paresseux de notre expédition. Certains soldats accusaient Valdivia d'avoir usurpé la conquête du Chili à l'envoyé de la Couronne, les lettres royales de Sancho de la Hoz ayant plus d'autorité que le permis accordé par Pizarro. Cependant, De la Hoz n'avait aucun appui économique; après avoir dilapidé en Espagne la fortune qui lui était revenue comme part de la rançon d'Atahualpa, il n'avait pu obtenir ni argent, ni navires, ni soldats pour l'entreprise, et sa parole valait si peu qu'il avait fait au Pérou de la prison pour dettes et escroqueries. Je le soupçonnais de vouloir se débarrasser de Valdivia, pour prendre la tête de l'expédition et continuer seul la conquête du Chili.

Je décidai de traiter les cinq importuns avec la plus grande considération, afin de les mettre en confiance et de leur faire

164

baisser la garde jusqu'au retour de Pedro. Dans l'immédiat, je les gavai de nourriture et mis assez de pavot dans la carafe de vin pour endormir un bœuf, car je ne voulais pas de scandale dans le campement; la dernière chose à faire était d'avoir les gens divisés en deux clans, comme cela pouvait arriver si De la Hoz faisait naître le doute sur la légitimité de Valdivia. Me voyant si aimable, les cinq scélérats durent se moquer dans mon dos, satisfaits d'avoir trompé par leur insolence une femme stupide. Mais moins d'une heure plus tard ils étaient tellement ivres et drogués qu'ils n'opposèrent pas la moindre résistance lorsque don Benito et les gardes arrivèrent pour les emmener. En les fouillant, ils découvrirent que chacun d'eux portait une dague à poignée d'argent sculptée, toutes semblables, et alors il ne fut plus possible de douter qu'il s'agissait d'une conspiration théâtrale pour assassiner Valdivia. Les dagues identiques ne pouvaient être que l'idée de ce lâche De la Hoz, qui répartissait ainsi la responsabilité du crime en cinq parties. Nos capitaines voulaient les exécuter sur-le-champ, mais je leur fis comprendre qu'une décision aussi grave ne pouvait être prise que par Pedro de Valdivia. Il fallut beaucoup d'astuce et de fermeté pour empêcher don Benito de pendre De la Hoz au premier arbre à sa portée.

*

Pedro revint trois jours plus tard, informé de la conspiration. Mais la nouvelle ne parvint pas à aigrir son humeur, car il avait trouvé son ami Francisco de Aguirre, qui l'attendait depuis plusieurs semaines, et amenait en plus avec lui quinze hommes à cheval, dix arquebusiers, de nombreux Indiens de service et suffisamment de nourriture pour plusieurs jours. Avec eux, si je me souviens bien, notre contingent comptait cent trente et quelques soldats; ce fut un plus grand miracle que celui de la Source de la Vierge.

Avant de discuter avec ses capitaines au sujet de Sancho de

la Hoz, Pedro s'enferma avec moi pour entendre ma version des faits. On a souvent raconté que j'avais ensorcelé Pedro avec des philtres de sorcière et des potions aphrodisiaques, que je l'étourdissais au lit avec des aberrations de Turque, que j'absorbais sa force, annihilais sa volonté et, pour couronner le tout, que je faisais ce que je voulais de lui. Rien de plus éloigné de la vérité. Pedro était têtu et il savait parfaitement ce qu'il voulait ; personne ne pouvait le faire changer d'idée avec ou sans arts de magie ou de courtisane, seuls le touchaient les arguments de la raison. Il n'était pas homme à demander ouvertement conseil, surtout à une femme, mais dans l'intimité, avec moi, il gardait le silence, allant et venant dans la pièce, jusqu'à ce que je trouve le moyen d'émettre mon opinion. Je faisais en sorte de la lui donner de façon vague, pour qu'à la fin il croie que la décision était sienne. Cette méthode s'est toujours révélée efficace. Un homme fait ce qu'il peut, une femme fait cc que l'homme ne peut pas. Il ne me semblait pas opportun d'exécuter Sancho de la Hoz, comme il le méritait sans doute, parce qu'il était protégé par les lettres royales, et avait une nombreuse parentèle ainsi que des relations à la cour de Madrid qui pouvaient accuser Valdivia de sédition. Mon devoir était d'éviter que mon amant finisse sur le chevalet de torture ou sur l'échafaud.

« Que fait-on d'un traître comme celui-ci ? marmotta Pedro, allant et venant comme un coq de combat.

— Tu as toujours dit qu'il vaut mieux avoir ses ennemis à proximité, là où l'on peut les surveiller... »

Au lieu de juger tout de suite les accusés, Pedro de Valdivia décida de se donner le temps de vérifier l'état d'esprit de ses soldats, de recueillir les preuves de la conspiration et de démasquer les complices cachés parmi les nôtres. De façon inattendue, il ordonna à don Benito de lever le camp et de continuer vers le sud, emmenant ses prisonniers enchaînés et morts de peur, sauf cet idiot de Sancho de la Hoz qui se croyait au-dessus de la justice et, malgré les fers, persévérait dans son désir de gagner des adeptes à sa cause et de se faire beau. Il exigea une Indienne de service dans sa prison pour lui amidonner sa collerette, repasser ses chausses, friser ses cheveux, l'arroser de parfums et lui limer les ongles. La nouvelle du départ fut mal reçue par les hommes, parce qu'ils se trouvaient bien à cet endroit où il faisait frais, avec de l'eau et des arbres. Irrité, don Benito leur rappela à grands cris qu'on ne discute pas les décisions du chef. Tant bien que mal, Valdivia les avait conduits jusqu'ici avec un minimum d'inconvénients ; la traversée du désert avait été un succès, nous n'avions perdu que trois soldats, six chevaux, un chien et treize lamas. Personne n'avait fait le compte des *yanaconas* manquants, mais d'après Catalina il devait être trente ou quarante.

En faisant la connaissance de Francisco de Aguirre, j'eus immédiatement confiance en lui, malgré son aspect intimidant. Avec le temps, j'appris à craindre sa cruauté. C'était un colosse excessif, aimant le bruit, grand et costaud, toujours prêt à rire. Il buvait et mangeait pour trois et, d'après ce que me raconta Pedro, il était capable d'engrosser dix Indiennes en une nuit et dix autres la nuit suivante. Bien des années ont passé et Aguirre est à présent un vieillard sans remords de conscience ni rancœurs, encore lucide et sain, malgré les années qu'il a passées dans les cachots pestilentiels de l'Inquisition et du roi. Il vit bien grâce à une terre que lui a cédée mon défunt mari. Il serait difficile de trouver deux personnes plus différentes que mon Rodrigo, bienveillant et noble, et ce Francisco de Aguirre, tellement excessif en tout, mais ils s'aimaient comme de bons soldats dans la guerre et de bons amis dans la paix. Rodrigo ne pouvait permettre que son compagnon d'aventures finisse comme un mendiant à cause de l'ingratitude de la Couronne et de l'Eglise, aussi l'a-t-il protégé jusqu'à ce que la mort l'emporte. Aguirre, qui n'a pas une partie du corps sans cicatrices de batailles, passe ses derniers jours à regarder pousser le maïs de sa plantation, près de sa femme, qui est venue d'Espagne par amour, de ses enfants et petits-enfants. A quatre-vingts ans il n'est pas vaincu, il continue à imaginer des aventures et à chanter les chansons égrillardes de sa jeunesse. En plus de ses cinq enfants légitimes, il a engendré plus de cent bâtards connus, et il doit y en avoir une centaine d'autres que personne n'a comptabilisés. Il avait l'idée que la meilleure façon de servir Sa Majesté aux Indes était de les peupler de métis ; il en vint à dire que la solution au problème indigène était de tuer tous les mâles de plus de douze ans, de séquestrer les enfants et de violer les femmes avec patience et méthode. Pedro croyait que son ami disait cela en plaisantant, mais je sais qu'il parlait sérieusement. Malgré son goût effréné pour la fornication, le seul amour de sa vie fut sa cousine, qu'il avait épousée grâce à une autorisation spéciale du pape, comme je crois l'avoir déjà raconté. Sois patiente avec moi, Isabel : à soixante-dix ans, j'ai tendance à radoter.

*

Après plusieurs jours de marche, nous atteignîmes la vallée de Copiapó, où commençait le territoire qu'il revenait à Pedro de Valdivia de gouverner. Un cri d'allégresse s'échappa des poitrines espagnoles : nous étions arrivés. Pedro de Valdivia rassembla les gens, s'entoura de ses capitaines, m'appela auprès de lui et, avec une grande solennité, planta l'étendard de l'Espagne et prit possession. Il lui donna le nom de Nouvelle-Estrémadure, parce que c'est de là qu'il venait, tout comme Pizarro, comme la plupart des hidalgos de l'expédition et comme moi. Ensuite, le chapelain González de Marmolejo installa un autel avec son crucifix, son ciboire d'or – le seul or que nous ayons entrevu depuis des mois – et la petite statue de Notre-Dame du Secours, devenue notre patronne pour l'aide qu'elle nous avait apportée dans le désert. Le prêtre célébra une émouvante messe d'action de grâces et nous communiâmes tous, l'âme remplie de joie.

La vallée était habitée par un mélange de peuples soumis à l'Inca, mais si éloignés du Pérou que l'influence de ce souverain n'avait rien d'opprimant. Leurs chefs vinrent nous recevoir avec de modestes cadeaux de nourriture et des discours de bienvenue que les truchements traduisirent, mais ils n'avaient pas l'air rassuré par notre présence. Les maisons étaient de terre et de paille, plus solides et mieux disposées que les huttes que nous avions vues jusque-là. Chez ces gens aussi existait l'habitude de cohabiter avec les ancêtres défunts, mais les soldats se gardèrent cette fois de profaner les momies. Nous découvrîmes quelques villages récemment abandonnés, appartenant à des Indiens hostiles sous les ordres du cacique Michimalonko.

Don Benito fit installer le campement sur un site protégé, car il craignait que les habitants deviennent plus belliqueux lorsqu'ils comprendraient que nous n'avions pas l'intention de retourner au Pérou, comme l'avait fait l'expédition d'Almagro six ans plus tôt. Malgré le besoin que nous avions de nourriture, Valdivia interdit de piller les chaumières habitées et de malmener les habitants, pour voir si de la sorte nous parvenions à nous en faire des alliés. Don Benito avait capturé d'autres messagers qui, lorsqu'on les interrogea, répétèrent ce que nous savions déjà : l'Inca avait ordonné à la population de fuir dans les montagnes avec leurs familles et de cacher ou de détruire les aliments, ce qu'avaient fait la majorité de ces indigènes. Don Benito en conclut que les Chiliens – comme il appelait les habitants du Chili, sans distinction de tribu – avaient sûrement caché de la nourriture dans le sable, où il était plus facile de creuser. Il ordonna à tous les soldats, sauf ceux qui étaient de garde, de parcourir la zone en enfonçant les épées et les lances dans le sol pour découvrir les fosses, et il trouva ainsi du maïs, des pommes de terre, des haricots et même quelques calebasses contenant de la chicha fermentée, que je confisquai parce qu'elle aiderait les blessés à supporter la brutalité des cautérisations.

Dès que le campement fut prêt, don Benito fit dresser un gibet et Pedro de Valdivia annonça que Sancho de la Hoz et les autres prisonniers seraient jugés le lendemain. Les capitaines à la fidélité éprouvée se rassemblèrent dans notre tente autour d'une table, chacun sur son tabouret de cuir, le chef dans son fauteuil. A la surprise générale, Valdivia me fit appeler et m'indiqua une chaise à côté de lui. Je m'assis, un peu intimidée par les regards incrédules des capitaines, qui n'avaient jamais vu une femme assister à un conseil de guerre. « Elle nous a sauvés de la soif dans le désert et de la conspiration des traîtres, elle mérite plus que toute autre personne de participer à cette réunion », dit Valdivia, et aucun n'osa le contredire. Juan Gómez, qui paraissait très nerveux parce que Cecilia était en train d'accoucher, mit les cinq poignards identiques sur la table, exposa les résultats de son enquête sur l'attentat et nomma les soldats dont la loyauté était douteuse, en particulier un certain Ruiz, qui avait aidé les conspirateurs à entrer dans le campement et distrait les sentinelles de notre tente. Les capitaines discutèrent longuement sur le risque que représentait l'exécution de De la Hoz, et l'opinion de Rodrigo de Quiroga, qui coïncidait avec la mienne, l'emporta finalement. Je me gardai bien d'ouvrir la bouche, pour qu'on ne m'accusât point d'être une virago qui dominait Valdivia. Je veillai à ce que l'on serve du vin dans les coupes, prêtai attention et aquiesçai docilement lorsque Quiroga prit la parole. Valdivia avait déjà pris sa décision, mais il attendait qu'un autre l'exprime afin de ne pas paraître intimidé par les lettres royales de Sancho de la Hoz.

Comme c'était annoncé, le procès eut lieu le lendemain dans la tente des prisonniers. Valdivia fut le seul juge, secondé par Rodrigo de Quiroga et un autre militaire, qui agit en qualité de secrétaire et ministre de la Foi. Je n'y assistai pas, mais je n'eus aucun mal à avoir connaissance de la version complète du déroulement de ce qu'il se passa. On posta des gardes armés autour de la tente pour contenir les curieux, et on plaça une table derrière laquelle s'assirent les trois capitaines, flanqués de deux esclaves noirs, experts dans l'application des supplices et des exécutions. Le ministre de la Foi ouvrit ses gros livres, il prépara sa plume et son encrier, tandis que Rodrigo de Quiroga alignait les cinq poignards sur la table. On avait également apporté l'un de mes braseros péruviens rempli de braises rouges, non tant pour réchauffer l'atmosphère que pour terroriser les prisonniers, qui savaient que la torture fait partie de tout procès de ce genre ; le feu est plus utilisé avec les Indiens qu'avec les hidalgos, mais personne n'était sûr de ce que ferait Valdivia. Les accusés, debout devant la table et enchaînés, écoutèrent pendant plus d'une heure les accusations portées contre eux. Ils ne doutaient pas un instant que « l'usurpateur », comme ils qualifiaient Valdivia, connaissait jusqu'au dernier détail de la conspiration, y compris la liste complète des partisans de Sancho de la Hoz dans l'expédition. Il n'y avait rien à invoquer. Un long silence suivit le discours de Valdivia, tandis que le secrétaire terminait de prendre des notes dans son livre.

« Avez-vous quelque chose à dire ? », demanda à la fin Rodrigo de Quiroga.

Alors Sancho de la Hoz perdit son aplomb et tomba à genoux, clamant qu'il confessait tout ce dont on l'accusait, sauf le projet d'assassiner le général, que tous les cinq respectaient et admiraient et pour lequel ils étaient prêts à donner leur vie. L'affaire des poignards était une bêtise, il suffisait de les voir pour comprendre que ce n'étaient pas des armes sérieuses. Les autres suivirent son exemple, suppliant qu'on leur pardonnât et jurant fidélité éternelle. Valdivia les fit taire. Un autre silence accablant suivit ses paroles, et enfin le chef se mit debout et dicta sa sentence, qui me parut très injuste, mais je me gardai bien de la commenter ensuite avec lui, parce que je supposai qu'il avait ses raisons pour agir de la sorte.

Trois des conspirateurs furent condamnés à l'exil : ils devraient rentrer à pied au Pérou, avec une poignée d'Indiens auxiliaires et un lama, à travers le désert. Un autre fut remis en liberté sans aucune explication. Sancho de la Hoz signa un document – le premier du Chili – qui dissolvait son association avec Valdivia, et il resta enchaîné et prisonnier, sans sentence pour le moment, dans les limbes de l'incertitude. Le plus étrange fut que cette nuit-là Valdivia ordonna d'exécuter Ruiz, le soldat qui avait été complice, alors qu'il ne faisait même pas partie des cinq qui avaient pénétré dans notre tente avec les fameux poignards. Don Benito en personne surveilla les Noirs qui le pendirent, puis le dépecèrent. La tête et chacune des parties de son corps, découpé à la hache, furent exposées sur des crochets de boucher à plusieurs endroits du campement, pour rappeler aux indécis de quelle façon était punie la déloyauté envers Valdivia. Le troisième jour, l'odeur était si infecte et les mouches si nombreuses qu'il fallut brûler les restes.

*

L'accouchement de Cecilia, la princesse inca, fut long et difficile, parce que le bébé s'était retourné dans le ventre. Si un enfant survit à ce genre de naissance, les sages-femmes affirment qu'il aura de la chance. Celui-ci, Catalina le tira de plusieurs secousses et il sortit violet, mais sain et braillard. On considéra comme un excellent augure que le premier métis chilien soit né coiffé.

Catalina attendait Juan Gómez à la porte de notre tente pendant que les capitaines délibéraient sur le sort des conspirateurs. Cet homme, qui avait traversé plus de tourments qu'aucun autre vaillant, parce que dans le désert il cédait sa ration d'eau à sa femme, allait à pied pour lui prêter son cheval lorsque sa mule eut un accident, et s'interposait pour la protéger lors des attaques des Indiens, ne put retenir ses larmes lorsque Catalina lui mit son fils dans les bras.

« Il s'appellera Pedro, en l'honneur de notre gouverneur », annonça Gómez au milieu de ses sanglots.

Tous fêtèrent la décision, sauf Pedro de Valdivia.

« Je ne suis pas gouverneur, je ne suis que lieutenant gouverneur, représentant du marquis Pizarro et de Sa Majesté, nous rappela-t-il.

— Nous sommes sur le territoire qu'il vous a assigné pour le conquérir, capitaine général, et c'est une vallée bien agréable. Pourquoi ne pas fonder la ville ici ? suggéra Gómez.

— Bonne idée. Pedrito Gómez sera le premier enfant baptisé dans la ville », appuya Jerónimo de Alderete, qui ne s'était pas encore remis des fièvres de la forêt et que la perspective d'aller plus loin épuisait.

Mais je savais que Pedro voulait continuer vers le sud, le plus au sud possible, pour s'éloigner du Pérou. Son idée était d'établir la première ville là où n'arriveraient pas les bras longs du marquis gouverneur, de l'Inquisition, des gratte-papier et de mesquins, comme il appelait en privé les employés de la Couronne qui venaient importuner jusque dans le Nouveau Monde.

« Non, messieurs. Nous continuerons jusqu'à la vallée du Mapocho. C'est l'endroit parfait pour notre colonie, d'après ce qu'assure don Benito, qui y est allé avec le pionnier Diego de Almagro.

— C'est à combien de lieues d'ici ? insista Alderete.

— Beaucoup, mais moins que celles que nous avons déjà parcourues », expliqua don Benito.

Cecilia fut d'abord soignée avec des infusions de feuilles de *huella* pour faciliter l'expulsion des résidus de l'accouchement, qui étaient retenus, après quoi l'hémorragie fut stoppée par une liqueur préparée avec des racines d'oreille de renard, ou aristoloche, recette chilienne que Catalina venait d'apprendre et qui donna rapidement un résultat. Pendant que nos soldats affrontaient les Indiens dans diverses escarmouches, Catalina sortait tranquillement du campement et rejoignait les

Indiennes chiliennes pour échanger des remèdes. Je ne sais comment elle s'y prenait pour passer entre les sentinelles sans être vue et fraterniser avec l'ennemi sans qu'on lui fracasse le crâne d'un coup de massue.

Mais toutes ces herbes médicinales eurent pour effet de couper le lait de Cecilia, et le petit Pedro Gómez dut être nourri avec du lait de lama. S'il était né quelques mois plus tard, il aurait eu plusieurs nourrices, car beaucoup d'Indiennes étaient enceintes. Le lait de lama lui donna une douceur qui serait un sérieux handicap pour lui dans l'avenir, car il lui revint de vivre et de guerroyer au Chili, qui n'est pas un endroit pour des hommes au cœur trop tendre.

*

Et maintenant je dois parler d'un autre épisode qui n'a que peu d'importance, sauf pour un pauvre jeune homme du nom d'Escobar, mais qui est utile pour montrer le caractère de Pedro de Valdivia. Mon amant était un homme généreux, plein d'idées magnifiques, de solides principes catholiques et d'un courage à toute épreuve – bonnes raisons pour l'admirer –, mais il avait aussi des défauts, quelques-uns assez graves. Le pire fut certainement son exorbitante ambition de célébrité, qui finit par lui coûter la vie, à lui et à bien d'autres ; mais le plus difficile à supporter, pour moi, ce fut sa jalousie. Il savait que j'étais incapable de le trahir, parce que ce n'était pas dans ma nature et que je l'aimais trop, pourquoi alors doutait-il de moi ? Ou peut-être doutait-il de lui-même.

Les soldats disposaient d'autant d'Indiennes qu'ils voulaient, certaines par la force et d'autres complaisantes, mais ils regrettaient certainement les mots d'amour murmurés en castillan. Les hommes désirent ce qu'ils n'ont pas. J'étais la seule Espagnole de l'expédition, la maîtresse du chef, visible, présente, intouchable, et par là même convoitée. Je me suis parfois demandé si j'avais été responsable des actes de Sebastián Romero, du sous-lieutenant Núñez ou de ce garçon, Escobar. Je ne trouve pas de faute en moi, sauf celle d'être femme, mais cela paraît être un crime suffisant. On rejette sur nous, les femmes, la culpabilité de la luxure des hommes, mais le péché n'appartient-il pas à celui qui le commet ? Pourquoi devrais-je payer pour les erreurs d'autrui ?

J'avais commencé le voyage vêtue comme je l'étais à Plasencia – jupons, corset, chemise, jupes, coiffe, châle, escarpins –, mais il me fallut bientôt m'adapter aux circonstances. On ne peut chevaucher mille lieues sur le côté, en amazone, sans se briser le dos ; je dus monter à califourchon. Je dénichai donc des braies d'homme et des bottes, enlevai mon corset à baleines, car personne ne le supporte, et bientôt me débarrassai de la coiffe pour tresser mes cheveux, comme les Indiennes, parce qu'ils pesaient sur ma nuque, mais jamais je n'étais décolletée ni ne me permettais de familiarités avec les soldats. Lors des rencontres avec les Indiens belliqueux je portais le heaume, une cuirasse légère en cuir et des protections pour les jambes que Pedro avait fait confectionner pour moi, autrement je serais morte sous les flèches dans la première partie du voyage. Si cela a enflammé le désir d'Escobar et d'autres hommes de l'expédition, je ne comprends pas comment fonctionne le cerveau masculin. J'ai entendu Francisco de Aguirre dire et répéter que les mâles ne pensent qu'à manger, forniquer et tuer, l'une de ses phrases favorites, bien que dans le cas des humains ce ne soit pas totalement vrai, car ils pensent aussi au pouvoir. Je refuse de donner raison à Aguirre, malgré les nombreuses faiblesses que j'ai observées chez les hommes. Ils ne sont pas tous semblables.

Nos soldats parlaient beaucoup des femmes, en particulier lorsque nous devions camper pendant plusieurs jours et qu'ils n'avaient rien d'autre à faire qu'accomplir leur tour de garde et attendre. Ils échangeaient des impressions sur les Indiennes, se vantaient de leurs prouesses – des viols – et commentaient avec envie celles du mythique Aguirre. Malheureusement, mon nom apparaissait fréquemment dans ces conversations ; ils disaient que j'étais une femelle insatiable, que je montais comme un homme pour m'exciter avec le cheval et que sous mes jupes je portais des braies. Cela, c'était vrai, je ne pouvais monter à califourchon cuisses nues.

Le soldat le plus jeune de l'expédition, un garçon du nom d'Escobar, âgé d'à peine dix-huit ans, arrivé au Pérou comme mousse alors qu'il n'était encore qu'un enfant, était scandalisé par ces histoires. La violence des combats ne l'avait pas encore souillé et il s'était fait de moi une idée romantique, étant à l'âge où l'on tombe amoureux de l'amour. Il se mit dans l'idée que j'étais un ange entraîné dans la perversion par les appétits de Valdivia, qui me forçait à le servir au lit comme une femme légère. J'appris cela par les servantes indiennes comme, toujours, j'ai su ce qu'il se passait autour de moi. Il n'y avait pas de secrets pour elles, car les hommes se soucient aussi peu de ce qu'ils disent devant les femmes que ce qu'ils disent devant leurs chevaux et leurs chiens, partant du principe que nous ne comprenons pas ce que nous entendons. J'observai en cachette la conduite du garçon et constatai qu'il me tournait autour. Avec l'excuse d'apprendre des tours à Baltasar, qui s'éloignait rarement de moi, ou de me demander de lui changer le bandage de son bras blessé, ou encore de lui apprendre à faire de la bouillie de maïs, sous prétexte que ses deux Indiennes étaient inutiles, Escobar s'arrangeait pour s'approcher de moi.

Pedro de Valdivia considérait Escobar comme un peu plus qu'un morveux et je ne crois pas qu'il se préoccupait de lui avant que les soldats commencent à faire des plaisanteries. Dès que les autres se rendirent compte que son intérêt pour moi était plus romantique que sexuel, ils ne le laissèrent pas en paix, le provoquant jusqu'à lui arracher des larmes d'humiliation. Il était inévitable que tôt ou tard ces plaisanteries arrivent aux oreilles de Valdivia, qui commença à me poser des questions insidieuses et en vint à m'épier et à me tendre des pièges. Il envoyait Escobar m'aider dans des travaux qui revenaient aux servantes, et celui-ci, au lieu de discuter l'ordre comme l'aurait fait un autre soldat, s'empressait de lui obéir. Je trouvai souvent Escobar dans ma tente parce que Pedro l'avait envoyé chercher quelque chose alors qu'il savait que j'étais seule. Je suppose que j'aurais dû affronter Pedro dès le début, mais je n'osais pas, la jalousie faisait de lui un monstre et il pouvait imaginer que j'avais des raisons cachées de protéger Escobar.

Ce jeu satanique, qui commença peu après avoir quitté Tarapacá, fut oublié pendant l'épouvantable traversée du désert, où personne n'avait l'esprit à des bêtises, mais il se renouvela avec plus d'intensité dans la tranquille vallée de Copiapó. La légère blessure qu'Escobar avait au bras s'infecta, bien que nous la lui ayons brûlée, et je devais souvent le soigner et changer son bandage. J'en vins à craindre la nécessité d'une drastique intervention, mais Catalina me fit remarquer que la chair ne sentait pas mauvais et que le garçon n'avait pas de fièvre. « C'est juste qu'il se gratte, *señoray*, tu vois pas ? », insinua-t-elle. Je refusai de croire qu'Escobar grattait sa blessure pour avoir le prétexte d'être soigné par moi, mais je compris que le moment était venu de lui parler.

C'était la tombée de la nuit, l'heure où commençait la musique dans le campement : les vielles et les flûtes des soldats, les tristes *quenas* des Indiens, les tambours africains des contremaîtres. Près d'un des feux, la chaude voix de ténor de Francisco de Aguirre entonnait une chanson picaresque. Dans l'air flottait le parfum délicieux du seul repas de la journée, viande rôtie, maïs, galettes de maïs cuites sur la braise. Catalina avait disparu, comme cela lui arrivait souvent le soir, et j'étais dans ma tente avec Escobar, dont je venais de nettoyer la blessure, et mon chien Baltasar, qui l'avait pris en amitié.

« Si cela ne s'améliore pas rapidement, je crains qu'il faille vous couper le bras, lui annonçai-je à brûle-pourpoint.

177

— Un soldat manchot ne sert à rien, doña Inés, murmura-t-il, livide de frayeur.

— Un soldat mort sert encore moins. »

Je lui offris un verre de chicha de nopal pour l'aider à surmonter sa peur et pour gagner du temps, car je ne savais comment aborder le sujet. Finalement, j'optai pour la franchise.

« Je me rends compte que vous me cherchez, Escobar, et comme cela peut devenir un inconvénient pour tous deux, désormais c'est Catalina qui vous soignera. »

Et alors, comme s'il avait attendu que quelqu'un entrouvre la porte de son cœur, Escobar me sortit une litanie de confessions mêlées de déclarations et de promesses d'amour. Je tentai de lui rappeler avec qui il dépassait les bornes, mais il ne me laissa pas parler. Il m'étreignit avec force et avec une telle maladresse qu'en reculant je trébuchai sur Baltasar et tombai par terre sur le dos, Escobar sur moi. Si n'importe qui d'autre m'avait attaquée ainsi, le chien l'aurait mis en pièces, mais il connaissait bien le jeune homme, il crut que c'était un jeu et, au lieu de l'agresser, il sautait autour de nous en aboyant joyeusement. Je suis forte et ne doutais pas que je pouvais me défendre, c'est pourquoi je n'ai pas crié. Seule une toile cirée nous séparait des gens qui se trouvaient dehors, je ne pouvais provoquer un scandale. De son bras blessé il me serrait contre sa poitrine, de l'autre me tenait la nuque et ses baisers, mouillés de salive et de larmes, me tombaient dans le cou et sur le visage. Je parvins à invoquer Notre-Dame du Secours, me préparant à lui donner un cou de genou dans l'aine, mais il était trop tard, car à ce moment Pedro apparut, l'épée à la main. Il n'avait cessé de nous épier depuis l'autre pièce de la tente.

« Nooon! », criai-je, horrifiée, lorsque je le vis prêt à transpercer de son acier le malheureux petit soldat.

D'une impulsion brutale je parvins à me retourner pour couvrir Escobar, qui se retrouva sous moi. J'essayai de le protéger de l'épée nue autant que du chien, qui alors assumait son rôle de gardien et tentait de le mordre.

*

Il n'y eut ni procès ni explications. Pedro de Valdivia appela simplement don Benito et lui ordonna de pendre le soldat Escobar le lendemain matin, après la messe, devant le campement rassemblé. Don Benito emmena le garçon tremblant par un bras et le laissa dans l'une des tentes, surveillé mais sans chaînes. Escobar était une loque, non par peur de mourir, mais à cause de la douleur de son cœur déchiré. Pedro de Valdivia partit dans la tente de Francisco de Aguirre, où il resta à jouer aux cartes avec d'autres capitaines, et ne revint qu'au petit matin. Il ne me laissa pas lui adresser la parole, et je crois que pour une fois, si je l'avais fait, je n'aurais pas trouvé la manière de lui faire changer d'attitude. La jalousie l'avait rendu fou.

Pendant ce temps, le chapelain González de Marmolejo essayait de me consoler en me disant que je n'étais pas coupable de ce qui était arrivé, que c'était la faute d'Escobar, qui désirait la femme d'un autre, ou une sottise de ce genre.

« Je suppose que vous n'allez pas rester les bras croisés, mon père. Vous devez convaincre Pedro qu'il commet une grave injustice, exigeai-je.

— Le capitaine général doit maintenir l'ordre parmi ses troupes, ma fille, il ne peut permettre ce genre d'affront.

— Pedro peut permettre que ses hommes violent et frappent les femmes des autres hommes, mais malheur à eux s'ils touchent à la sienne !

— Il ne peut plus se rétracter. Un ordre est un ordre.

— Bien sûr qu'il peut se rétracter ! La faute de ce jeune homme ne mérite pas la corde, vous le savez aussi bien que moi. Allez lui parler !

— J'irai, doña Inés, mais je doute fort qu'il change d'avis.

— Vous pouvez le menacer d'excommunication....

— Cette menace ne peut être faite à la légère! s'exclama le moine, horrifié.

— En revanche, Pedro, lui, peut se mettre un mort sur la conscience à la légère, n'est-ce pas? répliquai-je.

— Doña Inés, vous manquez d'humilité. Cette affaire n'est pas entre vos mains, elle est entre les mains de Dieu. »

González de Marmolejo alla parler avec Valdivia. Il le fit devant les capitaines qui jouaient aux cartes avec lui, pensant que ceux-ci l'aideraient à le convaincre de pardonner à Escobar. Il se trompait du tout au tout. Valdivia ne pouvait céder devant témoins, d'autant que ses acolytes lui donnèrent raison; ils auraient fait de même à sa place.

Alors je me rendis dans la tente de Juan Gómez et de Cecilia, sous prétexte de voir le nouveau-né. La princesse inca était plus belle que jamais, allongée sur un matelas moelleux, se reposant, entourée de ses servantes. Une Indienne lui massait les pieds, une autre peignait ses cheveux noirs, une autre pressait du lait de lama d'un morceau de tissu dans la bouche de l'enfant. Juan Gómez, ensorcelé, observait la scène comme s'il se trouvait devant la crèche de l'Enfant Jésus. Je ressentis un tiraillement d'envie: j'aurais donné la moitié de ma vie pour être à la place de Cecilia. Après avoir félicité la jeune mère et embrassé le nourrisson, je pris le père par le bras et l'emmenai dehors. Je lui racontai ce qu'il s'était passé et lui demandai son aide.

« Vous êtes l'alguazil, don Juan, faites quelque chose, je vous en prie, le suppliai-je.

— Je ne peux contrevenir à un ordre de don Pedro de Valdivia, me répondit-il, les yeux écarquillés.

— J'ai honte de vous le rappeler, don Juan, mais vous me devez une faveur.

— Madame, me demandez-vous cela parce que vous portez un intérêt particulier au soldat Escobar? me demanda-t-il.

— Comment pouvez-vous imaginer une chose pareille? Je

vous le demanderais pour n'importe quel homme de ce campement. Je ne peux permettre que don Pedro commette ce péché. Et ne me dites pas qu'il s'agit d'une question de discipline militaire, nous savons tous deux qu'il s'agit uniquement de jalousie.

— Que proposez-vous ?

— Cela est entre les mains de Dieu, comme dit le chapelain. Que diriez-vous si nous aidions un peu la main divine ? »

Le lendemain, après la messe, don Benito convoqua les gens sur la place centrale du campement, où était toujours dressé le gibet qui avait servi pour le malheureux Ruiz, avec la corde prête. Pour la première fois j'étais présente, car jusqu'alors je m'étais arrangée pour ne pas assister aux supplices et aux exécutions ; j'avais bien assez de la violence des batailles, de la souffrance des blessés et des malades qu'il me revenait de soigner. Je portai Notre-Dame du Secours dans les bras, afin que tous puissent la voir. Les capitaines se mirent en première ligne, formant un quadrilatère, derrière eux venaient les soldats et, plus en arrière, les contremaîtres et la foule des *yanaconas*, des Indiennes de service et des concubines. Le chapelain avait passé la nuit à veiller en prière, après que son intervention auprès de Valdivia eut échoué. Il avait la peau verdâtre et les oreilles violettes, comme cela lui arrivait lorsqu'il se flagellait, bien que ses coups de fouet soient pour rire, au dire des Indiennes qui savaient ce qu'était un vrai fouet.

Un crieur public et un roulement de tambours annoncèrent l'exécution. Juan Gómez, en sa qualité d'alguazil, dit que le soldat Escobar avait commis un acte grave d'indiscipline, qu'il avait pénétré dans la tente du capitaine général avec des intentions louches et avait attenté à son honneur. Il n'y avait nul besoin d'autres explications, personne ne douta que le jeune homme allait payer de sa vie son amour de jeune chien. Les deux Noirs chargés des exécutions escortèrent le prisonnier jusqu'à la place. Escobar ne portait pas de chaînes, il était droit comme une lance, calme, le regard fixé devant lui, comme s'il avançait en rêve. Il avait demandé qu'on lui permît de se laver, de se raser et d'enfiler des vêtements propres. Il se mit à genoux et le chapelain lui donna l'extrême-onction, il le bénit et lui présenta la Sainte Croix pour qu'il l'embrasse. Les Noirs le conduisirent à l'échafaud, ils lui attachèrent les mains derrière le dos, lui lièrent les chevilles, puis lui passèrent la corde autour du cou. Escobar refusa qu'on lui mît une cagoule, je crois qu'il voulait mourir en me regardant, pour défier Pedro de Valdivia. Je soutins son regard, essayant de lui apporter une consolation.

Au deuxième roulement de tambours, les Noirs enlevèrent le support sous les pieds du prisonnier et celui-ci resta pendu en l'air. Un silence de tombe régnait sur le campement parmi la population, on n'entendait que les tambours. Pendant un temps qui me parut une éternité, le corps d'Escobar se balança au gibet, tandis que je priais et priais, désespérée, serrant la statue de la Vierge contre ma poitrine. Et alors le miracle eut lieu : la corde se rompit brusquement et le garçon tomba à terre, où il resta étendu, comme mort. Un long cri de surprise s'échappa de nombreuses bouches. Pedro de Valdivia fit trois pas en avant, pâle comme un cierge, ne pouvant croire ce qu'il voyait. Avant qu'il puisse donner un ordre aux bourreaux, le chapelain s'avança avec la Sainte Croix levée, aussi perplexe que les autres.

« C'est le jugement de Dieu ! Le jugement de Dieu ! », criait-il.

Je perçus d'abord le murmure, puis le frénétique brouhaha des Indiens, telle une vague qui vint s'écraser contre la raideur des soldats espagnols, jusqu'à ce que l'un d'eux se signe et mette un genou à terre. Aussitôt un autre suivit son exemple, puis un autre, et bientôt nous nous retrouvâmes tous à genoux, à l'exception de Pedro de Valdivia. Le jugement de Dieu...

L'alguazil Juan Gómez écarta les bourreaux et lui-même ôta le nœud du cou d'Escobar, il coupa les liens des poignets et des chevilles et l'aida à se mettre debout. Je remarquai seulement qu'il remit la corde de la potence à un Indien et que celui-ci l'emporta aussitôt, avant que quelqu'un eût l'idée de l'examiner de près. Juan Gómez ne me devait plus aucune faveur.

Escobar ne fut pas remis en liberté. Sa sentence fut commuée en exil ; il allait devoir rentrer au Pérou à pied, déshonoré, avec un *yanacona* pour seule compagnie. S'il parvenait à éviter les Indiens hostiles de la vallée, il mourrait de soif dans le désert, et son corps, desséché comme celui des momies, resterait sans sépulture. Il eût été plus miséricordieux de le pendre. Une heure plus tard, il quitta le camp avec la même calme dignité qu'il avait montrée sur l'échafaud. Les soldats qui s'étaient moqués de lui auparavant, au point de le rendre fou, formèrent deux files respectueuses et il passa au milieu, lentement, disant adieu du regard, sans un mot. Beaucoup avaient les larmes aux yeux, repentis et honteux. L'un d'eux lui remit son épée, un autre une courte hache, un troisième arriva avec un lama chargé de paquets et d'outres d'eau. J'observais la scène de loin, luttant contre l'animosité que je ressentais à l'égard de Valdivia, forte au point de m'étouffer. Alors que le garçon sortait du campement, je le rejoignis, mis pied à terre et lui donnai mon seul trésor : le cheval.

*

Nous restâmes sept semaines dans la vallée, où vingt Espagnols vinrent nous rejoindre, parmi eux deux moines et un certain Chinchilla, séditieux et vil, qui dès le début conspira avec Sancho de la Hoz pour assassiner Valdivia. On avait enlevé ses chaînes à De la Hoz et il circulait librement dans le campement, tiré à quatre épingles et parfumé, prêt à se venger du capitaine général, mais surveillé de près par Juan Gómez. Sur les cent cinquante hommes qui formaient à présent l'expédition, tous sauf neuf étaient des hidalgos, fils de la noblesse rurale ou appauvrie, mais autant hidalgos que le meilleur. D'après Valdivia, cela ne voulait rien dire, parce qu'il y a plus d'hidalgos qu'il n'en faut en Espagne, mais je crois que ces fondateurs léguèrent leur vanité au royaume du Chili. Au sang hautain des Espagnols se mêla celui indompté de la race mapuche, et le mélange a donné un peuple d'un orgueil insensé.

Après l'expulsion du jeune Escobar, le campement mit quelques jours à retrouver la normalité. Les gens étaient irrités, on pouvait sentir la colère dans l'air. Aux yeux des soldats, c'était moi la coupable : j'avais tenté ce garçon innocent, je l'avais séduit, rendu fou, et l'avais conduit à la mort. Moi, l'impudique concubine. Pedro de Valdivia n'avait fait qu'accomplir son devoir et défendre son honneur. Pendant longtemps je ressentis la rancœur de ces hommes comme une brûlure sur ma peau, de même qu'auparavant j'avais senti leur lascivité. Catalina me conseilla de rester dans ma tente jusqu'à ce que les esprits s'apaisent, mais il y avait beaucoup à faire avec les préparatifs du voyage et je n'eus d'autre alternative que d'affronter la médisance.

Pedro était occupé avec l'incorporation des nouveaux soldats et les rumeurs de trahison qui circulaient, mais il eut le temps d'assouvir sa colère sur moi. S'il comprit qu'il avait dépassé les bornes dans son désir de se venger d'Escobar, il ne l'admit jamais. La culpabilité et la jalousie enflammèrent son désir, il voulait me posséder à chaque instant, y compris au milieu de la journée. Il interrompait ses tâches ou ses conférences avec les autres capitaines pour m'entraîner dans la tente, à la vue du campement tout entier, de sorte que tout le monde fut obligé de se rendre compte de ce qu'il se passait. Peu importait à Valdivia, il le faisait exprès pour établir son autorité, pour m'humilier et défier les cancaniers. Jamais nous n'avions fait l'amour avec cette violence, il me laissait meurtrie et prétendait que cela me plaisait. Il voulut que je gémisse de douleur, puisque je ne gémissais plus de plaisir. Tel fut mon châtiment, subir le sort d'une catin, comme celui d'Escobar avait été de mourir dans le désert. Je supportai le mauvais traitement autant que cela fut possible, pensant qu'à un moment ou un autre l'orgueil de Pedro se refroidirait, mais au bout d'une semaine je fus à bout de patience et, au lieu de lui obéir lorsqu'il voulut faire avec moi comme les chiens, je lui donnai une gifle sonore sur le visage. Je ne sais comment cela arriva, ma main partit toute seule. La surprise nous laissa tous deux paralysés pendant un long moment, et ensuite le maléfice dans lequel nous étions enfermés fut rompu. Pedro m'étreignit, repenti, et je me mis à trembler, aussi contrite que lui.

« Qu'est-ce que j'ai fait! Où en sommes-nous arrivés, mon amour! Pardonne-moi, Inés, oublions cela, je t'en prie... », murmura-t-il.

Nous restâmes dans les bras l'un de l'autre, l'âme sur un fil, bredouillant des explications, nous pardonnant, et finalement nous nous endormîmes épuisés, sans faire l'amour. De ce moment nous retrouvâmes peu à peu l'amour perdu. Pedro me fit de nouveau la cour avec la passion et la tendresse des premiers jours. Nous faisions de courtes promenades, toujours avec des gardes, car à tout moment des Indiens hostiles pouvaient nous tomber dessus. Nous prenions seuls nos repas dans la tente, le soir il me faisait la lecture, passait des heures à me caresser pour me donner le plaisir qu'il m'avait refusé peu auparavant. Il était aussi impatient que moi d'avoir un enfant, mais je ne tombais pas enceinte, malgré les rosaires à la Vierge et les sirops que préparait Catalina. Je suis stérile, je n'ai pu avoir d'enfant avec aucun des hommes que j'ai aimés, Juan, Pedro et Rodrigo, ni ceux avec lesquels j'ai joui lors de brèves rencontres secrètes; mais je crois que Pedro l'était aussi, parce qu'il n'en a pas eu avec Marina ni avec d'autres femmes. « Laisser célébrité et mémoire de moi », fut sa raison de conquérir le Chili. Peut-être a-t-il remplacé ainsi la dynastie qu'il n'a pu fonder. Il a laissé son nom dans l'Histoire, n'ayant pu le léguer à ses descendants.

*

Pedro prit la précaution et eut la patience de m'apprendre à me servir d'une épée. Il m'offrit aussi un autre cheval, pour remplacer celui que j'avais donné à Escobar, et il assigna son meilleur cavalier pour l'entraîner. Un cheval de guerre doit obéir par instinct au soldat, qui est occupé à manier les armes. « On ne sait jamais ce qui peut arriver, Inés. Puisque tu as eu le courage de m'accompagner, tu dois être préparée pour te défendre comme n'importe lequel de mes hommes », me dit-il. Ce fut une mesure prudente. Si nous espérions récupérer de nos fatigues à Copiapó, il nous fallut bientôt déchanter, car les Indiens nous attaquaient chaque fois que nous relâchions notre vigilance.

« Nous enverrons des émissaires leur expliquer que nous venons avec des intentions pacifiques, annonça Valdivia à ses principaux capitaines.

— Ce n'est pas une bonne idée, affirma don Benito, car ils n'ont sûrement pas oublié ce qui s'est passé il y a six ans.

— De quoi parlez-vous, mestre ?

— Lorsque je suis venu avec don Diego de Almagro, non seulement les Indiens chiliens nous ont donné des marques d'amitié, mais aussi l'or qui correspondait au tribut de l'Inca, car ils savaient que celui-ci avait été vaincu. Insatisfait et soupçonneux, le pionnier les a convoqués avec d'aimables promesses à une réunion et, dès qu'il eut gagné leur confiance, il nous donna l'ordre de les attaquer. Beaucoup sont morts dans la rencontre, mais nous avons fait prisonniers trente caciques, que nous avons attachés à des pieux et brûlés vifs, expliqua le mestre de camp.

— Pourquoi avez-vous fait cela ? La paix n'était-elle pas préférable ? demanda Valdivia, indigné.

— Si Almagro ne l'avait pas fait le premier, les Indiens l'auraient fait après avec les nôtres », interrompit Francisco de Aguirre.

186

Nos chevaux étaient ce que les Indiens convoitaient par-dessus tout, et les chiens ce qu'ils craignaient le plus, aussi don Benito fit-il mettre les premiers dans des enclos surveillés par les seconds. Les troupes chiliennes étaient sous les ordres de trois caciques, qui à leur tour obéissaient au puissant Michimalonko. C'était un vieux rusé, il savait qu'il n'avait pas assez de forces pour entrer en trombe dans le campement des *huincas*, c'est pourquoi il choisit de nous fatiguer. Ses guerriers, discrets, volaient des lamas et des chevaux, détruisaient les vivres, enlevaient nos Indiennes, attaquaient les bandes de soldats qui sortaient chercher de la nourriture ou de l'eau. Ainsi tuèrent-ils un soldat et plusieurs de nos *yanaconas* qui, par nécessité, pour ne pas mourir, avaient appris à se battre.

Le printemps fit son apparition dans la vallée et sur les montagnes, qui se couvrirent de fleurs, l'air devint tiède et les Indiennes commencèrent à accoucher, tout comme les juments et les lamas femelles. Il n'y a pas d'animal plus adorable qu'un petit lama. L'esprit du campement s'améliora avec les nouveau-nés, qui apportèrent une note de joie aux Espagnols aguerris et aux *yanaconas* épuisés. Les rivières, troubles en hiver, redevinrent cristallines et plus impétueuses avec le dégel des neiges dans les montagnes. Il y avait abondance de pâturages pour les animaux, de chasse, de végétaux et de fruits pour les hommes. L'air d'optimisme apporté par le printemps relâcha la vigilance et c'est alors, au moment où nous nous y attendions le moins, que deux cents *yanaconas* désertèrent, puis quatre cents autres. Simplement, ils se volatilisèrent ; on eut beau appliquer, sur l'ordre du rigoureux don Benito, de nombreux coups de fouet aux contremaîtres pour leur négligence, et aux Indiens pour avoir été complices, personne ne sut dire comment ils s'étaient enfuis ni où ils étaient allés. Une chose était évidente : ils ne pouvaient aller loin sans l'aide des Indiens chiliens qui nous entouraient, parce que, autrement, ces derniers les auraient liquidés. Don Benito fit tripler la garde et tint les *yanaconas* attachés jour et nuit. Les contremaîtres faisaient sans arrêt des rondes autour du campement, avec leurs fouets et leurs chiens.

Valdivia attendit que les poulains et les jeunes lamas soient solides sur leurs pattes, puis il donna l'ordre de continuer en direction du sud, vers le lieu paradisiaque tant annoncé par don Benito, la vallée du Mapocho. Nous savions que Mapocho et Mapuche signifient quasiment la même chose ; nous allions devoir affronter les sauvages qui avaient fait reculer les cinq cents soldats et au moins huit mille Indiens auxiliaires d'Almagro. Nous avions cent cinquante soldats et moins de quatre cents *yanaconas* rebelles.

Nous avons pu vérifier que le Chili a la forme longue et mince d'une épée. Il est composé d'un chapelet de vallées couchées entre montagnes et volcans, traversées de rivières abondantes. Sa côte est abrupte, avec des vagues redoutables et des eaux froides ; ses forêts sont denses et parfumées ; ses montagnes, infinies. Souvent, nous entendions un soupir tellurique et sentions le sol bouger, mais avec le temps nous nous sommes habitués aux tremblements. « C'est ainsi que j'imaginais le Chili, Inés », m'avoua Pedro d'une voix brisée par l'émotion devant la beauté virginale du paysage.

Tout n'était pas contemplation de la nature, il y avait aussi beaucoup de difficultés, parce que les Indiens de Michimalonko nous suivaient sans trêve, nous harcelant. Nous parvenions à peine à nous reposer en faisant de brefs tours de garde, car ils nous tombaient dessus dès que nous relâchions un moment notre attention. Les lamas sont des animaux délicats, trop de poids leur brise le dos, c'est pourquoi nous devions obliger les *yanaconas* à porter les paquets de ceux qui avaient déserté. Bien que nous nous soyons délestés de tout ce qui n'était pas indispensable – entre autres plusieurs malles contenant mes robes élégantes, qui au Chili ne servaient à rien –, les Indiens avançaient courbés sous la charge et, de plus, enchaînés, pour qu'ils ne s'enfuient pas, ce qui rendait notre progression très pénible et très lente. Les soldats perdirent confiance dans les Indiennes de service, qui s'étaient montrées moins soumises et moins maladroites qu'ils le supposaient. Ils continuaient à se divertir avec elles, mais n'osaient dormir auprès d'elles et certains croyaient qu'elles les empoisonnaient lentement. Cependant, ce n'était pas du poison qui corrodait leur âme et vainquait leurs os, mais uniquement la fatigue. Plusieurs des hommes s'acharnaient contre elles pour se décharger de leur propre contrariété ; Valdivia menaça alors de les leur retirer et il tint parole en deux ou trois occasions. Les soldats se rebellèrent, car ils ne pouvaient accepter que quelqu'un, même leur chef, intervînt dans une affaire aussi privée que leurs maîtresses, mais Pedro s'imposa, comme il le faisait toujours. On doit prêcher par l'exemple, disait-il. Il ne permettrait pas que les Espagnols se comportent plus mal que des barbares. A la longue, la troupe obéit à contrecœur et à moitié. Catalina me raconta qu'ils continuaient à frapper les femmes, mais pas sur le visage ni là où les marques se voyaient.

Tandis que les Indiens chiliens devenaient plus audacieux, nous nous demandions ce qu'avait pu devenir le malheureux Escobar. Nous imaginions qu'il était mort de façon lente et atroce, mais personne n'osait prononcer son nom, pour conjurer le sort. Si on oubliait son nom et son visage, peut-être deviendrait-il aussi transparent que la brise et pourrait-il passer entre ses ennemis sans être vu.

*

Nous avancions à pas de tortue car les *yanaconas* croulaient sous le poids et il y avait de nombreux poulains et autres animaux nouveau-nés. Rodrigo de Quiroga allait toujours devant, parce que ses bons yeux lui permettaient de voir le plus loin possible, et que son courage ne flanchait jamais. A l'arrière-garde veillaient Villagra, que Pedro de Valdivia avait nommé son second, et Aguirre, toujours prêt à prendre part à

189

une escarmouche contre les Indiens. Il aimait la bagarre autant que les femmes.

« Les Indiens arrivent! », avertit un jour à grands cris un messager envoyé par Quiroga depuis l'avant.

Valdivia m'installa avec les femmes, les enfants et les animaux dans un endroit à peu près protégé par des rochers et des arbres, puis il organisa ses hommes pour la bataille, pas comme les régiments d'infanterie d'Espagne, avec trois fantassins pour chaque cavalier, parce que ici presque tous étaient dans la cavalerie. Lorsque je dis que les nôtres étaient montés, il peut sembler qu'ils constituaient un formidable escadron de cent cinquante cavaliers capables de vaincre dix mille attaquants, mais la vérité c'est que les bêtes n'avaient que la peau sur les os, à cause des fatigues du voyage, et que les cavaliers portaient des guenilles, des armures mal ajustées, des heaumes cabossés et des armes oxydées. Ils étaient courageux, mais désordonnés et arrogants; chacun était avide de gagner sa propre gloire. « Pourquoi coûte-t-il tant aux Castillans d'être un parmi les autres? Ils veulent tous être généraux! », se lamentait fréquemment Valdivia. De plus, le nombre de nos *yanaconas* avait tellement diminué et ils étaient si épuisés et pleins de rancœur en raison des mauvais traitements reçus qu'ils n'apportaient pas beaucoup d'aide, ils luttaient uniquement parce que c'était cela ou la mort.

Pedro de Valdivia allait en tête, toujours le premier, alors que ses capitaines le priaient de se protéger, car sans lui nous étions perdus. Aux cris de « *Santiago y a ellos!* », par lesquels les Castillans avaient invoqué l'apôtre pendant des siècles pour combattre les Maures, il se plaça devant, tandis que ses arquebusiers, genou à terre, les armes prêtes, pointaient vers le front. Valdivia savait que les Chiliens se lançaient dans la bataille torse nu, sans bouclier ou toute autre protection, indifférents à la mort. Ils ne craignent pas les arquebuses, qui font plus de bruit que de mal, et s'arrêtent uniquement devant les chiens, qui dans la fureur du combat les dévorent

190

tout crus. Ils affrontent en masse les lames espagnoles, qui causent des ravages parmi eux, tandis que leurs armes de pierre rebondissent sur le métal des armures. Du haut de leurs montures, les *huincas* sont invincibles, mais s'ils parviennent à les faire tomber, ils les tuent.

Nous n'avions pas fini de nous regrouper lorsque nous entendîmes les hurlements insupportables annonçant l'attaque des Indiens, une clameur à faire dresser les cheveux sur la tête, qui les excite jusqu'à la démence et paralyse de terreur leurs ennemis, mais qui dans notre cas eut l'effet inverse : elle nous emplit d'une rage qui nous aiguillonna. Le détachement de Rodrigo de Quiroga parvint à rejoindre celui de Valdivia quelques instants avant que la vague ennemie dévale des collines. Ils étaient des milliers et des milliers. Ils couraient presque nus, armés d'arcs et de flèches, de piques et de massues, hurlant, exultant d'une féroce anticipation. La décharge des arquebuses balaya les premières lignes, mais elle ne réussit ni à les arrêter ni à freiner leur course. En quelques minutes nous pouvions déjà voir les visages peinturlurés, et la lutte corps à corps commença. Les lances des nôtres traversaient les corps couleur argile, les épées tranchaient des têtes et des membres, les sabots des chevaux piétinaient ceux qui étaient tombés. S'ils parvenaient à s'approcher, les Indiens étourdissaient le cheval d'un coup de massue et, dès qu'il pliait les jarrets, vingt mains s'emparaient du cavalier et le jetaient à terre. Les heaumes et les cuirasses protégeaient les soldats pendant de brefs instants, et cela suffisait parfois pour donner à un compagnon le temps d'intervenir. Les flèches, inutiles contre les cottes de mailles et les armures, étaient très efficaces sur les parties non protégées du corps. Dans le fracas et le tourbillon de la lutte, nos blessés continuaient à se battre sans ressentir la douleur, sans se rendre compte qu'ils perdaient leur sang, et lorsque enfin ils tombaient, quelqu'un les attrapait et les traînait jusqu'à moi.

Moi, j'avais organisé mon minuscule hôpital, entourée de

mes Indiennes et protégée par quelques loyaux *yanaconas* qui voulaient défendre les femmes et les enfants de leur race, et par des esclaves noirs qui, s'ils tombaient entre les mains des indigènes ennemis, craignaient d'êtres écorchés vifs pour vérifier si la couleur de leur peau était peinte, comme ils savaient que cela était arrivé ailleurs. Nous improvisions des bandages avec les bouts de tissus disponibles, nous appliquions des tourniquets pour stopper les hémorragies, cautérisions en hâte avec des braises et, dès que les hommes pouvaient se mettre debout, nous leur donnions de l'eau ou une gorgée de vin, leur rendions leurs armes et les renvoyions au combat. « Petite Vierge, protège Pedro », marmottais-je lorsque cette horrible besogne me laissait un répit. La brise nous apportait l'odeur de poudre et de cheval, qui se mêlait à celle du sang et de la chair roussie. Les moribonds demandaient à se confesser, mais le chapelain et les autres moines se battaient, si bien que c'est moi qui faisais le signe de croix sur leur front et leur donnais l'absolution, afin qu'ils s'en aillent en paix. Le chapelain m'avait expliqué que s'il n'y a pas de prêtre, n'importe quel chrétien peut baptiser et donner l'extrême-onction en cas d'urgence, mais je n'étais pas sûre qu'une chrétienne pût aussi le faire. Aux cris de mort et de douleur, aux hurlements des Indiens, aux hennissements des chevaux et aux explosions de poudre s'ajoutaient les pleurs terrorisés des femmes, dont beaucoup avaient des enfants attachés sur le dos. Cecilia, habituée à être servie comme la princesse qu'elle était, descendit pour une fois dans le monde des mortels et travailla coude à coude avec Catalina et moi. Cette femme, si petite et gracieuse, s'avéra bien plus forte qu'elle ne paraissait. Sa tunique de fine laine était trempée du sang des blessés.

A un moment, plusieurs ennemis réussirent à s'approcher de l'endroit où nous soignions les blessés. J'entendis soudain un hurlement plus intense et tout proche, levai les yeux de la flèche que j'étais en train d'essayer d'extraire de la cuisse de don Benito, tandis que d'autres femmes le tenaient, et je me trouvai face à plusieurs sauvages qui nous arrivaient dessus, les massues et les haches en l'air, faisant reculer notre faible protection de *yanaconas* et d'esclaves noirs. Sans réfléchir, je pris à deux mains l'épée que Pedro m'avait appris à utiliser, et me préparai à défendre notre bref espace. A la tête des assaillants venait un homme d'âge mûr, bariolé et paré de plumes. Une vieille cicatrice lui traversait la joue de la tempe jusqu'à la bouche. Je parvins à capter ces détails en un éclair, parce que les faits se déroulèrent avec une extrême rapidité. Je me souviens que nous étions face à face, lui avec une lance courte et moi avec l'épée que je devais lever à deux mains, dans des postures identiques, criant de fureur avec ce hurlement terrible de la guerre et nous regardant avec la même férocité. Alors, subitement, le vieux fit un signe et ses compagnons s'arrêtèrent. Je ne pourrais le jurer, mais je crois qu'un léger sourire traversa son visage couleur de terre, il fit demi-tour et s'éloigna avec l'agilité d'un jeune homme, juste au moment où Rodrigo de Quiroga arrivait sur son cheval et se lançait contre nos agresseurs. Le vieux était le cacique Michimalonko.

« Pourquoi ne m'a-t-il pas attaquée ? demandai-je bien plus tard à Quiroga.

— Parce qu'il ne pouvait supporter la honte de se battre contre une femme, m'expliqua-t-il.

— C'est ce que vous auriez fait, capitaine ?

— Bien sûr », répliqua-t-il sans hésiter.

La lutte dura quelques heures et celles-ci furent d'une telle intensité qu'elles passèrent à vive allure, parce que nous n'avions pas le temps de penser. Tout à coup, alors qu'ils avaient pratiquement gagné le terrain, les indigènes se dispersèrent, se perdant dans les montagnes d'où ils avaient surgi ; ils abandonnèrent leurs blessés et leurs morts, mais emmenèrent les chevaux qu'ils avaient pu nous voler. Une fois de plus, Notre-Dame du Secours nous avait sauvés. Le camp resta couvert de corps et il fallut enchaîner les chiens, assoiffés de sang, pour qu'ils ne dévorent pas aussi nos blessés. Les Noirs circulèrent parmi ceux qui étaient au sol, achevant les Chiliens, puis ils m'amenèrent les nôtres. Je me préparai pour ce qui venait : pendant des heures la vallée frémirait des hurlements des hommes que nous devions soigner. Catalina et moi suffirions à peine pour arracher les flèches et cautériser, tâche ingrate entre toutes. On dit qu'on s'habitue à tout, mais ce n'est pas vrai, je ne me suis jamais habituée à ces cris épouvantables. Même maintenant, dans ma vieillesse, après avoir fondé le premier hôpital du Chili et passé toute une vie à travailler comme infirmière, j'entends encore les lamentations de la guerre. Si les blessures pouvaient se recoudre avec une aiguille et du fil, comme l'accroc d'une toile, les soins seraient plus supportables, mais seul le feu évite le saignement et la pourriture.

Pedro de Valdivia avait plusieurs plaies légères et des contusions, mais il refusa de se laisser soigner. Il réunit sans attendre ses capitaines pour faire le compte de nos pertes.

« Combien de morts et de blessés ? demanda-t-il.

— Don Benito a reçu une mauvaise blessure par flèche. Nous avons un soldat mort, trois blessés dont un grave. Je pense qu'ils ont volé plus de vingt chevaux et tué plusieurs *yanaconas*, annonça Francisco de Aguirre, qui n'était pas bon en arithmétique.

— Quatre Noirs et soixante-trois *yanaconas* sont blessés, plusieurs gravement, corrigeai-je. Un Noir et trente et un Indiens sont morts. Je crois que deux hommes ne passeront pas la nuit. Il faudra transporter les blessés à cheval, nous ne pouvons les laisser en arrière. Les plus mal en point devront être portés dans des hamacs.

— Nous allons installer le campement pour plusieurs jours. Capitaine Quiroga, pour le moment vous remplacez don Benito comme mestre de camp, ordonna Valdivia. Capitaine Villagra, faites un calcul des sauvages qui sont restés sur le champ de bataille. Vous serez responsable de la sécurité, je suppose que tôt ou tard l'ennemi reviendra. Chapelain, chargez-vous des enterrements et des messes. Nous partirons dès que doña Inés considérera cela possible. »

Malgré les précautions de Villagra, le campement était très vulnérable, car nous étions dans une vallée sans protection. Les Indiens chiliens occupaient les sommets, mais ils ne donnèrent aucun signe de vie pendant les deux jours que nous passâmes à cet endroit. Don Benito nous expliqua qu'après chaque bataille ils s'enivrent jusqu'à perdre conscience et ne reviennent attaquer qu'après s'être remis, plusieurs jours plus tard. Tant mieux. J'espère qu'ils ne manqueront jamais de chicha.

CHAPITRE QUATRE

Santiago de la Nouvelle-Estrémadure, 1541-1543

DEPUIS le brancard improvisé sur lequel nous le transportions, don Benito reconnut de loin le mont Huelén, où lui-même avait planté une croix lors de son voyage précédent avec Diego de Almagro.

« Voilà le jardin d'Eden après lequel j'ai soupiré pendant des années! », criait le vieil homme, brûlant de fièvre à cause de la flèche qu'il avait reçue, et que ni les herbes et les sorcelleries de Catalina ni les prières du chapelain n'avaient réussi à guérir.

Nous étions descendus dans une vallée très douce, couverte de chênes et d'autres arbres inconnus en Espagne, *quillajas*, *peumos*, maytenus, coiguës, canneliers. Au plein de l'été, les très hautes montagnes de l'horizon étaient encore couronnées de neige. Des collines, toujours plus de collines, dorées et douces, entouraient la vallée. Un coup d'œil suffit à Pedro pour comprendre que don Benito avait raison : un ciel d'un bleu intense, un air lumineux, une forêt exubérante et une terre féconde, baignée par des ruisseaux et un fleuve aux eaux abondantes, le Mapocho; c'était là le lieu assigné par Dieu pour établir notre première localité, car outre sa beauté et sa bonté, il s'ajustait aux sages règlements édictés par l'empereur Charles Quint pour la fondation des villes dans les Indes : « Ne choisissez point, aux fins de les peupler, des sites en des lieux de grande altitude, en raison de la gêne du vent, des difficultés du service et du charroi, non plus qu'en des lieux très bas, souventefois insalubres ; installez-vous dans ceux de médiane altitude, découverts, qui bénéficient des vents du nord et du midi ; si vous deviez avoir des montagnes et des côtes, qu'elles soient au levant et au ponant ; et en cas que vous édifiiez sur la berge d'un fleuve, disposez le peuplement en sorte que le soleil levant frappe d'abord la ville plutôt que l'eau. » A première vue, les autochtones du lieu étaient pleinement d'accord avec Charles Quint : il y avait une population dense, on apercevait plusieurs villages, de nombreuses plantations, des canaux d'irrigation, des ruisseaux et des chemins. Nous n'étions pas les premiers à découvrir les avantages de cette vallée.

Les capitaines Villagra et Aguirre s'avancèrent avec un détachement pour sonder la réaction des indigènes, tandis que nous attendions à l'abri. Ils revinrent avec la bonne nouvelle que les Indiens, bien que méfiants, n'avaient pas montré d'hostilité. Ils constatèrent que l'empire de l'Inca était arrivé jusque-là et que son représentant, le cacique Vitacura, qui contrôlait la région, se disait prêt à coopérer avec nous, d'après ce qu'il avait affirmé, car il savait que les barbus *viracochas* commandaient au Pérou. « Ne leur faites pas confiance, ce sont des traîtres et des belliqueux », insista don Benito, mais la décision de nous établir dans la vallée était déjà prise, même s'il nous fallait soumettre les habitants par la force. Le fait qu'ils aient installé là leurs habitations et leurs cultures pendant des générations était un attrait pour les fougueux conquérants : cela signifiait que la terre et le climat y étaient agréables. Villagra calcula à vue d'œil, en faisant la somme des campements que nous pouvions voir ou deviner, qu'il devait y avoir quelque dix mille habitants, femmes et enfants pour la plupart. Il n'y avait pas de quoi s'inquiéter, dit-il, à moins que se présentent à nouveau les troupes de Michimalonko. Qu'ont ressenti ces gens lorsqu'ils nous ont vus arriver et, ensuite, lorsqu'ils ont compris que nous voulions rester ?

Treize mois après avoir quitté le Cuzco, en février 1541, Valdivia planta l'étendard de Castille au pied du mont Huelén, qu'il baptisa Santa Lucía parce que c'était le jour de cette martyre, et il prit possession au nom de Sa Majesté, disposé à fonder à cet endroit la ville de Santiago de la Nouvelle-Estrémadure. Après avoir entendu la messe et communié, on procéda à l'antique rite latin consistant à marquer le périmètre de la ville. Comme nous ne disposions pas d'un attelage de bœufs et d'une charrue, nous l'avons fait avec des chevaux, marchant lentement en procession, la statue de la Vierge portée en tête. Valdivia était si ému que des larmes coulaient sur ses joues, mais il n'était pas le seul, la moitié de ces braves soldats pleurait.

Deux semaines plus tard, notre maître d'œuvre, un borgne du nom de Gamboa, fit le tracé classique de la ville. Il désigna d'abord la grand-place et l'endroit où serait dressé l'arbre de la Justice, autrement dit le gibet. De là, à la règle et au cordeau, il dessina les rues droites parallèles et perpendiculaires, divisées en carrés de cent trente-huit aunes, formant quatre-vingts îlots, chacun partagé en quatre cours. Les premiers piquets plantés furent ceux de l'église, sur la place principale. « Un jour, cette modeste chapelle sera une cathédrale », promit González de Marmolejo d'une voix tremblante d'émotion. Pedro réserva pour nous l'îlot situé au nord de la place, puis il répartit les autres en fonction de la catégorie et de la loyauté de ses capitaines et soldats. Avec l'aide de nos *yanaconas* et de quelques Indiens de la vallée qui se présentèrent de leur propre chef, nous avons commencé à construire les maisons, en bois et en briques crues, avec des toits de paille – en attendant de pouvoir fabriquer des tuiles –, des murs épais, des portes et fenêtres étroites, pour nous défendre en cas d'attaque et maintenir une température agréable à l'intérieur. Nous pouvions constater que l'été était chaud, sec et sain. On nous dit que l'hiver serait froid et pluvieux. Le borgne Gamboa et ses assistants tracèrent les rues, tandis que d'autres dirigeaient les équipes des travailleurs pour les constructions. Les forges étaient toujours allumées, produisant des clous, des charnières, des serrures, des rivets, des équerres ; le bruit des marteaux et des scies ne s'arrêtait que la nuit et à l'heure de la messe. L'odeur du bois fraîchement coupé imprégnait l'air. Aguirre, Villagra, Alderete et Quiroga réorganisèrent notre détachement militaire débraillé, très altéré par le long voyage. Valdivia et l'aguerri capitaine Monroy, qui se targuait d'une certaine habileté diplomatique, tentèrent de parlementer avec les indigènes. Quant à moi, il me revint de remettre sur pied les blessés et les malades, et de faire ce que j'aime par-dessus tout : édifier. Je ne l'avais jamais fait auparavant, mais dès qu'on eut planté le premier piquet sur la place je découvris ma vocation et je ne l'ai pas trahie ; depuis, j'ai créé des hôpitaux, des églises, des couvents, des ermitages, des sanctuaires, des villages entiers, et si la vie me laissait assez de temps je bâtirais un orphelinat, qui fait grand défaut à Santiago, car le nombre d'enfants misérables qu'il y a dans les rues, comme il y en avait en Estrémadure, est une honte. Cette terre est féconde et ses fruits devraient suffire à tous. J'assumai avec obstination la tâche d'édifier, qui au Nouveau Monde incombe aux femmes. Les hommes ne construisent que des villages provisoires où ils nous laissent avec les enfants, tandis qu'ils font continuellement la guerre aux indigènes du lieu. Quatre décennies de morts, de sacrifices, d'opiniâtreté et de travail ont dû passer pour que Santiago ait la vigueur dont elle jouit aujourd'hui. Je n'ai pas oublié l'époque où elle était à peine un hameau que nous défendions bec et ongles. J'ai mis les femmes et les cinquante *yanaconas* que m'avait octroyés Rodrigo de Quiroga à fabriquer des tables, des chaises, des matelas, des fours, des métiers à tisser, de la vaisselle en terre cuite, des ustensiles de cuisine, des enclos, des poulaillers, des vêtements, des nappes, des couvertures et tout ce qui est indispensable à une vie civilisée. Afin d'économiser les efforts et les vivres, j'ai au début établi un système afin que personne ne reste le ventre vide. On faisait la cuisine une fois par jour et on servait les écuelles dans des cantines sur la grand-place, à laquelle Pedro avait donné le nom de place d'Armes, bien que nous n'ayons pas un seul canon pour la défendre. Nous les femmes, nous préparions des friands, des haricots, des pommes de terre, des plats de maïs et des terrines avec les oiseaux et les lièvres que les Indiens avaient chassés. Parfois, nous trouvions du poisson et des fruits de mer apportés de la côte par les indigènes de la vallée, mais ils sentaient mauvais. Chacun contribuait aux repas avec ce qu'il pouvait, comme je l'avais fait, quelques années plus tôt, sur le bateau de maître Manuel Martín. Ce système communautaire eut également la vertu d'unir les colons et, au moins pour un temps, de faire taire les mécontents. Nous prenions grand soin des animaux domestiques, ne sacrifiant un volatile que dans des occasions exceptionnelles, car je voulais remplir les enclos en un an. Les cochons, les poules, les oies et les lamas étaient aussi importants que les chevaux, et sûrement beaucoup plus que les chiens. Les animaux avaient autant souffert que les hommes pendant le voyage, aussi chaque œuf et chaque nouveau-né étaient-ils un motif de fête. Je fis des pépinières afin de planter au printemps, dans les métairies assignées par Gamboa, le maître d'œuvre, du blé, des légumes, des fruits et même des fleurs, parce que je ne pouvais vivre sans fleurs ; elles étaient le seul luxe de notre rude existence. J'essayais d'imiter les plantations des Indiens de la vallée et leur méthode d'irrigation, au lieu de reproduire ce que j'avais vu dans les vergers de Plasencia ; sans doute connaissaient-ils mieux le terrain que nous.

Je n'ai pas mentionné le maïs, ou blé indien, sans lequel nous n'aurions pas survécu. Cette céréale se plantait sans nettoyer ni labourer le sol, il suffisait de couper les branches des arbres voisins pour que le soleil chauffe librement ; on faisait de légères éraflures dans la terre avec une pierre au fil tranchant, lorsqu'on n'avait pas de houe, puis on jetait les graines qui poussaient toutes seules. Les épis mûrs pouvaient rester sur les plantes pendant des semaines sans pourrir, ils se détachaient de la tige sans la briser, il n'était pas nécessaire de les battre et de les vanner. Sa culture était si facile, et la production si abondante, que les Indiens – mais également les Castillans – se nourrissaient de maïs dans tout le Nouveau Monde.

Valdivia et Monroy revinrent exultants avec la nouvelle que leurs démarches diplomatiques avaient été un succès : Vitacura allait venir nous rendre visite. Don Benito avertit que ce cacique avait trahi Almagro et qu'il fallait se préparer à un tour pendable. Mais cela ne découragea personne. Nous étions fatigués de batailler. Les hommes firent reluire leurs heaumes et leurs armures, on décora la place d'étendards, on répartit en cercle les chevaux, qui causaient grande impression aux Indiens, et on prépara un accueil en musique avec les instruments dont on disposait. Par précaution, Valdivia fit charger les arquebuses et posta Quiroga avec un groupe de tireurs cachés, prêts à agir en cas d'urgence. Vitacura se présenta avec trois heures de retard, selon le protocole des Incas, comme nous l'expliqua Cecilia. Il était paré de plumes de toutes les couleurs, tenait une petite hache d'argent à la main, emblème de son rang, et était entouré de sa famille ainsi que de plusieurs personnages de sa cour, dans le style des nobles du Pérou. Ils venaient sans armes. Il fit en quechua un discours interminable, très embrouillé, et Valdivia répondit par une autre demi-heure de flatteries en castillan, tandis que les truchements peinaient à traduire les deux langues. Le cacique apporta comme présent quelques pépites d'or, qui selon lui provenaient du Pérou, de petits objets d'argent et des couvertures en laine d'alpaga ; il offrit aussi un certain nombre d'hommes pour nous aider à construire la ville. En échange, notre capitaine général lui donna quelques colifichets apportés d'Espagne ainsi que des chapeaux, très appréciés des Quechuas. Je fis servir un repas copieux et bien arrosé de chicha, de nopal et de *muday*, une liqueur forte de maïs fermenté.

« Y a-t-il de l'or dans la région ? demanda Alonso Monroy au nom des autres hommes, que rien d'autre n'intéressait.

— Il n'y a pas d'or, mais dans les montagnes il y a une mine d'argent », répliqua Vitacura.

La nouvelle enthousiasma les soldats, mais elle assombrit Valdivia. Cette nuit-là, tandis que les autres échafaudaient des plans avec l'argent qu'ils n'avaient pas encore, Pedro se lamentait. Nous étions sur notre terrain, installés dans la tente de Pizarro – nous n'avions encore bâti ni les murs ni le toit de la maison –, nous trempant dans le baquet rempli d'eau froide pour nous rafraîchir de la chaleur étouffante de la journée.

« Quel dommage cette histoire d'argent, Inés ! Je préférerais que le Chili soit aussi pauvre qu'on le disait. Je suis venu fonder un peuple travailleur avec de bons principes. Je ne veux pas qu'il se corrompe avec des richesses faciles.

— Reste à voir si la mine existe, Pedro.

— J'espère que non, mais de toute façon il sera impossible d'empêcher les hommes de courir après. »

Et c'est ce qu'il se passa. Le lendemain, plusieurs bandes de soldats s'étaient déjà organisées pour explorer la région à la recherche de la maudite mine. C'était justement ce qu'espéraient nos ennemis : que nous nous séparions en petits groupes.

*

Le capitaine général désigna le premier conseil municipal, nommant comme adjoints ses plus fidèles compagnons, puis il se prépara à distribuer soixante parcelles de terre, avec les Indiens pour les travailler, aux hommes les plus valeureux de l'expédition. Il me parut précipité de répartir la terre et les propriétés que nous n'avions pas, surtout sans connaître la véritable étendue et la richesse du Chili, mais c'est ainsi que l'on fait toujours : on plante un drapeau, on prend possession avec de l'encre et du papier, puis vient le problème de convertir la lettre en biens, et pour cela il faut dépouiller les indigènes, et en plus les obliger à travailler pour les nouveaux propriétaires. Malgré tout, je me sentis très honorée, car Pedro me considéra comme le principal de ses capitaines et m'attribua la plus grande part de terre, avec ses sujets indiens, alléguant que j'avais affronté autant de dangers que le plus vaillant des soldats, qu'à plusieurs reprises j'avais sauvé l'expédition et que si les tâches étaient ardues pour les hommes, elles l'étaient bien davantage pour une femme fragile. Je n'avais rien d'une femme fragile, bien entendu, mais personne n'opposa tout haut d'objection à sa décision. Cependant, Sancho de la Hoz s'en servit pour attiser le feu de la rancune parmi les séditieux. Je pensai que si un jour ces fantastiques haciendas devenaient réalité, moi, une modeste fille d'Estrémadure, je serais l'un des plus riches propriétaires du Chili. Comme ma mère se réjouirait de cette nouvelle !

Au cours des mois qui suivirent, tel un miracle, la ville surgit de terre. A la fin de l'été il y avait déjà beaucoup de maisons de bel aspect, nous avions planté des rangées d'arbres pour avoir de l'ombre et des oiseaux dans les rues, la population récoltait les premiers légumes dans les jardins potagers, les animaux paraissaient sains et nous avions stocké des provisions pour l'hiver. Cette prospérité irritait les Indiens de la vallée, car ils se rendaient bien compte que nous n'étions pas ici de passage. Ils supposaient, avec raison, que d'autres *huincas* allaient arriver pour leur prendre leurs terres et faire d'eux des esclaves. Tandis que nous nous préparions à rester, eux se préparaient à nous chasser. Ils restaient invisibles, mais on commença à entendre l'appel lugubre des *trutucas* – flûtes de roseaux – et des *pilloi* – flûtes faites avec les tibias de leurs ennemis. Les guerriers prenaient soin de nous éviter ; seuls des vieux, des femmes et des enfants rôdaient aux abords de

Santiago, mais de toute façon nous restions sur nos gardes. D'après don Benito, la visite de Vitacura avait pour seul but de vérifier notre capacité militaire, et le cacique n'avait certainement pas été impressionné, malgré le déploiement théâtral que nous avions mis en place à cette occasion. Il avait dû partir mort de rire en comparant notre faible contingent aux milliers de Chiliens qui espionnaient dans les forêts voisines. Lui était un Quechua du Pérou, représentant des Incas, il n'avait pas l'intention de se mêler au conflit qui allait opposer les *huincas* aux Promaucaes du Chili. Il calcula que si la guerre éclatait, il pourrait en tirer des bénéfices. L'eau trouble est le gain du pêcheur.

Catalina et moi, en nous aidant de signes et de mots quechua, allions faire du troc dans les environs. Ainsi avons-nous rapporté des volailles et des guanacos, animaux qui ressemblent aux lamas et donnent une bonne laine, en échange de babioles tirées du fond de mes malles, ou de nos services de guérisseuses. Nous avions d'excellentes mains pour réparer les os cassés, cautériser les blessures et aider dans les accouchements ; cela nous fut utile. Dans les villages des indigènes, nous avons connu deux *machis*, ou guérisseuses, qui échangèrent des herbes et des charmes avec Catalina et nous apprirent les propriétés des plantes chiliennes, différentes de celles du Pérou.

Les autres « médecins » de la vallée étaient des sorciers, qui extrayaient à grand tapage des bestioles du ventre des malades ; ils offraient de petits sacrifices et terrifiaient les gens avec leurs pantomimes, méthode qui donnait parfois de bons résultats, comme je pus moi-même le constater. Catalina, qui avait travaillé au Cuzco avec l'un de ces *camascas*, « opéra » don Benito lorsque tous les autres recours eurent échoué. Très discrètement, avec l'aide de quelques Indiennes silencieuses de la suite de Cecilia, le vieil homme fut transporté dans la forêt, où Catalina dirigea la cérémonie. Elle l'étourdit avec une potion d'herbes, l'asphyxia avec de la fumée et procéda au massage de la blessure à la cuisse, qui n'avait pas bien cicatrisé. Le restant de ses jours, don Benito raconterait à qui voudrait l'entendre comment il avait vu, de ses propres yeux, sortir de sa blessure les lézards et les couleuvres qui empoisonnaient sa jambe, et comment, après cela, il guérit complètement. Certes, il resta boiteux, mais il ne mourut pas de gangrène, comme on le craignait. Il ne me parut pas nécessaire de lui expliquer que Catalina portait les reptiles morts cachés dans ses manches. « Si avec la magie il va mieux, continuez à lui en donner », dit Cecilia.

De son côté cette princesse, qui servait de passerelle entre la culture quechua et la nôtre, établit un réseau de renseignement en utilisant ses servantes. Elle alla même rendre visite au cacique Vitacura, qui tomba à genoux et frappa le sol de son front lorsqu'il sut qu'elle était la plus jeune sœur de l'Inca Atahualpa. Cecilia apprit qu'au Pérou les choses étaient confuses, il courait même des rumeurs selon lesquelles Pizarro avait trépassé. Dans le plus grand secret je m'empressai d'en informer Pedro.

« Comment sais-tu si c'est vrai, Inés ?

— C'est ce que disent les *chasquis*. Je ne peux assurer que cela soit vrai, mais il conviendrait de prendre des précautions, ne crois-tu pas ?

— Par chance, nous sommes loin du Pérou.

— Oui, mais que devient ton titre si Pizarro meurt ? Tu es son lieutenant gouverneur.

— Si Pizarro meurt, je suis sûr que Sancho de la Hoz et d'autres remettront ma légitimité en cause.

— Ce serait différent si tu étais gouverneur, n'est-ce pas ? suggérai-je.

— Je ne le suis pas, Inés. »

L'idée resta en suspens, car Pedro savait très bien que je ne resterais pas les bras croisés. Je mis à profit mon amitié avec Rodrigo de Quiroga et Juan Gómez pour lancer l'idée que Valdivia devait être nommé gouverneur. En quelques jours on ne parlait plus d'autre chose à Santiago, comme je l'avais prévu. Sur ces entrefaites se déchaînèrent les premières pluies de l'hiver, le fleuve Mapocho grossit, ses eaux débordèrent et la ville naissante fut changée en bourbier, mais cela n'empêcha pas le conseil de se réunir, avec une grande solennité, dans l'une des chaumières. Les capitaines qui se rassemblèrent pour désigner Valdivia gouverneur avaient de la boue jusqu'aux chevilles. Lorsqu'ils vinrent chez nous annoncer la décision, il parut tellement surpris que j'en fus effrayée. Peut-être en avais-je trop fait dans le désir de deviner sa pensée.

« Je suis touché de la confiance que vous déposez en moi, messieurs, mais c'est une décision précipitée. Nous ne sommes pas sûrs de la mort du marquis Pizarro, à qui je dois tant. En aucune façon je ne peux passer par-dessus son autorité. Je regrette, mes bons amis, mais il m'est impossible d'accepter l'honneur suprême que vous me faites. »

Dès que les capitaines furent partis, Pedro m'expliqua que c'était là une manœuvre astucieuse pour se protéger, car on pouvait à l'avenir l'accuser d'avoir trahi le marquis, mais il était sûr que ses amis reviendraient à la charge. En effet, les membres du conseil revinrent avec une pétition écrite et signée par tous les habitants de Santiago. Ils alléguèrent que nous étions très loin du Pérou et encore plus loin de l'Espagne, sans communication, isolés au bout du monde, raison pour laquelle ils suppliaient Valdivia d'être notre gouverneur. Pizarro trépassé ou non, ils souhaitaient qu'il occupe cette charge. Il leur fallut insister par trois fois, jusqu'à ce que je souffle à Pedro qu'il s'était assez fait prier, et que ses amis pouvaient se lasser et finir par en nommer un autre ; plusieurs honorables capitaines seraient heureux d'être gouverneurs, comme je le savais par les potins des Indiennes. Alors il daigna accepter : puisque tous le demandaient, il ne pouvait s'y opposer, la voix du peuple est la voix de Dieu, il respectait humblement la volonté collective pour mieux servir Sa Majesté, et cætera. On rédigea le document adéquat, qui le mettait à l'abri de toute accusation dans le futur, et c'est ainsi que le premier gouverneur du Chili fut nommé par décision populaire et non par lettre royale. Valdivia désigna Monroy comme lieutenant gouverneur et je devins la *Gobernadora*, la Femme du Gouverneur, avec une majuscule, car tel est le titre que les gens m'ont donné pendant quarante ans. Dans la pratique, plus qu'un honneur, ce fut une grande responsabilité. Je suis devenue la mère de notre petite localité, devant veiller au bien-être de chacun de ses habitants, de Pedro de Valdivia à la dernière poule du poulailler. Il n'y avait pas de repos pour moi, je vivais dans le souci des détails quotidiens : nourriture, vêtements, cultures, animaux. Par chance, je n'ai jamais eu besoin de plus de trois ou quatre heures de sommeil, si bien que je disposais de plus de temps que les autres pour faire mon travail. Je décidai de connaître chaque soldat et chaque *yanacona* par leur nom et leur fis savoir que ma porte serait toujours ouverte pour les recevoir et écouter leurs peines. Je veillais à ce qu'il n'y eût pas de châtiments injustes ou inconsidérés, en particulier pour les Indiens ; Pedro avait confiance dans mon jugement et, la plupart du temps, il m'écoutait avant de prononcer une sentence. Je crois qu'à cette époque la plupart des soldats m'avaient pardonné le tragique épisode d'Escobar et me respectaient, parce que j'avais soigné nombre de leurs blessures et de leurs fièvres, que je les avais nourris à la table commune et aidés à aménager leurs demeures.

La nouvelle que Pizarro était mort ne fut pas confirmée, mais elle fut prophétique. A ce moment le Pérou était calme ; or un mois plus tard, un petit groupe de « gueux chiliens », les vieux soldats de l'expédition d'Almagro, fit irruption dans le palais du marquis gouverneur et le tua à coups de poignard. Deux domestiques lui portèrent secours, tandis que ses courtisans et ses sentinelles s'enfuyaient par les balcons. La population de la Cité des Rois ne regretta pas ce crime, elle en avait plus qu'assez des excès des frères Pizarro, et en moins de deux heures le marquis gouverneur fut remplacé par le fils de Diego de Almagro, un jeune homme sans expérience, qui la veille n'avait pas un maravédis en poche pour se nourrir et du jour au lendemain se retrouva maître d'un empire fabuleux. Lorsque la nouvelle fut confirmée au Chili, des mois plus tard, Valdivia avait bien assuré son poste de gouverneur.

« En vérité tu es une sorcière, Inés... », murmura Pedro, effrayé, lorsqu'il l'apprit.

*

Au cours de l'hiver, l'hostilité des Indiens de la vallée devint évidente. Pedro donna l'ordre que personne n'abandonne la ville sans un motif justifié et sans protection. Mes visites aux guérisseuses et aux marchés prirent fin, mais je crois que Catalina garda un contact avec les villages, car ses discrètes disparitions nocturnes se poursuivirent. Cecilia apprit que Michimalonko se préparait à nous attaquer et que, pour exciter ses guerriers, il leur avait offert les chevaux et les femmes de Santiago. Ses troupes étaient plus nombreuses et il y avait déjà six *toquis* et leurs gens, installés dans l'un de ses forts ou fortins, attendant le moment favorable pour attaquer.

Valdivia écouta les détails de la bouche de Cecilia et, après s'être entretenu avec ses capitaines, il décida de prendre les devants. Il laissa le gros de ses troupes pour protéger Santiago et partit avec Alderete, Quiroga et un détachement de ses meilleurs soldats affronter Michimalonko sur son propre terrain. Le fortin était une construction de pisé, de pierre et de bois entourée d'une palissade de troncs, qui donnait l'impression d'avoir été construite à la va-vite, comme protection temporaire. De plus, il était situé sur un point vulnérable et mal défendu, si bien que les soldats espagnols n'eurent aucun mal à s'en approcher de nuit pour y mettre le feu. Ils attendirent dehors que les guerriers sortent, étouffés par la fumée, et en massacrèrent un nombre impressionnant.

La défaite des indigènes fut rapide et les nôtres capturèrent plusieurs caciques, et parmi eux Michimalonko. Nous les vîmes arriver à pied, attachés aux montures des capitaines qui les traînaient ; meurtris et offensés, mais hautains. Ils couraient à côté des chevaux sans montrer aucun signe de crainte ou de fatigue. C'étaient des hommes de petite taille, mais bien bâtis, aux mains et aux pieds fins, le dos et les membres robustes, le torse bombé. Ils portaient leurs longs cheveux noirs tressés avec des rubans de couleurs et le visage peint de jaune et de bleu. J'appris que le *toqui* Michimalonko avait plus de soixante-dix ans, mais j'avais du mal à le croire, car il avait toutes ses dents et était aussi résistant qu'un jeune homme. Les Mapuche qui ne meurent pas dans des accidents ou à la guerre peuvent vivre dans de bonnes conditions jusqu'à plus de cent ans. Ils sont très forts, courageux et audacieux, résistent à des froids mortels, à la faim et à la chaleur. Le gouverneur ordonna de laisser les *toquis* enchaînés dans la hutte qui faisait office de prison ; ses capitaines projetaient de leur faire subir la torture pour savoir s'il y avait des mines d'or dans la région, au cas où le cacique Vitacura aurait menti.

« Cecilia dit qu'il est inutile de torturer les Mapuche, on ne pourra jamais les faire parler. Les Incas l'ont tenté bien des fois, mais les femmes et les enfants eux-mêmes ne parlent pas sous la torture », expliquai-je à Pedro ce soir-là tandis que je lui enlevai son armure et ses vêtements couverts de sang séché.

« Alors les *toquis* nous serviront simplement d'otages.

— On me dit que Michimalonko est très orgueilleux.

— Cela ne lui sert pas à grand-chose maintenant qu'il est enchaîné, me répondit-il.

— S'il ne parle pas par la force, peut-être le fera-t-il par vanité. Tu sais comment sont certains hommes... », suggérai-je.

Le lendemain, Pedro décida d'interroger le *toqui* Michimalonko d'une façon si peu habituelle qu'aucun de ses capitaines ne comprit quelles étaient ses intentions. Il commença par

212

ordonner qu'on lui ôte ses liens et qu'on le conduise dans une maison à l'écart, loin des autres captifs, où les trois plus belles Indiennes de mon service le lavèrent et l'habillèrent de vêtements propres et de bonne qualité, lui servirent un repas copieux et autant de *muday* qu'il voulut boire. Valdivia le fit escorter par une garde d'honneur et le reçut dans le bureau du conseil décoré d'étendards, entouré de ses capitaines en armures reluisantes et panaches de couleurs élégantes. J'étais là avec ma robe en velours couleur améthyste, la seule que j'avais, les autres ayant été abandonnées sur la route du nord. Michimalonko me jeta un regard d'appréciation, je ne sais s'il reconnut la virago qui l'avait affronté avec une épée. Deux chaises identiques avaient été disposées, l'une pour Valdivia et l'autre pour le *toqui*. Nous avions un truchement, mais nous savions déjà que le mapudungu ne peut se traduire, car c'est une langue poétique que l'on crée au fur et à mesure qu'on la parle ; les mots changent, coulent, s'unissent, se défont, c'est pur mouvement, raison pour laquelle il est également impossible de l'écrire. Si quelqu'un tente de la traduire mot à mot, on ne comprend rien. Tout au plus le truchement pouvait-il transmettre une idée générale. Avec le plus grand respect et la plus grande solennité, Valdivia exprima son admiration pour le courage de Michimalonko et de ses guerriers. Le *toqui* répliqua par des amabilités équivalentes, et ainsi, de flatterie en flatterie, Valdivia le conduisit peu à peu sur le chemin de la négociation, tandis que ses capitaines, perplexes, observaient la scène. Le vieux chef était fier de discuter d'égal à égal avec ce puissant ennemi, l'un des barbus qui avaient vaincu l'empire de l'Inca lui-même. Il se vanta bientôt de son rang, de son lignage, de ses traditions, du nombre de ses troupes et de ses femmes, qui étaient plus de vingt, mais il y avait de la place dans sa demeure pour plusieurs autres, y compris pour une *chiñura* espagnole. Valdivia lui raconta qu'Atahualpa avait rempli une pièce d'or jusqu'au plafond pour payer sa rançon ; plus le prisonnier avait de valeur, plus la

213

rançon était élevée, ajouta-t-il. Michimalonko demeura un moment pensif, sans que personne l'interrompe, se demandant, je suppose, pourquoi les *huincas* aimaient tellement ce métal qui n'avait fait que leur apporter des ennuis; pendant des années ils avaient dû le donner à l'Inca en guise de tribut. Et voilà pourtant qu'il pouvait tout à coup avoir un bon usage : payer sa propre rançon. Si Atahualpa avait rempli une pièce d'or, lui-même ne pouvait faire moins. Alors il se leva, dressé comme une tour, frappa sa poitrine de ses poings et annonça d'une voix ferme qu'en échange de sa liberté il était prêt à donner aux *huincas* la seule mine de la région, des lavoirs d'or appelés Marga-Marga, et en plus il offrit mille cinq cents personnes pour y travailler.

De l'or! L'allégresse se répandit dans la ville, enfin l'aventure de la conquête du Chili prenait un sens pour les hommes. Pedro de Valdivia partit à la tête d'un détachement bien armé, emmenant Michimalonko à côté de lui sur le bel alezan dont il lui avait fait présent. Il pleuvait à seaux, ils grelottaient, trempés, mais étaient pleins d'allant. Pendant ce temps, à Santiago, on entendait les hurlements de rage des *toquis* trahis par Michimalonko, qui se trouvaient encore enchaînés à leurs poteaux. Depuis la forêt, les *trutucas* répondaient en mapudungu aux malédictions des chefs.

Ce vantard de Michimalonko guida les *huincas* dans les montagnes jusqu'à l'embouchure d'un fleuve près de la côte, à trente lieues de Santiago, et de là à un ruisseau où se trouvaient les lavoirs que ses gens avaient exploités pendant de nombreuses années dans le seul but de satisfaire l'avidité de l'Inca. En accord avec ce qui avait été négocié, il mit quinze cents âmes, dont plus de la moitié s'avérèrent être des femmes, à la disposition de Valdivia, mais il n'y eut rien à redire, car chez les indigènes chiliens, ce sont elles qui font le travail; les hommes, eux, prononcent des discours et exécutent des tâches qui requièrent des muscles, comme la guerre, nager et jouer à la balle. Les hommes assignés par Michimalonko étaient très paresseux, car à leurs yeux passer la journée dans l'eau avec un panier pour laver le sable n'était pas un ouvrage de guerriers, mais Valdivia supposa que les coups de fouet des Noirs les rendraient plus complaisants. Il y a longtemps que je vis au Chili et je sais qu'il est inutile d'asservir les Mapuche, ils meurent ou s'enfuient. Ce ne sont pas des vassaux et ils ne comprennent pas la notion de travail, encore moins les raisons de laver de l'or dans la rivière pour le donner aux *huincas*. Ils vivent de la pêche, de la chasse, de certains fruits comme le pignon, des plantations et des animaux domestiques. Ils ne possèdent que ce qu'ils peuvent emporter avec eux. Quelle raison auraient-ils de se soumettre aux coups de fouet des contremaîtres? La peur? Ils ne la connaissent pas. Ils apprécient d'abord le courage, et ensuite la réciprocité : tu me donnes, je te donne, avec équité. Ils n'ont pas de cachots, ni d'alguazils ni d'autres lois que les naturelles; le châtiment aussi est naturel, celui qui fait le mal court le risque qu'il lui arrive la même chose. Ainsi est la Nature, et il ne peut en être autrement parmi les humains. Voilà quarante ans qu'ils sont en guerre contre nous et ils ont appris à torturer, voler, mentir et tendre des embuscades, mais on m'a dit qu'entre eux ils vivent en paix. Les femmes entretiennent un réseau de relations qui unit les clans, y compris ceux éloignés par des centaines de lieues. Avant la guerre, ils se rendaient souvent visite et, comme les voyages étaient longs, chaque rencontre durait des semaines et servait à renforcer les liens et la langue mapudungu, à raconter des histoires, danser, boire, arranger de nouveaux mariages. Une fois l'an, les tribus se rassemblaient dans la plaine pour un *Nguillatún*, invocation au Seigneur des Êtres humains, Ngenechén, et pour honorer la Terre, déesse de l'abondance, féconde et fidèle, mère du peuple mapuche. Ils considèrent que c'est un manque de respect que de déranger Dieu chaque dimanche, comme nous le faisons; une fois l'an est plus que suffisant. Leurs *toquis* ont une autorité relative, car il n'y a aucune obligation de leur obéir, leurs responsabilités sont plus fortes que leurs privilèges. Alonso de Ercilla y Zúñiga décrit ainsi la manière dont ils sont choisis :

> *Ils ne le sont ni par qualité, ni par héritage,*
> *ni par propriété ou meilleure naissance ;*
> *la vertu de leur bras et leur excellence,*
> *voilà ce qui détermine la préférence,*
> *ce qui illustre, habilite, perfectionne*
> *et mesure la valeur de la personne.*

En arrivant au Chili nous ne savions rien des Mapuche, nous pensions qu'il serait facile de les soumettre, comme nous l'avions fait avec des peuples beaucoup plus civilisés, les Aztèques et les Incas. Il nous fallut des années pour comprendre combien nous étions dans l'erreur. On ne voit pas la fin de cette guerre, parce que lorsque nous supplicions un *toqui* il en surgit immédiatement un autre, et lorsque nous exterminons une tribu entière, une autre sort de la forêt et prend sa place. Nous, nous voulons fonder des villes et prospérer, vivre dans la décence et la mollesse, alors qu'ils n'aspirent qu'à la liberté.

Pedro fut absent plusieurs semaines, car après avoir organisé le travail de la mine, il décida d'entreprendre la construction d'un brigantin pour établir une communication avec le Pérou ; nous ne pouvions rester isolés au cul du monde et sans autre compagnie que des sauvages nus, comme disait Francisco de Aguirre dans son franc-parler. Il découvrit une baie tout à fait propice, du nom de Concón, avec une large plage de sable clair, bordée d'une forêt de bois sain et résistant à l'eau. Il y installa le seul de ses hommes qui avait de vagues notions maritimes, secondé par une poignée de soldats, plusieurs contremaîtres, des Indiens auxiliaires et d'autres que fournit Michimalonko.

« Avez-vous un plan pour le bateau, monsieur le gouverneur ? demanda le prétendu expert.

— Ne me dites pas que vous avez besoin d'un plan pour quelque chose d'aussi simple ! le défia Valdivia.

— Je n'ai jamais construit de bateau, Excellence.

— Priez pour qu'il ne coule pas, mon ami, car vous serez du premier voyage », dit en partant le gouverneur, très satisfait de son projet.

Pour la première fois, l'idée de l'or l'enthousiasmait, il imaginait la tête des gens au Pérou lorsqu'ils sauraient que le Chili n'était pas aussi misérable qu'on le disait. Il enverrait un échantillon d'or dans son propre bateau, cela ferait sensation et attirerait d'autres colons, Santiago serait la première de nombreuses villes prospères et bien peuplées. Comme il l'avait promis, il laissa Michimalonko en liberté et prit congé de lui avec les plus grandes marques de respect. L'Indien partit au galop sur son nouveau cheval, dissimulant son rire.

*

Au cours de l'une de ses expéditions d'évangélisation, qui jusqu'alors n'avaient pas donné le moindre résultat – les autochtones de la vallée manifestaient une incroyable indifférence aux avantages du christianisme –, le chapelain González de Marmolejo revint avec un jeune garçon. Il l'avait trouvé errant sur les rives du Mapocho, maigre, couvert de crasse et de croûtes de sang. Au lieu de s'enfuir en courant, comme faisaient les Indiens chaque fois qu'il apparaissait dans sa soutane graisseuse, brandissant sa croix, le gamin se mit à le suivre comme un chien, sans dire un mot, les yeux brûlants, attentif à chaque mouvement du moine. « Va-t'en, petit ! Ouste ! », lui lançait le chapelain en menaçant de le frapper avec la croix. Mais rien n'y fit, il le suivit jusqu'à Santiago. Faute d'une autre solution, il l'amena chez moi.

« Que voulez-vous que j'en fasse, mon père ? Je n'ai pas le temps d'élever des marmots, lui dis-je, car la dernière chose qui me convenait, c'était de m'attacher à un enfant de l'ennemi.

« — Ta maison est la meilleure de la ville, Inés. Ce pauvre petit sera très bien ici.

— Mais... !

— Que disent les commandements de la loi de Dieu ? Il faut nourrir celui qui a faim et vêtir celui qui est nu, m'interrompit-il.

— Je ne me souviens pas de ce commandement, mais si vous le dites...

— Mets-le à travailler avec les cochons et les poules, il est très docile. »

Je pensai qu'il aurait bien pu l'élever, lui – il avait pour cela une maison et une concubine –, et en faire un sacristain, mais je ne pus refuser parce que je devais bien des faveurs à ce chapelain ; tant bien que mal, il m'instruisait. Je pouvais déjà lire sans aide l'un des trois livres de Pedro, *Amadís*, un roman d'amour et d'aventures. Pour les deux autres, je n'osais pas encore, *El cantar de Mío Cid*, une chanson de geste qui raconte la vie du Cid, où il n'est question que de batailles, et *Enchiridion Militis Christiani*, le « Manuel du soldat chrétien » d'Erasme, qui ne m'intéressait pas le moins du monde. Le chapelain avait plusieurs autres livres, qui étaient sûrement eux aussi interdits par l'Inquisition, mais que j'espérais bien lire un jour. Bref, le gamin resta avec nous. Catalina le lava et nous vîmes que ce n'était pas de sang séché qu'il était couvert, mais de boue et d'argile ; à part quelques égratignures et meurtrissures, il était en parfaite santé. Il devait avoir onze ou douze ans, il était maigre – on lui voyait les côtes –, mais fort, couronné d'une touffe de cheveux noirs, raides de crasse. Il arriva presque nu. Il nous attaqua à coups de dents lorsque nous voulûmes lui ôter une amulette pendue à son cou par un cordon de peau. Bien vite je l'oubliai, car j'étais très occupée par la fondation de la ville, mais quelques jours plus tard Catalina me le rappela. Elle me dit qu'il n'avait pas bougé de l'enclos où nous l'avions laissé, et qu'il n'avait pas mangé non plus.

« Qu'allons-nous faire de lui, *mamitay?*

— Qu'il aille retrouver les siens, c'est le mieux. »

J'allai le voir et le trouvai assis dans la cour, immobile, taillé dans le bois, ses yeux noirs fixés sur les montagnes. Il avait jeté au loin la couverture que nous lui avions donnée, il paraissait aimer le froid et la bruine de l'hiver. Je lui expliquai par signes qu'il pouvait s'en aller, mais il ne bougea pas.

« Partir, il veut pas. Il veut rester, c'est tout, soupira Catalina.

— Eh bien qu'il reste.

— Et qui va surveiller ce sauvage, alors, *señoray?* Tous des voleurs et des paresseux, ces Mapuche.

— Ce n'est qu'un enfant, Catalina. Il va partir, il n'a rien à faire ici. »

J'offris au gamin une galette de maïs, il ne réagit pas, mais lorsque je lui tendis une calebasse d'eau, il la prit à deux mains et but tout le contenu à lampées sonores, comme un loup. Contrairement à mes prédictions, il resta avec nous. On l'habilla d'un poncho et de chausses d'adulte retenues par une ceinture, pendant qu'on lui cousait quelque chose à sa taille, on lui coupa les cheveux et on l'épouilla. Le lendemain il mangea avec un féroce appétit, et bientôt sortit de l'enclos pour errer dans la maison, puis dans la ville, telle une âme en peine. Il était plus intéressé par les animaux que par les êtres humains, et les premiers lui répondaient bien ; les chevaux mangeaient dans sa main, et même les chiens les plus féroces, entraînés à attaquer les Indiens, agitaient la queue devant lui. Au début on le rejetait de toutes parts, aucun voisin ne voulait d'un petit Indien aussi étrange sous son toit, pas même le bon chapelain, qui me prêchait tellement les devoirs chrétiens ; mais bientôt ils s'habituèrent à sa présence et le petit devint invisible, il entrait et sortait des maisons, toujours silencieux et attentif. Les Indiennes du service lui donnaient des sucreries et même Catalina finit par l'accepter, quoiqu'en maugréant.

Sur ce, Pedro revint, fatigué et endolori par la longue chevauchée, mais très satisfait, car il rapportait les premiers échantillons d'or, des pépites de belle taille tirées de la rivière. Avant de se réunir avec ses officiers, il me prit par la taille et m'emmena au lit. « En vérité, tu es mon âme, Inés », soupira-t-il en m'embrassant. Il sentait le cheval et la sueur, jamais il ne m'avait paru si beau, si fort, si mien. Il avoua que je lui avais manqué, que chaque fois il avait plus de mal à s'éloigner de moi, même si ce n'était que pour quelques jours, que lorsque nous étions séparés il faisait de mauvais rêves, des rêves prémonitoires, il avait peur de ne plus me revoir. Je le déshabillai comme un enfant, le lavai avec un chiffon mouillé, embrassai une à une ses cicatrices, depuis celle épaisse en forme de fer à cheval sur la hanche, et les centaines d'éraflures de guerre sur les bras et les jambes, jusqu'à la petite étoile de la tempe qu'il s'était faite en tombant, étant enfant. Nous fîmes l'amour avec une tendresse lente et nouvelle, comme un couple de grands-parents. Pedro était si éreinté par ces semaines d'effort qu'il me laissa faire avec une douceur de vierge. Montée sur lui, l'aimant lentement, afin qu'il jouisse douce-ment, j'admirai son noble visage à la lumière de la bougie, son large front, son nez proéminent, ses lèvres de femme. Il avait les yeux fermés et un sourire paisible, il s'abandonnait, sem-blait jeune et vulnérable, différent de l'homme aguerri et ambitieux qui quelques semaines plus tôt était parti à la tête de ses soldats. A un moment, pendant la nuit, il me sembla apercevoir dans un coin la silhouette du jeune Mapuche, mais cela avait pu n'être qu'un jeu d'ombres.

Le lendemain, lorsqu'il revint de sa réunion avec le conseil, Pedro me demanda qui était le petit sauvage. Je lui expliquai que le chapelain me l'avait confié, que nous supposions qu'il était orphelin. Pedro l'appela, il l'examina des pieds à la tête et il lui plut, peut-être lui rappelait-il comment il était lui-même à cet âge, tout aussi sérieux et fier. Il se rendit compte que l'enfant ne parlait pas castillan et il envoya chercher un truchement.

220

« Dis-lui qu'il peut rester avec nous, à condition qu'il devienne chrétien. Il s'appellera Felipe. J'aime ce prénom, si j'avais un fils, c'est ainsi que je l'appellerais. D'accord ? », annonça Valdivia.

Le gamin acquiesça. Pedro ajouta que si on le surprenait en train de voler il commencerait par le faire fouetter, puis le chasserait de la ville ; il avait de la chance, car d'autres lui couperaient la main droite d'un coup de hache. Compris ? De nouveau il acquiesça, muet, avec une expression plus ironique qu'effrayée. Je demandai au truchement de lui proposer un marché : s'il m'apprenait sa langue, je lui apprendrais le castillan. Felipe ne fut pas du tout intéressé. Alors Pedro proposa mieux : s'il m'apprenait le mapudungu il aurait la permission de s'occuper des chevaux. Aussitôt le visage du gamin s'illumina et, dès cet instant, il montra une véritable adoration pour Pedro, qu'il appelait *Taita*. Moi, il m'appelait formellement *chiñura*, pour *señora*, madame, je suppose. Nous restâmes sur cet accord. Felipe se révéla être un excellent professeur, et moi une bonne élève ; c'est ainsi que, grâce à lui, je devins la seule *huinca* capable de s'entendre directement avec les Mapuche, mais cela prendrait près d'un an. Je dis « m'entendre avec les Mapuche », mais c'est une illusion, jamais nous ne nous comprendrons, il y a trop de rancœurs accumulées.

*

Nous étions encore au cœur de l'hiver lorsque deux des soldats que Pedro avait laissés à Marga-Marga arrivèrent à bride abattue. Exténués, grièvement blessés, trempés de pluie et de sang, leurs montures sur le point de crever, ils venaient nous dire qu'à la mine les Indiens de Michimalonko s'étaient soulevés et qu'ils avaient assassiné de nombreux *yanaconas*, les Noirs et presque tous les soldats espagnols ; eux seuls avaient réussi à s'échapper vivants. De l'or ramassé, il ne restait pas une seule pépite. Sur la plage de Concón, ils avaient aussi tué nos gens; les corps en morceaux gisaient éparpillés sur le sable, et le bateau en construction avait été réduit à un tas de bouts de bois brûlés. En tout, nous avions perdu vingt-trois soldats et un nombre indéterminé de *yanaconas*.

« Maudit Michimalonko, Indien de merde! Quand je l'attraperai je le ferai empaler vivant! », rugit Pedro de Valdivia.

Il n'avait pas encore digéré cette nouvelle que Villagra et Aguirre arrivèrent, confirmant ce que les espions de Cecilia disaient depuis des semaines : des milliers d'indigènes venaient vers la vallée. Ils arrivaient par petits groupes d'hommes armés et couverts de peintures de guerre. Ils se cachaient dans les forêts, dans les montagnes, sous la terre et même dans les nuages. Comme toujours, Pedro décida que la meilleure défense était l'attaque; il choisit quarante soldats au courage éprouvé et partit au grand galop, à l'aube du lendemain, pour une escarmouche à Marga-Marga et Concón.

A Santiago, nous avions un sentiment d'abandon absolu. Les paroles de Francisco de Aguirre définissaient notre situation : nous étions au cul du monde, entourés de sauvages nus. Il n'y avait ni or ni bateau, le désastre était complet. Le chapelain González de Marmolejo nous rassembla pour une messe et nous fit une harangue exaltée sur la foi et le courage, mais il ne réussit pas à remonter le moral de la population effrayée. Sancho de la Hoz profita de la confusion pour rendre Valdivia responsable de nos souffrances et parvint ainsi à augmenter à cinq le nombre de ses partisans, parmi lesquels le malheureux Chinchilla, l'un des vingt qui avaient rejoint l'expédition à Copiapó. Cet homme ne m'avait jamais plu, il était simulateur et lâche, mais je n'imaginais pas qu'en plus il était bête à manger du foin. L'idée n'avait rien d'original — assassiner Valdivia —, mais cette fois les conspirateurs ne disposaient pas de cinq poignards identiques, qui se trouvaient bien gardés au fond de l'une de mes malles. Chinchilla était tellement sûr de l'ingéniosité de son plan qu'il but quelques verres de trop, s'habilla en clown, avec des clochettes et des grelots, et sortit sur la place faire des cabrioles en imitant le gouverneur. Bien sûr, Juan Gómez l'arrêta sur-le-champ, et dès qu'il lui eut montré des tourniquets et expliqué sur quelle partie du corps il allait les lui appliquer, Chinchilla se pissa dessus de frayeur et dénonça ses complices.

Pedro de Valdivia revint plus vite qu'il n'était parti, parce que ses quarante braves ne suffisaient pas, loin de là, pour affronter le nombre inattendu des guerriers arrivés dans la vallée. Il avait réussi à sauver les pauvres *yanaconas* qui avaient survécu au massacre de Marga-Marga et Concón, et qui étaient cachés dans la végétation, défaillant de faim, de froid et de terreur. Il avait affronté des groupes ennemis qu'il avait réussi à disperser et, grâce à la chance, qui jusqu'alors ne lui avait pas manqué, il avait fait prisonniers trois caciques et les avait ramenés à Santiago. Avec eux, nous avions sept otages.

Pour qu'un village soit un village il faut des naissances et des morts, mais apparemment, dans les villages espagnols, il faut aussi des exécutions. Les premières de Santiago eurent lieu cette semaine-là, après un bref procès – cette fois assorti de tortures – au cours duquel les conspirateurs furent con-damnés à la mort immédiate. Chinchilla et deux autres furent pendus ; leurs corps restèrent exposés au vent et aux becs des énormes vautours chiliens pendant plusieurs jours, au som-met du mont Santa Lucía. Un quatrième fut décapité dans la prison, parce qu'il fit valoir ses titres de noblesse pour ne pas mourir par la corde, comme un vilain. A la surprise générale, Valdivia pardonna de nouveau à Sancho de la Hoz, le princi-pal instigateur de la révolte. Cette fois, je m'opposai en privé à sa décision, car les lettres royales n'existaient plus, De la Hoz avait signé un document renonçant à la conquête et Pedro était le gouverneur légitime du Chili. Ce fanfaron nous avait déjà valu trop d'ennuis. Je ne saurai jamais pourquoi il avait sauvé sa tête une fois de plus. Pedro refusa de me donner des explications et j'avais alors appris que devant un homme comme lui il vaut mieux ne pas insister. Cette année de vicissitudes lui avait aigri le caractère, il perdait facilement son sang-froid. Je dus garder le silence.

*

Dans la nature la plus splendide du monde, au plus profond de la forêt froide du sud du Chili, dans le silence des racines, des écorces et des feuillages odorants, face à la présence hautaine des volcans et des sommets de la cordillère, près des lacs couleur émeraude et des fleuves écumeux de neige fondue, les tribus mapuche se rassemblèrent au cours d'une cérémonie particulière, un conclave d'anciens, chefs de lignage, *toquis*, *loncos*, *machis*, guerriers, femmes et enfants.

Les tribus arrivèrent les unes après les autres dans la clairière de la forêt, immense amphithéâtre au sommet d'une colline, que les hommes avaient délimité avec des branches d'araucaria et de cannelier, arbres sacrés. Quelques familles avaient voyagé sous la pluie pendant des semaines pour venir au lieu du rendez-vous. Les groupes qui arrivèrent en avance montèrent leurs *rucas*, des huttes imitant si bien la nature qu'on ne les voyait pas à quelques pas de distance. Ceux qui se présentèrent plus tard improvisèrent des ramées, des toits de feuilles, et étalèrent leurs couvertures de laine. Le soir, ils préparèrent de la nourriture pour échanger avec les autres, burent de la chicha et du *muday*, mais avec modération, pour ne pas se fatiguer. Ils se rendirent visite pour se mettre au courant des nouvelles par de longues narrations sur un ton poétique et solennel, répétant les histoires de leurs clans mémorisées de génération en génération. Parler, encore parler, c'était le plus important. Devant chaque maison ils entretenaient un feu allumé et la fumée se fondait dans la brume qui s'élevait de la terre au lever du jour. Les petits feux brûlaient dans le brouillard, éclairant le paysage laiteux de l'aube. Les jeunes gens revinrent de la rivière, où ils avaient nagé dans les eaux glacées, puis ils peignirent leurs visages et leurs corps des couleurs rituelles, jaune et bleu. Les caciques mirent leurs capes de laine brodée, bleu ciel, noires, blanches, ils suspendirent sur leurs poitrines les *toquicuras*, haches de pierre emblème de leur pouvoir, se couronnèrent de plumes de héron, de nandou et de condor, tandis que les *machis* brûlaient des herbes aromatiques et préparaient le *rewe*, l'escalier spirituel par lequel ils s'adresseraient à Ngenechén.

« Nous t'offrons un peu de *muday*, c'est la coutume, pour nourrir l'esprit de la Terre, qui nous suit toujours. Ngenechén a créé le *muday*, il a créé la Terre, il a créé le cannelier, il a créé le chevreau et le condor. »

Les femmes tressèrent leurs cheveux avec des laines de couleurs, bleu ciel pour les célibataires, rouge pour les épousées, elles se parèrent de leurs capes les plus fines et de leurs bijoux d'argent, tandis que les enfants, également en habits de fête, silencieux, sérieux, prenaient place dans un demi-cercle. Les hommes se formèrent tel un seul corps de bois, fiers, musclés, leurs chevelures noires attachées par des rubans tissés, les armes à la main.

La cérémonie commença lorsque apparurent les premiers rayons du soleil. Les guerriers coururent dans l'amphithéâtre en poussant des hurlements et en brandissant leurs armes, tandis que résonnaient les instruments de musique destinés à chasser les forces du mal. Les *machis* sacrifièrent plusieurs guanacos, après leur avoir demandé la permission d'offrir leurs vies au Seigneur Dieu. Ils versèrent un peu de sang sur le sol, arrachèrent les cœurs, les enfumèrent avec du tabac, puis ils les coupèrent en petits morceaux et les répartirent entre les *toquis* et les *loncos*, communiant ainsi entre eux et avec la Terre.

« Seigneur Ngenechén, ceci est le sang pur des animaux, ton sang, le sang que tu nous donnes pour que nous puissions vivre et nous mouvoir, Père Dieu, c'est pourquoi, avec ce sang, nous te prions de nous bénir. »

225

Les femmes entonnèrent un chant mélancolique et pro-fond, tandis que les hommes se mettaient au centre de l'amphithéâtre et dansaient, d'un pas lent et pesant, frappant le sol de leurs pieds nus au son des *cultrunes* et des *trutucas*.

« Et toi, Mère des Êtres humains, nous te saluons. La Terre et les êtres humains sont inséparables. Tout ce qui arrive à la Terre arrive aussi aux humains. Mère, nous te prions de nous donner le pignon qui nous nourrit, nous te prions de ne pas nous envoyer beaucoup de pluie, qui pourrit les semences et la laine, et s'il te plaît, ne fais pas trembler le sol ni cracher les volcans, car cela affole le bétail et effraye les enfants. »

Les femmes s'avancèrent elles aussi dans le cercle et elles dansèrent avec les hommes, agitant les bras, la tête, les capes, à la manière de grands oiseaux. L'effet hypnotique des *cultru-nes*, des *trutucas* et des flûtes, des coups rythmés par les pieds sur la terre humide, de l'énergie puissante de la danse, se fit bientôt sentir et tous, un à un, se mirent à pousser des hurle-ments viscéraux ; ceux-ci se transformèrent peu à peu en un long cri – « Oooooooooom. Oooooooooom » – qui se réper-cuta dans les montagnes, émouvant l'esprit. Personne ne put échapper à l'envoûtement de ce « Oooooooooom ».

« Nous te demandons, Seigneur Dieu, si tu veux bien, sur cette terre qui est nôtre, de nous aider à tout moment et, dans le cas présent, nous t'implorons de nous écouter. Nous te demandons, Seigneur Dieu, de ne pas nous laisser seuls, de ne pas permettre que nous marchions à tâtons dans l'obscurité, de donner une grande force à nos braves pour défendre la terre de nos ancêtres. »

La musique et la danse s'arrêtèrent. Les rayons du soleil matinal filtrèrent entre les nuages, colorant la brume de poudre d'or. Le plus ancien *toqui*, les épaules couvertes d'une peau de puma, s'avança pour parler le premier. Il avait voyagé pendant toute une lune pour être là et représenter sa tribu. Il n'avait pas de hâte. Il commença par le plus lointain, l'histoire de la Création, de la façon dont le serpent Cai-Cai agitait la

226

mer et dont les vagues menaçaient d'avaler les Mapuche, mais alors le serpent Treng-Treng les avait sauvés, les conduisant au sommet des plus hautes montagnes, qu'il fit grandir et grandir. Et la pluie tombait avec une telle force que ceux qui ne parvinrent pas à grimper sur les montagnes périrent dans le déluge. Ensuite les eaux baissèrent et les hommes et les femmes occupèrent les vallées et les forêts, sans oublier que les arbres, les plantes et les animaux sont leurs frères et qu'il faut veiller sur eux, que chaque fois que l'on coupe une branche pour faire un toit il faut remercier, et quand on tue un animal pour manger il faut lui demander pardon, jamais on ne tue pour tuer. Et les Mapuche vécurent libres sur la Terre sacrée, et lorsque les Incas arrivèrent du Pérou ils s'unirent pour se défendre et les vainquirent, ils ne les laissèrent pas franchir le Bío-Bío, qui est mère de tous les fleuves, mais ses eaux se teignirent de sang et dans le ciel la lune apparut toute rouge. Puis le temps passa et les *huincas* arrivèrent par les mêmes chemins que les Incas. Ils étaient nombreux, puants – on sentait leur odeur infecte à deux jours de distance – et très voleurs ; ils n'avaient ni terre ni patrie, prenaient ce qui ne leur appartenait pas, y compris les femmes, et ils voulaient faire des Mapuche et d'autres tribus leurs esclaves. Les guerriers durent les repousser, mais beaucoup moururent, parce que leurs flèches et leurs lances ne traversaient pas les vêtements de métal des *huincas*, qui eux, au contraire, pouvaient tuer de loin juste avec du bruit ou avec leurs chiens. Quoi qu'il en soit, ils les avaient chassés. Les *huincas* sont partis seuls, parce que c'étaient des lâches. Ensuite passèrent plusieurs étés, plusieurs hivers, et d'autres *huincas* vinrent, et ceux-là, dit le vieux *toqui*, ils veulent rester, ils coupent les arbres, construisent leurs cabanes, sèment leur maïs et engrossent nos femmes, c'est pourquoi naissent des enfants qui ne sont ni des *huincas* ni des gens de la terre.

« Et d'après ce que nous disent nos espions, ils veulent s'emparer de la terre entière, des volcans jusqu'à la mer, du

227

désert jusque là où finit le monde, et ils veulent fonder de nombreux villages. Ils sont cruels et leur *toqui*, Valdivia, très rusé. Et je dis que les Mapuche n'ont jamais eu d'ennemis aussi puissants que ces barbus venus de loin. Maintenant ils ne sont qu'une petite tribu, mais il en viendra d'autres, parce qu'ils ont des maisons avec des ailes qui volent sur la mer. Et je demande au peuple de dire ce que nous devons faire. »

Un autre *toqui* s'avança sur la place, il brandit ses armes en faisant des bonds et lança un long cri de colère, puis il annonça qu'il était prêt à attaquer les *huincas*, à les tuer, à leur dévorer le cœur pour assimiler leur pouvoir, à brûler leurs cabanes, à prendre leurs femmes, il n'y avait pas d'autre solution, mort à eux tous. Lorsqu'il eut terminé de parler, un troisième *toqui* occupa le centre de l'amphithéâtre pour expliquer que la nation mapuche tout entière devait s'unir contre cet ennemi et choisir un *toqui* des *toquis*, un *ñidoltoqui*, pour la guerre.

« Seigneur Dieu Ngenechén, nous te demandons avec droiture de nous aider à vaincre les *huincas*, à les fatiguer, à les importuner en les empêchant de dormir et de manger, à leur faire peur, à les espionner, à leur tendre des pièges, à leur enlever leurs armes et à leur écraser le crâne avec nos massues, voilà ce que nous te demandons, Seigneur Dieu. »

Le premier *toqui* revint prendre la parole pour dire qu'ils ne devaient pas se hâter, qu'il fallait combattre avec patience, car les *huincas* étaient comme la mauvaise herbe : lorsqu'on la coupe, elle repousse avec plus de vigueur ; cette guerre serait la leur, celle de leurs enfants et des enfants de leurs enfants. Beaucoup de sang mapuche et beaucoup de sang *huinca* allait couler, jusqu'à la fin. Les guerriers levèrent leurs armes et un long chœur de cris d'approbation sortit de leurs poitrines. « Guerre ! Guerre ! » A cet instant la fine pluie cessa, les nuages s'ouvrirent et un condor, magnifique, vola lentement dans la trouée de ciel bleu.

*

228

Au début septembre, nous avons compris que notre premier hiver au Chili prenait fin. Le climat s'adoucit et les jeunes arbres que nous avions pris dans la forêt et transplantés le long des rues se couvrirent de bourgeons. Ce furent des mois difficiles, non seulement à cause du harcèlement des Indiens et des conspirations de Sancho de la Hoz, mais aussi en raison du sentiment de solitude qui nous accablait souvent. Nous nous demandions ce qui pouvait bien se passer dans le reste du monde, si les Espagnols avaient conquis d'autres territoires, s'il y avait eu de nouvelles inventions, ce que devenait notre Saint Empereur, qui d'après les dernières nouvelles arrivées du Pérou, deux ans plus tôt, était un peu toqué ; la démence coulait dans les veines de sa famille, il suffisait de se rappeler sa pauvre mère, la folle de Tordesillas. De mai à fin août les journées avaient été courtes, le jour tombait vers cinq heures et les nuits se faisaient éternelles. Nous mettions à profit jusqu'au dernier rayon de lumière du jour pour travailler, puis nous devions nous retirer dans une pièce de la maison – les maîtres, les Indiens, les chiens et même la volaille du poulailler – avec une ou deux bougies et un brasero. Chacun cherchait à occuper ces longues soirées. Le chapelain constitua une chorale avec les *yanaconas*, pour renforcer leur foi à force de cantiques. Aguirre nous amusait avec ses extravagantes boutades de coureur de jupons et ses refrains grivois de soldat. Quant à Rodrigo de Quiroga, qui au début paraissait muet et plutôt timide, son esprit se libéra et il se révéla un conteur inspiré. Nous n'avions que très peu de livres et nous les connaissions par cœur, mais Quiroga prenait les personnages d'une histoire, les introduisait dans une autre et il en résultait une infinie variété d'intrigues. Tous les livres de la colonie, sauf deux, se trouvaient sur la liste noire de l'Inquisition, et comme les versions de Quiroga étaient bien plus audacieuses que le livre original, c'était un plaisir coupable et, pour cette raison, très prisé. Nous jouions aussi aux cartes, vice dont souffraient tous les Espagnols, en particulier notre gouverneur, qui en plus avait de la chance. Nous ne jouions pas de l'argent, pour éviter les disputes, pour ne pas donner le mauvais exemple aux domestiques et cacher combien nous étions pauvres. On pinçait la vielle, on récitait des poèmes, on conversait avec beaucoup d'esprit. Les hommes rappelaient leurs batailles et leurs aventures, célébrées par l'assemblée. On demandait fréquemment à Pedro de raconter les prouesses du marquis de Pescara; soldats et domestiques ne se lassaient pas de louer la ruse du marquis, lorsqu'il avait couvert ses troupes de draps blancs pour qu'on ne les voie pas sur la neige.

Les capitaines se réunissaient – également chez nous – pour discuter des lois de la colonie, sujet essentiel pour le gouverneur. Pedro voulait que la société chilienne s'appuie sur la légalité et l'esprit de service de ses dirigeants; il insistait sur le fait que personne ne devait être rétribué pour occuper une charge publique, et encore moins lui-même, car servir constituait une obligation et un honneur. Rodrigo de Quiroga partageait pleinement cette idée, mais ils étaient les seuls inspirés par de tels idéaux. Avec les terres et les propriétés qui avaient été réparties entre les soldats les plus vaillants de la conquête, il y aurait plus qu'assez dans le futur pour bien vivre, disait Valdivia, même si pour le moment ce n'étaient que des rêves, et celui qui posséderait plus de biens aurait plus de devoirs envers son peuple.

Les soldats s'ennuyaient, car à part s'entraîner avec leurs armes, se divertir avec leurs concubines et se battre lorsqu'il le fallait, les occupations étaient rares. C'était à nous, les femmes, et aux *yanaconas* que revenait la tâche de construire la ville, de semer et de s'occuper des animaux. Moi, les heures me manquaient pour tout faire : travaux de la maison et de la colonie, soins des malades, plantations et poulaillers, apprendre à lire avec le père González de Marmolejo et le mapudungu avec Felipe.

La brise embaumée du printemps nous apporta un flot

d'optimisme ; elle nous fit oublier les terreurs qu'avaient déchaînées peu auparavant les troupes de Michimalonko. Nous nous sentions plus forts, bien que le nombre de soldats ait été réduit à cent vingt après les massacres de Marga-Marga et de Concón, et l'exécution des quatre traîtres. Santiago sortit pratiquement intacte de la boue et des bourrasques des mois d'hiver, pendant lesquels nous devions vider l'eau avec des seaux ; les maisons avaient résisté au déluge et la population était en bonne santé. Même nos Indiens, qui mouraient d'un rhume banal, avaient passé les mauvais jours sans problèmes graves. On laboura les champs et on planta les jeunes plants que j'avais si bien protégés des gelées. Les bêtes s'étaient déjà accouplées et on prépara les enclos pour les porcelets, les poulains et les lamas qui allaient naître. On décida de creuser les canaux nécessaires dès que la boue aurait séché, et on fit même le projet de construire un pont sur le fleuve Mapocho, pour unir la ville aux fermes qu'il y aurait un jour dans les environs, mais il faudrait d'abord terminer l'église. La maison de Francisco de Aguirre avait déjà deux étages et elle continuait à grandir ; nous nous moquions de lui, parce qu'il avait plus d'Indiennes et plus de vanité que tous les hommes réunis et que, apparemment, il voulait que sa résidence dépasse l'église en hauteur. « Le Basque se croit au-dessus de Dieu », le raillaient les soldats. Les femmes de ma maison avaient passé l'hiver à coudre et à enseigner à d'autres les tâches domestiques. Les Castillans, toujours très vaniteux, eurent meilleur moral lorsqu'ils virent leurs chemises neuves, leurs chausses rapiécées, leurs pourpoints raccommodés. Même Sancho de la Hoz cessa, pour une fois, de conspirer depuis sa cellule. Le gouverneur annonça qu'on allait bientôt reprendre la construction du brigantin, retourner aux lavoirs d'or et chercher la mine d'argent annoncée par le cacique Vitacura, qui s'était révélée des plus insaisissables.

L'optimisme printanier ne dura pas, car dans les premiers jours de septembre, Felipe, le jeune Indien, vint nous annoncer que des guerriers ennemis continuaient à arriver dans la vallée et qu'une armée s'y rassemblait. Cecilia envoya ses servantes le vérifier, et celles-ci confirmèrent ce que Felipe semblait savoir par simple intuition; il ajouta qu'il y avait environ cinq cents guerriers à quinze ou vingt lieues de Santiago. Valdivia réunit ses plus fidèles capitaines et décida, une fois de plus, d'attaquer l'ennemi avant que celui-ci ne s'organise.

« N'y va pas, Pedro. J'ai un mauvais pressentiment, le suppliai-je.

— Tu as toujours de mauvais pressentiments dans ces cas-là, Inés, répliqua-t-il sur ce ton de père complaisant que je détestais. Nous sommes habitués à combattre contre un nombre cent fois supérieur, cinq cents sauvages, c'est une bagatelle.

— Il peut y en avoir bien plus, cachés ailleurs.

— Avec l'aide de Dieu, nous les vaincrons, ne t'inquiète pas. »

Il me semblait imprudent de diviser nos forces, qui étaient déjà assez réduites, mais qui étais-je pour critiquer la stratégie d'un soldat aussi expérimenté que lui? Chaque fois que je tentais de le dissuader d'une décision militaire, parce que le bon sens me le commandait, il devenait furieux et nous finissions fâchés. Je ne fus pas d'accord avec lui cette fois-là, de même que plus tard, lorsqu'il fut pris de la fièvre de fonder des villes que nous ne pouvions peupler ni défendre. Cet entêtement l'a conduit à la mort. « Les femmes ne peuvent penser en grand, elles n'imaginent pas l'avenir, elles n'ont pas le sens de l'Histoire, elles ne s'occupent que des affaires domestiques, immédiates », me dit-il un jour à ce propos, mais il dut se rétracter lorsque je lui récitai la liste de tout ce que moi et d'autres femmes avions contribué à faire dans l'œuvre de la conquête et celle de la fondation.

Pedro laissa la ville protégée par cinquante soldats et cent *yanaconas* sous le commandement de ses meilleurs capitaines,

Monroy, Villagra, Aguirre et Quiroga. Le détachement, constitué d'un peu plus de soixante soldats et du reste de nos Indiens, quitta Santiago au lever du jour avec trompettes, étendards, tirs d'arquebuses, et le maximum de tapage pour donner l'impression qu'ils étaient plus nombreux. Depuis la terrasse de la maison d'Aguirre transformée en tour de guet, nous les vîmes s'éloigner. C'était par une journée sans nuages et les immenses montagnes enneigées qui entouraient la vallée semblaient toutes proches. A côté de moi se trouvait Rodrigo de Quiroga, essayant de dissimuler son inquiétude, qui était aussi grande que la mienne.

« Ils n'auraient pas dû partir, don Rodrigo, Santiago se retrouve sans défense.

— Le gouverneur sait ce qu'il fait, doña Inés, répliqua-t-il sans beaucoup de conviction. Il est préférable d'aller à la rencontre de l'ennemi, il voit ainsi que nous ne le craignons point. »

Selon moi, ce jeune capitaine était le meilleur des hommes de notre petite colonie, après Pedro évidemment ; il était courageux comme aucun autre, expérimenté dans la guerre, muet dans la souffrance, loyal et désintéressé ; de plus, il avait la rare vertu d'inspirer confiance à tout le monde. Il construisait sa maison sur un terrain proche du nôtre, mais il avait été si occupé par les continuelles escarmouches contre les Indiens chiliens que sa demeure consistait uniquement en piliers, deux murs, des bâches et un toit de paille. Son foyer était si peu accueillant qu'il passait beaucoup de temps dans le nôtre, car la maison du gouverneur, étant la plus vaste et la plus confortable de la ville, était devenue un centre de réunion. Je suppose que contribuait à notre succès social mon désir que ne manquent ni le boire ni le manger. Rodrigo était le seul soldat qui ne disposait pas d'un harem de concubines et ne courait pas après les Indiennes pour les mettre enceintes. Sa compagne était Eulalia, l'une des servantes de Cecilia, une belle jeune femme quechua, née dans le palais d'Atahualpa,

qui avait la même élégance et la même dignité que sa maîtresse, la princesse inca. Eulalia était tombée amoureuse de
Rodrigo dès l'instant où celui-ci avait rejoint l'expédition. Le
voyant arriver aussi immonde, malade, chevelu et loqueteux
que les autres fantômes survivants des Chunchos, elle avait été
capable de l'apprécier d'un seul regard, avant même qu'on lui
eût coupé les cheveux et qu'on l'eût baigné. Elle ne resta pas
les bras croisés. Patiemment, avec une ruse infinie, elle séduisit Rodrigo et vint ensuite me raconter ses chagrins.
J'intercédai auprès de Cecilia pour qu'elle permît à Eulalia de
servir Rodrigo, avec l'argument qu'elle-même avait suffisamment de servantes alors que le pauvre homme était seul et
n'avait que la peau sur les os, il pouvait mourir si on ne
s'occupait pas de lui. Cecilia était trop fine mouche pour se
laisser tromper par de tels raisonnements, mais, émue par cet
amour, elle laissa partir sa servante ; c'est ainsi qu'Eulalia alla
vivre avec Quiroga. Ils avaient une relation délicate ; il la
traitait avec une courtoisie paternelle et respectueuse, inusitée
entre les soldats et leurs concubines, et elle satisfaisait ses
moindres désirs avec promptitude et discrétion. Elle paraissait
soumise, mais je savais par Catalina qu'elle était passionnée et
jalouse. Tandis que nous regardions ensemble, depuis cette
terrasse, plus de la moitié de nos forces s'éloigner de la ville, je
me demandai comment était Rodrigo de Quiroga dans
l'intimité, s'il rendait Eulalia heureuse. Je connaissais son
corps, car j'avais dû le soigner lorsqu'il était arrivé malade des
Chunchos et lorsqu'il avait été blessé lors de rencontres avec
les Indiens ; il était mince, mais très fort. Je ne l'avais pas vu
complètement nu, mais d'après Catalina : « Eh bien, tu
devrais voir son membre, *señoray* ». Les femmes de service, à
qui rien n'échappe, assuraient qu'il était très bien doté ; en
revanche Aguirre, avec toute sa concupiscence... bon, qu'importe. Je me souviens que mon cœur bondit en pensant à ce
que j'avais entendu dire de Rodrigo et je rougis si violemment
qu'il le remarqua.

« Quelque chose ne va pas, doña Inés ? », me demanda-t-il.

Je pris congé en hâte, troublée, et descendis commencer mes besognes de la journée, tandis qu'il partait vers les siennes.

*

Deux jours plus tard, dans la nuit du 11 septembre 1541, date que je n'ai jamais oubliée, les troupes de Michimalonko et leurs alliés attaquèrent Santiago. Comme cela m'arrivait toujours lorsque Pedro était absent, je ne pouvais dormir. Je ne tentai même pas de me coucher – je passais souvent la nuit à veiller –, et restai à coudre jusqu'à fort tard, après avoir envoyé tout le monde au lit. Comme moi, Felipe était insomniaque. Souvent, dans mes promenades nocturnes à travers les pièces de la maison, je rencontrais le jeune indigène ; je le trouvais dans un endroit inattendu, immobile et muet, les yeux ouverts dans l'obscurité. Il avait été inutile de lui assigner une paillasse ou un endroit fixe pour dormir, il se couchait n'importe où, sans même une couverture sur lui. A cette heure incertaine, peu avant le lever du jour, je sentis croître l'inquiétude et le nœud à l'estomac qui me taraudaient, depuis que Pedro était parti. J'avais passé une bonne partie de la nuit à prier, non par excès de foi mais de peur. Parler d'égale à égale avec la Vierge m'a toujours rassurée, mais pendant cette longue nuit elle ne parvint pas à apaiser les funestes prémonitions qui me tourmentaient. Je mis un châle sur mes épaules et fis mon parcours habituel, accompagnée par Baltasar qui avait l'habitude de me suivre comme une ombre, collé à mes chevilles. La maison était calme. Je ne rencontrai pas Felipe, mais ne m'en inquiétai pas, il aimait dormir avec les chevaux. Je sortis sur la place et remarquai la faible lueur d'une torche sur le toit de la maison d'Aguirre, où un soldat était posté telle une vigie. Pensant que le pauvre homme devait tomber de fatigue après toutes ces heures de garde solitaire, je réchauffai un bol de bouillon et le lui portai.

235

« Merci, doña Inés. Vous ne vous reposez pas ?

— J'ai du mal à dormir. Qu'y a-t-il de nouveau ?

— Rien, la nuit a été calme. Comme vous voyez, la lune éclaire un peu.

— Que sont ces taches obscures là-bas, près du fleuve ?

— Des ombres. Cela fait un moment que je les ai remarquées. »

Je restai un moment à observer et conclus que c'était une étrange vision, comme si une grande vague obscure sortait du fleuve pour en rejoindre une autre venant de la vallée.

« Ces ombres ne sont pas normales, jeune homme. Je crois que nous devons aviser le capitaine Quiroga, qui a une excellente vue.

— Je ne peux abandonner mon poste, madame.

— Eh bien j'y vais. »

Je descendis comme une flèche, suivie par le chien, et courus chez Rodrigo de Quiroga, à l'autre bout de la place. Je réveillai l'Indien de garde, qui dormait en travers du seuil de ce qui serait un jour la porte, et lui ordonnai d'appeler tout de suite le capitaine. Deux minutes plus tard Rodrigo apparut, à moitié vêtu mais chaussé de ses bottes et l'épée à la main. Il m'accompagna en hâte à travers la place et monta avec moi sur la terrasse d'Aguirre.

« Il n'y a pas de doute, doña Inés, ces ombres sont des masses de gens qui avancent par ici. Je jurerais que ce sont des Indiens couverts de ponchos noirs.

— Que dites-vous ! », m'exclamai-je incrédule, en pensant au marquis de Pescara et à ses draps blancs.

Rodrigo de Quiroga donna l'alarme et en moins de vingt minutes les cinquante soldats, qui à cette époque étaient toujours sur le pied de guerre, se rassemblèrent sur la place, chacun vêtu de son armure et le heaume sur la tête, les armes à la main. Monroy organisa la cavalerie – nous n'avions que trente-deux chevaux – et la divisa en deux petits détachements, l'un sous son commandement, l'autre sous celui d'Aguirre, tous deux décidés à affronter l'ennemi au-dehors, avant qu'il ne pénètre dans la ville. Villagra et Quiroga, avec les arquebusiers et plusieurs Indiens, furent chargés de la défense interne, tandis que le chapelain, les femmes et moi devions ravitailler les défenseurs et les soigner. Sur ma suggestion, Juan Gómez emmena Cecilia, les deux meilleures nourrices indiennes et tous les nourrissons de la colonie dans la cave de notre maison, que nous avions creusée sous terre en vue d'y entreposer des vivres et du vin. Il remit à sa femme la statuette de Notre-Dame du Secours, prit congé d'elle avec un long baiser sur la bouche, bénit son fils, ferma la cave avec des planches et dissimula l'entrée avec des pelletées de terre. Il ne trouva d'autre moyen de les protéger que de les enterrer vivants.

Le jour du 11 septembre se levait. Le ciel était dégagé et le timide soleil du printemps éclairait le contour de la ville au moment où éclata le monstrueux fracas des cris de milliers d'indigènes qui se précipitaient en foule sur nous. Nous comprîmes que nous étions tombés dans un piège, les sauvages étaient beaucoup plus rusés que nous ne pensions. La troupe de cinq cents ennemis, supposés former le contingent qui menaçait Santiago, n'était qu'un leurre pour attirer Valdivia et une grande partie de nos forces, tandis que des milliers et des milliers d'autres, cachés dans les forêts, profitaient des ombres de la nuit pour approcher, couverts de ponchos bruns.

Sancho de la Hoz, qui depuis des mois pourrissait dans une cellule, commença à réclamer qu'on le libère et qu'on lui donne une épée. Monroy estima qu'on avait désespérément besoin de tous les bras, même ceux d'un traître, et il envoya quelqu'un lui ôter les fers. Je dois témoigner que ce jour-là le courtisan se battit avec la même férocité et le même héroïsme que les autres capitaines.

« Combien crois-tu qu'arrivent d'Indiens, Francisco ? demanda Monroy à Aguirre.

— Rien qui puisse nous effrayer, Alonso ! Huit ou dix mille... »

Les deux groupes de cavalerie partirent au galop affronter les premiers attaquants, centaures furieux, coupant têtes et membres à coups de sabre, crevant les poitrines avec les ruades de leurs chevaux. Moins d'une heure plus tard, cependant, ils durent se replier. Pendant ce temps, des milliers d'autres Indiens couraient dans les rues de Santiago en poussant des hurlements. Quelques *yanaconas* et plusieurs femmes, entraînées pendant des mois de préparation par Rodrigo de Quiroga, chargeaient les arquebuses pour que les soldats puissent tirer, mais le processus était lent et fastidieux, l'ennemi arrivait sur nous. Les mères des bébés que Cecilia gardait à la cave se révélèrent plus courageuses que les soldats expérimentés, parce qu'elles se battaient pour la vie de leurs enfants. Une pluie de flèches incendiaires tomba sur les toits des maisons, et la paille, bien qu'humide des pluies d'août, s'enflamma. Je compris que nous devions laisser les hommes avec leurs arquebuses, pendant que nous les femmes essayions d'éteindre l'incendie. On organisa des files pour passer les seaux d'eau, mais on s'aperçut bientôt que c'était inutile, les flèches continuaient à tomber et on ne pouvait gaspiller l'eau disponible contre l'incendie, car les soldats en auraient bientôt désespérément besoin. On décida d'abandonner les maisons de la périphérie et de se regrouper sur la place d'Armes.

A ce moment commençaient à arriver les premiers blessés, quelques soldats et plusieurs *yanaconas*. Catalina, mes femmes et moi avions déjà disposé le nécessaire, chiffons, charbons, eau et huile bouillante, du vin pour désinfecter et du *muday* pour aider à supporter la douleur. D'autres femmes préparaient des marmites de soupe, des calebasses d'eau et des galettes de maïs, car la bataille allait être longue. La fumée de la paille en feu couvrait la ville, nous pouvions à peine respirer, nous avions les yeux irrités. Les hommes arrivaient ensanglantés et nous soignions leurs blessures visibles – nous n'avions pas le temps d'enlever leurs armures –, nous leur donnions un bol d'eau ou de bouillon et, dès qu'ils pouvaient se tenir debout, ils repartaient se battre. Je ne sais combien de fois la cavalerie affronta les assaillants, mais arriva un moment où Monroy décida qu'on ne pouvait défendre toute la ville, qui brûlait sur ses quatre côtés, tandis que les Indiens occupaient déjà presque tout Santiago. Il s'entretint brièvement avec Aguirre et ils décidèrent de se replier avec leurs cavaliers et de concentrer toutes nos forces sur la place, où le vieux don Benito s'était installé sur un tabouret. Sa blessure avait cicatrisé, grâce aux sorcelleries de Catalina, mais il était faible et ne pouvait rester debout très longtemps. Il disposait de deux arquebuses et d'un *yanacona* pour l'aider à les charger, et au cours de cette longue journée, depuis son siège d'invalide, il causa des dégâts parmi les ennemis. Il tira tellement qu'il eut les paumes des mains brûlées par les armes.

*

Tandis que je travaillais avec acharnement auprès des blessés à l'intérieur de la maison, un groupe d'assaillants réussit à escalader le mur en torchis de ma cour. Catalina donna l'alarme en braillant comme un marmot et je sortis voir ce qu'il se passait, mais je n'allai pas loin : les ennemis étaient si près que j'aurais pu compter les dents de ces féroces visages bariolés. Rodrigo de Quiroga et le curé González de Marmolejo, qui avait passé un plastron d'armure et brandissait une épée, accoururent promptement pour les repousser, car il fallait absolument défendre ma maison, où se trouvaient les blessés et les enfants, réfugiés dans la cave avec Cecilia. Quelques Indiens affrontèrent Quiroga et Marmolejo, tandis que d'autres mettaient le feu aux plantations et tuaient mes animaux domestiques. Ce fut ce qui acheva de me mettre hors de moi, car j'avais soigné chacune de ces bêtes comme les enfants que je n'ai pas eus. Avec un rugissement échappé de mes entrailles, je sortis à la rencontre des indigènes, bien que ne portant pas l'armure que Pedro m'avait offerte, car je ne pouvais m'occuper des blessés immobilisée dans cette coque. Je crois que j'avais les cheveux dressés sur la tête et que j'écumais de rage en proférant des malédictions, telle une harpie ; je devais avoir un aspect terriblement menaçant, parce que les sauvages s'arrêtèrent un instant, puis reculèrent de quelques pas, surpris. Je ne m'explique pas pourquoi ils ne m'ont pas assommée d'un coup de massue. On m'a dit que Michimalonko leur avait donné l'ordre de ne pas me toucher, parce qu'il me voulait pour lui, mais ça, ce sont des histoires que les gens inventent après coup, pour expliquer l'inexplicable. A cet instant Rodrigo de Quiroga s'approcha, brandissant son épée à la manière d'un moulinet au-dessus de sa tête et me criant de me mettre à l'abri, suivi de mon chien Baltasar, grognant et aboyant, les babines retroussées, montrant les crocs, comme le fauve qu'il n'était pas dans des circonstances normales. Les assaillants partirent comme des flèches, suivis par le mâtin, et je restai au milieu de mon jardin en flammes et des cadavres de mes animaux, absolument désolée. Rodrigo me prit par le bras pour m'obliger à le suivre, mais je vis un coq aux plumes roussies qui essayait de se remettre sur ses pattes. Sans réfléchir, je soulevai mes jupes et l'y déposai, comme dans un sac. Un peu plus loin il y avait deux poules, étourdies par la fumée, que je n'eus pas de mal à attraper et à mettre avec le coq. Catalina vint me chercher et, comprenant ce que je faisais, elle m'aida. A nous deux nous parvînmes à sauver ces volailles, un couple de cochons ainsi que deux poignées de blé, rien d'autre, et nous les mîmes à l'abri. A ce moment, Rodrigo et le chapelain étaient déjà repartis sur la place et se battaient aux côtés des autres.

Catalina, plusieurs Indiennes et moi nous occupions des blessés, qu'on apportait en nombre alarmant à l'hôpital improvisé dans ma maison. Eulalia arriva, soutenant un fantassin couvert de sang des pieds à la tête. Mon Dieu, celui-ci est perdu, pensai-je ; en lui ôtant son heaume je vis qu'il portait une profonde entaille sur le front, mais que l'os n'était pas brisé, juste un peu enfoncé. Catalina et d'autres femmes cautérisèrent sa blessure, lavèrent son visage et lui donnèrent de l'eau à boire, mais il refusa de se reposer un moment. Etourdi et à moitié aveugle, parce que ses sourcils avaient monstrueusement enflé, il sortit en titubant sur la place. Pendant ce temps, je tentais d'extraire une flèche du cou d'un autre soldat, du nom de López, qui m'avait toujours traitée avec un dédain à peine dissimulé, en particulier après la tragédie d'Escobar. Le malheureux était livide et la flèche s'était tellement incrustée que je ne pouvais la tirer sans agrandir la blessure. J'étais en train d'évaluer si je pouvais courir ce risque lorsque le pauvre homme s'écroula dans des râles terrifiants. Je me rendis compte que je ne pouvais rien faire pour lui et j'appelai le chapelain, qui vint rapidement lui administrer les derniers sacrements. Etendus par terre dans la salle il y avait de nombreux blessés qui n'étaient pas en état de retourner sur la place ; ils devaient être une bonne vingtaine, des *yanaconas* pour la plupart. Les bouts d'étoffe s'épuisèrent et Catalina déchira les draps que j'avais si finement brodés pendant les soirées d'hiver, puis il nous fallut couper les jupes en bandes, et enfin ma seule robe coquette. Sur ce, Sancho de la Hoz entra, portant un autre soldat évanoui qu'il posa à mes pieds. Le traître et moi échangeâmes un regard et je crois qu'à travers celui-ci nous nous pardonnâmes les offenses du passé. Au chœur de hurlements des hommes cautérisés aux fers et aux charbons rouges s'ajoutaient les hennissements des chevaux, car juste à côté le maréchal-ferrant recousait comme il pouvait les bêtes blessées. Sur le sol de terre battue se mêlaient le sang des chrétiens et celui des bêtes.

Aguirre passa la tête à la porte sans quitter son cheval, ensanglanté de la tête aux étriers, annonçant qu'il avait ordonné l'expulsion de toutes les maisons, à l'exception de celles qui entouraient la place, où nous devions nous préparer à nous défendre jusqu'au dernier souffle.

« Descendez, capitaine, que je soigne vos blessures ! parvins-je à le prier.

— Je n'ai pas une seule égratignure, doña Inés ! Portez de l'eau aux hommes sur la place ! », me cria-t-il avec une joie féroce, et il partit en caracolant sur son cheval, dont un flanc troué saignait abondamment.

J'ordonnai à plusieurs femmes de porter de l'eau et des galettes de maïs aux soldats, qui luttaient sans répit depuis l'aube, tandis que Catalina et moi dépouillions le cadavre de López de son armure ; telles qu'elles étaient, trempées de sang, j'enfilai la cotte de mailles et la cuirasse. Ne trouvant pas mon épée, je pris celle de López et je sortis sur la place. Cela faisait déjà un moment que le soleil avait passé son zénith, il devait être trois ou quatre heures de l'après-midi ; je calculai que nous nous battions depuis plus de dix heures. Je jetai un coup d'œil autour de moi et m'aperçus que Santiago brûlait, le travail de plusieurs mois irrémédiablement perdu ; c'était la fin de notre rêve de coloniser la vallée. Entre-temps, s'étant repliés avec les soldats survivants, Monroy et Villagra luttaient à cheval sur la place, défendue épaule contre épaule par nos gens et attaquée par les quatre rues. Une partie de l'église restait debout ainsi que la maison d'Aguirre, où nous gardions les sept caciques captifs. Don Benito, noir de poudre et de suie, tirait méthodiquement depuis son tabouret, visant avec soin avant d'appuyer sur la détente, comme s'il chassait des perdrix. Le *yanacona* qui chargeait l'arme gisait à ses pieds et Eulalia avait pris sa place. Je compris que la jeune femme avait tout le temps été sur la place pour ne pas perdre de vue son Rodrigo bienaimé.

*

Au-dessus du raffut de la poudre, des hennissements, des aboiements et du fracas de la bataille, j'entendis clairement les

242

sept caciques exciter leurs hommes par des cris de colère. Je ne sais ce qui m'a pris à cet instant ; j'ai souvent pensé à ce 11 septembre fatidique pour essayer d'en comprendre les événements, mais je crois que personne ne peut décrire avec exactitude la manière dont ils se sont déroulés, car chacun des participants en a une version différente selon ce qu'il a vécu. La fumée était épaisse, la confusion terrible, le bruit assourdissant. Nous étions bouleversés, luttant pour nos vies, fous de sang et de violence. Je n'arrive pas à me souvenir en détail de mes actions de ce jour-là, je dois donc me fier à ce que les autres ont raconté. La seule chose dont je me souvienne vraiment, c'est qu'à aucun moment je n'ai eu peur, parce que la colère m'occupait entièrement.

Je tournai les yeux vers la cellule d'où provenaient les hurlements des captifs, et malgré la fumée des incendies je distinguai avec une netteté absolue mon mari, Juan de Málaga, qui venait péniblement vers moi depuis le Cuzco, appuyé contre la porte, me regardant avec ses yeux tristes d'esprit errant. Il me fit un geste de la main, comme pour m'appeler. Je m'ouvris un passage entre les soldats et les chevaux, une partie de mon esprit évaluant le désastre et l'autre obéissant à l'ordre muet de mon défunt mari. La cellule n'était qu'une pièce improvisée au premier étage de la maison d'Aguirre et la porte consistait en quelques planches avec une barre à l'extérieur, surveillée par deux jeunes sentinelles ayant pour instructions de défendre les captifs au prix de leur vie, car ils représentaient notre seule carte de négociation avec l'ennemi. Je ne m'arrêtai pas pour leur demander l'autorisation et, les ayant écartés d'une simple poussée, je levai la lourde bâcle d'une seule main, aidée par Juan de Málaga. Les gardes me suivirent à l'intérieur sans avoir le cran de s'opposer à moi et sans imaginer mes intentions. La fumée entrait par les fentes, rendant l'air irrespirable, et une poussière rougeâtre s'élevait du sol, si bien que la scène était floue, mais je vis les sept prisonniers enchaînés à de gros poteaux, se débattant comme des démons autant que les fers le leur permettaient et hurlant à pleins poumons pour appeler les leurs. Lorsqu'ils me virent entrer avec le fantôme ensanglanté de Juan de Málaga, ils se turent.

« Tuez-les tous ! », ordonnai-je aux gardes d'une voix impossible à reconnaître comme étant la mienne.

Les prisonniers et les sentinelles en restèrent ébahis.

« Que nous les tuions, madame ? Ce sont les otages du gouverneur !

— Tuez-les tous, j'ai dit !

— Comment voulez-vous que nous fassions ? demanda l'un des soldats, épouvanté.

— Comme ça ! »

Et à deux mains je brandis la lourde épée et l'abattis avec toute la force de la haine sur le cacique qui se trouvait le plus près de moi, lui tranchant la tête d'un seul coup. L'élan de mon geste me jeta à genoux par terre, où un jet de sang m'inonda le visage, tandis que la tête roulait à mes pieds. Le reste, je ne m'en souviens pas très bien. L'un des gardes assura ensuite que j'avais décapité de la même façon les six autres prisonniers, mais le second affirma que cela ne s'était pas passé ainsi, et que c'est eux qui avaient achevé le travail. Peu importe. Le fait est qu'en quelques minutes il y avait sept têtes à terre. Que Dieu me pardonne. J'en pris une par les cheveux, sortis sur la place à pas de géant, montai sur les sacs de sable de la barricade et lançai mon horrible trophée dans les airs avec une force peu commune, et un épouvantable cri de triomphe qui monta du fond de la terre me traversa tout entière et s'échappa de ma poitrine en vibrant tel un coup de tonnerre. La tête vola, fit plusieurs tours et atterrit au milieu des Indiens. Je ne m'arrêtai pas pour contempler l'effet, retournai dans la cellule, en ramassai deux autres et les jetai de l'autre côté de la place. Il me semble que les gardes m'apportèrent les quatre dernières, mais je n'en suis pas sûre non plus, peut-être suis-je moi-même allée les chercher. Je sais seulement que mes bras ne m'ont pas manqué pour expédier les têtes dans les airs. Avant que je lance la dernière, un calme étrange s'abattit sur la place, le temps s'arrêta, la fumée disparut et nous vîmes que les Indiens, muets, épouvantés, commençaient à reculer, d'un, de deux, de trois pas, puis en se poussant, ils sortirent en courant et s'éloignèrent par les rues qu'ils avaient déjà prises.

Un temps infini s'écoula, ou peut-être ne fut-ce qu'un instant. L'épuisement me tomba dessus d'un coup et mes os se défirent en écume; alors je me réveillai du cauchemar et me rendis compte de l'horreur commise. Je me vis comme me voyaient ceux qui m'entouraient: un démon échevelé, couvert de sang, sans voix d'avoir tant crié. Mes genoux plièrent, je sentis un bras autour de ma taille et Rodrigo de Quiroga me souleva en l'air, me serra contre la dureté de son armure et me conduisit à travers la place au milieu de la plus profonde stupeur.

*

Santiago de la Nouvelle-Estrémadure était sauvée, bien qu'elle ne fût plus que troncs brûlés et ruines. De l'église il ne restait que quelques piliers; de ma maison, quatre murs noirâtres; celle d'Aguirre tenait plus ou moins sur pied, le reste n'était que cendres. Nous avions perdu quatre soldats, les autres étaient blessés, plusieurs grièvement. La moitié des *yanaconas* avaient péri dans le combat et cinq autres moururent d'infection et d'hémorragie dans les jours qui suivirent. Les femmes et les enfants sortirent indemnes, car les attaquants n'avaient pas découvert la cachette de Cecilia. Je ne comptai pas les chevaux et les chiens, mais des animaux domestiques ne restèrent que le coq, les deux poules et les deux cochons que Catalina et moi avions sauvés. Des semences ne restaient que quatre poignées de blé.

Rodrigo de Quiroga, comme les autres, crut que j'étais

devenue complètement folle pendant la bataille. Il me porta dans ses bras jusqu'aux ruines de ma maison, où fonctionnait encore l'infirmerie improvisée, et il me déposa doucement par terre. Il avait une expression de tristesse et d'infinie fatigue lorsqu'il prit congé de moi avec un baiser léger sur le front et retourna sur la place. Catalina et une autre femme m'enlevèrent la cuirasse, la cotte de mailles et la robe trempée de sang, cherchant les blessures que je n'avais pas. Elles me lavèrent comme elles purent avec de l'eau et une poignée de crins de cheval en guise d'éponge, car il ne restait plus de tissu, et elles m'obligèrent à boire une demi-tasse de liqueur. Je vomis un liquide rougeâtre, comme si j'avais aussi avalé du sang.

Au tonnerre de toutes ces heures succéda un silence spectral. Les hommes ne pouvaient bouger, ils s'écroulèrent là où ils se trouvaient et y restèrent, couverts de sang, de suie, de poudre et de cendre, jusqu'à ce que les femmes sortent leur donner de l'eau, leur enlever leurs armures et les aider à se relever. Le chapelain parcourut la place pour faire le signe de croix sur le front des morts et leur fermer les yeux, puis il jeta l'un après l'autre les blessés sur son épaule et les porta à l'infirmerie. Le noble cheval de Francisco de Aguirre, mortellement blessé, demeura sur ses pattes tremblantes par pure volonté, jusqu'à ce que plusieurs femmes puissent descendre le cavalier ; alors il baissa la tête et mourut avant de tomber à terre. Aguirre avait plusieurs blessures superficielles, mais il était si raide et souffrait de telles crampes qu'on ne put lui retirer l'armure et les armes, il fallut le laisser dans un coin pendant plus d'une demi-heure, jusqu'à ce qu'il soit capable de faire un mouvement. Ensuite, le maréchal-ferrant coupa avec une scie la lance aux deux extrémités pour la lui enlever de la main engourdie, et entre plusieurs femmes nous le déshabillâmes, tâche ardue, parce qu'il était énorme et aussi rigide qu'une statue de bronze. Monroy et Villagra, en meilleures conditions que d'autres capitaines et excités par le combat, eurent l'idée saugrenue de poursuivre avec quelques soldats les indigènes qui fuyaient en débandade, mais ils ne trouvèrent pas un seul cheval qui puisse faire un pas, ni un seul homme qui ne soit pas blessé.

Juan Gómez avait lutté toute la journée comme un lion sans cesser de penser à Cecilia et à son fils, enterrés dans ma cour ; dès que le combat prit fin, il courut ouvrir la cave. Désespéré, ne trouvant pas de pelle, car les attaquants avaient emporté tout ce qu'ils avaient trouvé, il déblaya la terre de ses mains, arracha les planches avec des gestes brusques, ouvrit la tombe et passa la tête dans un trou noir et silencieux.

« Cecilia, Cecilia ! », cria-t-il, atterré.

Alors la voix claire de sa femme lui répondit depuis le fond.

« Tu arrives enfin, Juan, je commençais à m'ennuyer. »

Les trois femmes et les enfants avaient survécu plus de douze heures sous terre, dans une obscurité totale, avec très peu d'air, sans eau et sans savoir ce qu'il se passait au-dehors. Cecilia avait assigné aux nourrices la tâche de mettre les nouveau-nés au sein à tour de rôle pendant toute la journée, tandis qu'elle, la hache à la main, se tenait prête à les défendre. La caverne ne s'était pas remplie de fumée par l'œuvre et la grâce de Notre-Dame du Secours, ou peut-être parce qu'elle avait été scellée par les pelletées de terre avec lesquelles Juan Gómez avait dissimulé l'entrée.

Monroy et Villagra décidèrent d'envoyer le soir même un messager à Pedro de Valdivia pour lui rendre compte du désastre, mais Cecilia, qui avait émergé du souterrain aussi digne et belle que d'habitude, déclara qu'aucun messager ne sortirait en vie de pareille mission, la vallée étant une fourmi-lière d'Indiens hostiles. Les capitaines, peu accoutumés à prêter l'oreille aux voix féminines, l'ignorèrent.

« Je prie Vos Seigneuries d'écouter ma femme. Son réseau de renseignement nous a toujours été utile, intervint Juan Gómez.

— Que suggère doña Cecilia ? demanda Rodrigo de Quiroga, émacié par la fatigue et la perte de sang, et à qui nous avions cautérisé deux blessures.

— Un homme ne peut traverser les lignes ennemies...

— Suggérez-vous que nous envoyions une colombe messagère ? interrompit Villagra, moqueur.

— Des femmes. Pas une seule, mais plusieurs. Je connais beaucoup de femmes quechua dans la vallée, elles porteront la nouvelle de bouche en bouche au gouverneur, plus rapidement que cent colombes en volant », assura la princesse inca.

Comme nous n'avions pas de temps à perdre en longues discussions, ils décidèrent d'envoyer le message par deux voies, celle que proposait Cecilia et un *yanacona*, agile comme un lièvre, qui tenterait de traverser la vallée de nuit et d'atteindre Valdivia. J'ai le regret de dire que ce fidèle serviteur fut surpris au lever du jour et tué d'un coup de massue. Mieux vaut ne pas penser à son sort s'il était tombé vivant entre les mains de Michimalonko. L'échec de ses troupes avait sans doute rendu le cacique furieux ; il ne devait pas savoir comment expliquer aux indomptables Mapuche du sud qu'une poignée de barbus avaient barré la route à huit mille de ses guerriers. Il pouvait encore moins raconter qu'une sorcière avait lancé les têtes des caciques dans les airs comme s'il s'était agi de melons. Ils le traiteraient de lâche, la pire chose que l'on puisse dire d'un guerrier, et son nom ne serait plus cité dans la tradition orale épique des tribus, mais ferait l'objet de plaisanteries moqueuses. Le système de Cecilia permit cependant de faire parvenir le message au gouverneur en vingt-six heures. La nouvelle vola de hameau en hameau d'un bout à l'autre de la vallée, elle traversa les forêts et les montagnes et atteignit Valdivia, qui allait d'un côté et d'autre avec ses hommes, cherchant en vain Michimalonko, sans comprendre qu'il avait été trompé.

Après que Rodrigo de Quiroga eut parcouru les ruines de Santiago et communiqué à Monroy le calcul des pertes, il vint me voir. Au lieu de la folle de rage qu'il avait déposée à l'infirmerie peu auparavant, il me trouva à peu près propre et aussi raisonnable que d'habitude, m'occupant des nombreux blessés.

« Doña Inés... grâce au Très Haut..., murmura-t-il, sur le point de se mettre à pleurer d'épuisement.

— Retirez votre armure, don Rodrigo, afin que nous vous soignions, répliquai-je.

— J'ai pensé que...! Mon Dieu! Vous avez sauvé la ville, doña Inés. Vous avez mis les sauvages en fuite...

— Ne dites pas des choses pareilles, c'est injuste pour ces hommes qui ont courageusement combattu, et pour les femmes qui les ont secondés.

— Les têtes... on dit que les têtes sont toutes tombées en regardant du côté des Indiens, ils ont cru à un mauvais augure et c'est pour ça qu'ils ont reculé.

— Je ne sais pas de quelles têtes vous parlez, don Rodrigo. Vous vous trompez. Catalina! Aide-le donc à retirer son armure! »

*

Au cours de ces heures, j'ai eu tout loisir de soupeser mes actes. J'ai travaillé sans répit la première nuit et le lendemain, m'occupant des blessés et essayant de sauver ce qui pouvait l'être des maisons brûlées, mais une partie de mon esprit entretenait un constant dialogue avec la Vierge, lui demandant d'intercéder en ma faveur pour le crime commis, et avec Pedro. Je préférais ne pas imaginer sa réaction lorsqu'il verrait la destruction de Santiago, qu'il saurait qu'il n'avait plus ses sept otages et que nous étions à la merci des sauvages sans rien avoir à négocier avec eux. Comment lui expliquer ce que j'avais fait si je ne le comprenais pas moi-même? Lui dire que j'étais devenue folle et que je ne me souvenais même pas très bien des faits était une excuse absurde; de plus, j'avais honte du spectacle grotesque que j'avais donné à ses capitaines et ses

249

soldats. Enfin, vers deux heures de l'après-midi, le 12 septembre, la fatigue me vainquit et je pus dormir quelques heures, couchée par terre près de Baltasar qui était revenu au petit matin en se traînant, la gueule en sang et une patte cassée. Les trois jours suivants m'ont paru durer quelques secondes, à travailler avec les autres pour déblayer les décombres, éteindre les incendies et fortifier la place, le seul endroit où nous pourrions nous défendre d'une autre attaque, que nous supposions imminente. En plus, Catalina et moi grattions les sillons brûlés et les cendres des jardins à la recherche de n'importe quoi de comestible à mettre dans la soupe. Lorsque nous eûmes fait un sort au cheval d'Aguirre, il nous resta très peu de nourriture ; nous étions revenus aux temps de la marmite commune, sauf qu'alors celle-ci consistait en eau avec des herbes et les tubercules que nous pouvions déterrer.

Le quatrième jour, Pedro de Valdivia arriva avec un détachement de quatorze soldats de cavalerie, tandis que les fantassins les suivaient aussi vite que possible. Monté sur Sultan, le gouverneur entra dans la ruine qu'auparavant nous appelions une ville, et il évalua d'un seul coup d'œil l'ampleur du désastre. Il passa dans les rues où s'élevaient encore de faibles colonnes de fumée signalant les anciennes maisons, entra sur la place et trouva la maigre population en haillons, affamée, effrayée, les blessés couchés par terre avec des bandages sales, et ses capitaines, aussi déguenillés que le dernier des *yanaconas*, portant secours aux habitants. Une sentinelle souffla dans son clairon et, dans un effort violent, ceux qui pouvaient se mettre debout se rassemblèrent pour saluer le capitaine général. Je restai en arrière, à demi cachée derrière des bâches ; de là, je vis Pedro et mon âme fit un bond d'amour, de tristesse et de fatigue. Il mit pied à terre au centre de la place et, avant d'embrasser ses amis, parcourut d'un regard le champ de décombres, pâle, me cherchant. Je fis un pas en avant, pour lui montrer que j'étais toujours vivante ; nos regards se croisèrent, et alors il changea d'expression et de couleur. Avec cette voix de raison et d'autorité à laquelle personne ne résistait, il s'adressa aux soldats pour honorer le courage de chacun, surtout de ceux qui étaient morts au combat, et pour rendre grâces à l'apôtre saint Jacques d'avoir sauvé le reste des habitants. La ville n'avait pas d'importance, parce qu'il y avait des bras et des cœurs forts pour la faire resurgir de ses cendres. Nous devions recommencer, dit-il, et cela ne pouvait être un motif de découragement, mais d'enthousiasme pour les vigoureux Espagnols, qui ne s'avouaient jamais vaincus, et les loyaux *yanaconas*. « Saint Jacques, vive l'Espagne ! », s'exclama-t-il, en levant l'épée. « Saint Jacques, vive l'Espagne ! », répondirent ses hommes d'une seule voix disciplinée, mais le ton révélait une profonde lassitude.

Cette nuit-là, couchés sur la terre dure, sans autre abri qu'une couverture immonde, un croissant de lune au-dessus de nos têtes, je me mis à pleurer de fatigue dans les bras de Pedro. Il avait déjà entendu plusieurs récits de la bataille et du rôle que j'y avais tenu ; mais, contrairement à ce que je craignais, il se montra fier de moi, comme l'était, selon lui, jusqu'au dernier soldat de Santiago, qui sans moi aurait péri. Les versions qu'on lui avait données étaient exagérées, je n'ai pas de doute à ce sujet, et ainsi s'installa la légende que j'avais sauvé la ville. « Est-il vrai que tu as toi-même décapité les sept caciques ? », m'a demandé Pedro dès que nous nous sommes retrouvés seuls. « Je ne sais pas », ai-je répondu honnêtement. Pedro ne m'avait jamais vue pleurer, je ne suis pas une femme qui a la larme facile, mais en cette première occasion il n'essaya pas de me consoler, il me caressa seulement avec cette tendresse distraite qu'il avait parfois avec moi. Son profil semblait de pierre, la bouche dure, le regard fixé sur le ciel.

« J'ai très peur, Pedro, sanglotai-je.

— De mourir ?

— De tout sauf de mourir, il me reste encore bien des années avant d'être vieille. »

Il rit sèchement de la plaisanterie que nous partagions, selon laquelle j'enterrerais plusieurs maris et serais toujours une veuve appétissante.

« Les hommes veulent retourner au Pérou, j'en suis certain, bien qu'aucun n'ose encore le dire, pour ne pas paraître lâche. Ils se sentent vaincus.

— Et toi, que veux-tu, Pedro ?

— Fonder le Chili avec toi, répondit-il sans réfléchir deux fois.

— Alors, c'est ce que nous ferons.

— C'est ce que nous ferons, Inés de mon âme... »

Mes souvenirs du passé lointain sont très vivaces et je pourrais relater pas à pas ce qui est arrivé au cours des vingt ou trente premières années de notre colonie au Chili, mais je n'en ai pas le temps : la Mort, cette bonne mère, m'appelle et je veux la suivre, pour me reposer enfin dans les bras de Rodrigo. Les fantômes du passé m'entourent. Juan de Málaga, Pedro de Valdivia, Catalina, Sebastián Romero, ma mère et ma grand-mère, enterrées à Plasencia, et beaucoup d'autres prennent des contours de plus en plus nets et j'entends leurs voix qui chuchotent dans les couloirs de ma maison. Les sept caciques décapités doivent être bien installés au ciel ou en enfer, parce qu'ils ne sont jamais venus me tourmenter. Je ne suis pas sénile, comme le deviennent souvent les vieillards, je suis encore forte et j'ai la tête bien plantée sur les épaules, mais j'ai un pied de l'autre côté de la vie, et c'est pourquoi j'observe et écoute ce qui pour d'autres passe inaperçu. Tu t'inquiètes, Isabel, lorsque je parle ainsi ; tu me conseilles de prier, cela apaise l'âme, dis-tu ! Mon âme est en paix, je n'ai pas peur de mourir, je n'ai pas eu peur à cette époque, alors que c'était raisonnable, et encore moins maintenant, alors que j'ai trop vécu. Tu es la seule qui me retienne en ce monde ; je te confesse que je ne suis pas curieuse de voir mes petits-enfants grandir et souffrir, je préfère emporter le souvenir de leurs rires d'enfants. Je prie par habitude, non comme un remède à l'angoisse. La foi ne m'a pas manqué, mais ma relation avec Dieu a peu à peu changé au fil des ans. Parfois, sans y penser, je l'appelle Ngenechén et je confonds la Vierge du Secours avec la Sainte Terre-Mère des Mapuche, mais je ne suis pas moins catholique qu'autrefois – Dieu m'en garde ! –, c'est seulement que mon christianisme s'est quelque peu élargi, comme il arrive avec les vêtements de laine qu'on a beaucoup portés. Il me reste peu de semaines à vivre, je le sais, parce que par moments mon cœur oublie de battre, je suis prise de vertige, je tombe et je n'ai plus d'appétit. Il n'est pas vrai que je veux me laisser mourir de faim juste pour t'embêter, comme tu m'en accuses, ma fille, mais la nourriture a un goût de sable et je ne peux l'avaler, c'est pourquoi je me nourris de gorgées de lait. J'ai maigri, je ressemble à un squelette couvert de peau, comme aux temps de la disette, sauf qu'alors j'étais jeune. Une vieille maigre est pathétique, mes oreilles sont devenues énormes et une simple brise peut me jeter à terre. A un moment ou un autre, je vais m'envoler. Je dois abréger ce récit, sinon beaucoup de morts resteront dans mon encrier. Morts, presque tous mes amours sont morts, voilà ce qu'il en coûte de vivre aussi longtemps que j'ai vécu.

CHAPITRE CINQ

Les années tragiques, 1543-1549

APRÈS la destruction de Santiago, le conseil municipal se réunit pour décider du sort de notre petite colonie menacée d'extinction, mais avant que ne prévale l'idée de retourner au Cuzco, que la majorité appuyait, Pedro de Valdivia mit dans la balance tout le poids de son autorité ainsi qu'une série de promesses difficiles à tenir pour obtenir que nous restions. D'abord, décida-t-il, il fallait demander du secours au Pérou; ensuite, fortifier Santiago par un mur capable de décourager les ennemis, comme celui des villes européennes. Pour le reste, assura-t-il, on verrait au fur et à mesure, mais nous devions avoir foi en l'avenir, il y aurait de l'or, de l'argent, des terres et des Indiens pour les travailler. Des Indiens? Je ne sais à quels Indiens il pensait, car les Chiliens n'avaient fait preuve d'aucun empressement.

Pedro ordonna à Rodrigo de Quiroga de réunir l'or disponible, depuis les quelques pièces de monnaie que certains soldats avaient économisées toute leur vie et qu'ils gardaient cachées dans leurs bottes, jusqu'au seul ciboire de l'église et au petit peu qui avait été extrait de la laverie de Marga-Marga. Il le donna au forgeron qui le coula et fabriqua l'équipement complet d'un cavalier : frein des rênes et étriers du cheval, éperons et garde de l'épée. Le valeureux capitaine Alonso de Monroy, ainsi paré d'or massif pour impressionner et attirer des colons au Chili, fut envoyé par le désert au Pérou avec cinq soldats et les six seuls chevaux qui n'étaient pas blessés ou trop maigres. Le chapelain González de Marmolejo leur donna la bénédiction, nous les escortâmes un bout de chemin, puis nous leur fîmes nos adieux avec chagrin, car nous ne savions pas si nous les reverrions.

Pour nous commencèrent deux années de très grandes misères, dont je ne voudrais pas me souvenir, de même que je voudrais oublier la mort de Pedro de Valdivia, mais on ne peut pas plus commander la mémoire que les cauchemars. Le tiers des soldats montait la garde à tour de rôle pour surveiller jour et nuit, tandis que les autres, convertis en laboureurs et maçons, ensemençaient la terre, reconstruisaient les maisons et élevaient le mur pour protéger la ville. Nous les femmes, nous travaillions coude à coude avec les soldats et les *yanaconas*. Nous avions très peu de vêtements, car la plus grande partie avait été détruite dans l'incendie ; les hommes portaient un cache-sexe, comme les sauvages, et les femmes, toute pudeur oubliée, une chemise. Ces hivers furent très rudes et tous tombèrent malades, sauf Catalina et moi, qui avions une peau de mule, comme disait González de Marmolejo, admiratif. Nous manquions aussi de nourriture, à l'exception des quelques pâturages naturels de la vallée, des pignons, des fruits amers et des racines, que mangeaient aussi bien les humains que les chevaux et les animaux de basse-cour. Les poignées de graines que j'avais sauvées des flammes furent plantées et l'année suivante nous eûmes plusieurs fanègues de blé, qui à leur tour furent plantées, si bien que nous ne goûtâmes à une miche de pain que la troisième année. Que le pain, cette nourriture de l'âme, nous manquait ! Lorsque nous n'eûmes plus rien qui pût intéresser le cacique Vitacura pour faire du troc, il nous tourna le dos et c'en fut terminé des sacs de maïs et de haricots que nous obtenions par ce moyen. Les soldats devaient aller faire des incursions dans les villages pour y voler des graines, des volailles, des couvertures, tout ce qu'ils pouvaient trouver, comme des bandits. Je suppose que l'essentiel ne manquait pas aux Quechuas de Vitacura, mais les Indiens chiliens détruisirent leurs propres récoltes, décidés à mourir d'inanition si cela pouvait leur permettre d'en finir avec nous. Acculés par la famine, les habitants des villages se dispersèrent vers le sud. Autrefois grouillante d'activité, la vallée se vida de ses familles, mais pas de ses guerriers. Michimalonko et ses troupes ne cessèrent jamais de nous harceler, toujours prêts à attaquer avec la rapidité de l'éclair pour disparaître ensuite dans les forêts. Ils brûlaient nos cultures, tuaient nos animaux, nous assaillaient si nous nous déplacions sans protection armée, aussi étions-nous prisonniers à l'intérieur des murs de Santiago. Je ne sais comment Michimalonko nourrissait ses hommes, car les Indiens ne semaient plus. « Ils mangent très peu, ils peuvent passer des mois avec quelques grains et des pignons », m'apprit Felipe, le jeune Mapuche, et il ajouta que les guerriers portaient au cou une bourse contenant une poignée de graines grillées, avec lesquelles ils pouvaient vivre une semaine.

Avec sa ténacité habituelle et son optimisme, qui ne se relâchèrent jamais, le gouverneur obligeait les gens, épuisés et malades, à labourer la terre, fabriquer des briques crues, construire le mur de fortification et creuser le fossé tout autour de la ville, s'entraîner pour la guerre et mille autres occupations, car il soutenait que l'oisiveté démoralise plus que la faim. C'était vrai. Aucun de nous n'aurait survécu au découragement s'il avait eu le temps de penser à son sort, mais nous ne l'avions pas, car nous travaillions du lever du jour à la nuit tombée. Et s'il nous restait du temps, nous priions, ce qui n'est jamais superflu. Brique à brique, la muraille atteignit la taille de deux hommes autour de Santiago ; planche à planche surgirent l'église et les maisons. Point à point les femmes et moi ravaudions les guenilles, qu'on ne lavait pas pour éviter qu'elles s'effilochent dans l'eau. Nous ne portions des vêtements à peu près décents que pour des occasions très spéciales, car il y en avait aussi, tout n'était pas que lamentations ; nous célébrions les fêtes religieuses, les mariages, parfois un baptême. Les visages émaciés de la population, les orbites creusées, les mains transformées en griffes, le découragement, tout cela faisait peine à voir. Je maigris tellement que lorsque je m'allongeais sur le dos dans le lit les os de mes hanches, les côtes, les clavicules saillaient, je pouvais palper mes organes internes, à peine recouverts par la peau. Je m'endurcis à l'extérieur, mon corps sécha, mais mon cœur s'attendrit. Je ressentais un amour de mère pour ces pauvres malheureux, je rêvais d'avoir des seins pleins de lait pour les nourrir tous. Un jour vint où j'oubliai la faim, où je m'habituai à cette sensation de vide et de légèreté qui parfois me donnait des hallucinations. Ce n'étaient pas des cochons grillés avec une pomme dans la bouche et une carotte dans le cul que je voyais, comme cela arrivait à certains soldats, qui ne parlaient pas d'autre chose, mais des paysages noyés dans la brume, où se promenaient les morts. J'eus l'idée de dissimuler la misère en m'appliquant au nettoyage, vu qu'il y avait de l'eau en abondance. J'entrepris une lutte contre les poux, les puces et la crasse, mais le résultat fut que les rats, les cafards et d'autres bestioles qui servaient pour la soupe commencèrent à disparaître ; alors nous cessâmes de savonner et de frotter.

La faim est une étrange chose, elle annihile notre énergie, nous rend lents et tristes, mais elle éclaircit l'esprit et excite la luxure. Les hommes, pathétiques squelettes presque nus, continuaient à poursuivre les femmes et elles, faméliques, se retrouvaient enceintes. En pleine famine, quelques enfants naquirent dans la colonie, mais peu survécurent. Parmi ceux qui étaient nés au début, plusieurs moururent au cours de ces deux hivers et les autres n'avaient que la peau sur les os, le ventre gonflé et des yeux de vieillard. Préparer la maigre soupe commune pour Espagnols et Indiens devint un défi bien plus grand que celui des attaques surprises de Michimalonko. Nous faisions bouillir de l'eau dans de grands chaudrons avec les herbes que nous trouvions dans la vallée – romarin, laurier, boldo, maytène – puis nous ajoutions ce qu'il y avait : quelques poignées de maïs ou de haricots tirés de nos réserves, qui diminuaient très rapidement, pommes de terre ou tubercules de la forêt, toutes sortes de fourrage, racines, rats, lézards, grillons, chenilles. Sur l'ordre de Juan Gómez, l'alguazil de notre petite ville, j'avais à ma disposition, jour et nuit, deux soldats armés pour empêcher que soit volé le peu que nous avions à la cave et dans la cuisine, mais des poignées de maïs et quelques pommes de terre disparaissaient tout de même. Je gardais le silence sur ces pitoyables rapines, parce que Gómez aurait dû fouetter les domestiques pour les punir, et cela n'aurait fait qu'aggraver notre situation. Il y avait assez de souffrance, à quoi bon en ajouter d'autres. Nous trompions nos estomacs avec des tisanes de menthe, de tilleul et de *matico*, ou poivre long. Si des animaux domestiques mouraient, le cadavre était entièrement utilisé : nous nous couvrions avec la peau, la graisse servait pour les bougies, la viande était boucanée, les viscères destinés aux ragoûts et les sabots faisaient des outils. Les os, bouillis plusieurs fois jusqu'à ce qu'ils se dissolvent dans le bouillon comme de la cendre, donnaient du goût à la soupe. On faisait bouillir des morceaux de cuir sec pour que les enfants les sucent et trompent ainsi la faim. Les chiots nés cette année-là terminèrent dans la marmite dès qu'ils furent sevrés, car nous ne pouvions nourrir un plus grand nombre de chiens, mais nous avons fait notre possible pour garder les autres en vie, car ils constituaient la première ligne d'attaque contre les indigènes ; c'est ainsi que mon fidèle Baltasar fut sauvé.

Felipe avait un don naturel pour le tir à l'arc, il fichait sa flèche à l'endroit où son œil se posait, et il était toujours disposé à partir chasser. Le forgeron lui avait fabriqué des flèches à pointe de métal, plus efficaces que ses pierres affilées, et le garçon revenait de ses excursions avec des lièvres et des oiseaux, parfois même un puma. Il était le seul à oser sortir sans escorte dans les environs, se fondant dans la forêt, invisible aux yeux de l'ennemi ; les soldats, partant en groupe, n'auraient même pas pu chasser un éléphant, s'il y en avait eu au Nouveau Monde. De la même façon, défiant le danger, il rapportait des brassées de foin pour les animaux et grâce à lui les chevaux, bien que très maigres, tenaient sur leurs pattes.

J'ai honte de le dire, mais je soupçonne que les *yanaconas* ont pratiqué le cannibalisme, et même certains de nos hommes désespérés, comme treize ans plus tard il eut cours chez les Mapuche, lorsque la faim se répandit sur le reste du territoire chilien. Les Espagnols se servirent de ce fait pour justifier la nécessité de les soumettre, de les civiliser et de les christianiser, car il n'y a pas de plus grande preuve de barbarie que le cannibalisme ; mais les Mapuche n'y étaient jamais tombés avant notre arrivée. Dans certains cas, très rares, ils dévoraient le cœur d'un ennemi pour acquérir son pouvoir, mais il s'agissait d'un rite, pas d'une coutume. La guerre d'Araucanie fut cause de la famine. Personne ne pouvait cultiver la terre, parce que la première chose que faisaient les Indiens, comme d'ailleurs les Espagnols, c'était de brûler les plantations et de tuer le bétail de l'adversaire ; puis vint la sécheresse et le *chivalongo*, ou typhus, qui entraîna une terrible mortalité. Pour aggraver la punition, il y eut une invasion de crapauds qui infestèrent le sol d'une bave pestilentielle. Dans cette période terrible, les Espagnols, peu nombreux, se nourrissaient de ce qu'ils volaient aux Mapuche, mais ceux-ci, qui étaient des milliers, erraient défaillants dans les champs déserts. Le manque de nourriture les poussa à manger la chair de leurs semblables. Dieu doit tenir compte que ces pauvres gens l'ont fait non par péché, mais par nécessité. Un chroniqueur, qui fit les campagnes du sud en 1555, écrivit que les Indiens venaient acheter un quartier d'homme comme on achète un quartier de lama. La faim... celui qui ne l'a pas connue n'a pas le droit de juger. Rodrigo de Quiroga m'a raconté que dans l'enfer de la forêt chaude des Chunchos les Indiens dévoraient leurs propres compagnons. Si la nécessité a forcé les Espagnols à commettre ce péché, il s'est abstenu de le mentionner.

Catalina, cependant, m'a assuré que les *viracochas* ne sont pas différents des autres mortels, que certains déterraient les morts pour rôtir les cuisses et partaient chasser des Indiens dans la vallée dans le même but. Lorsque je l'ai dit à Pedro il m'a fait taire, tremblant d'indignation, car il lui paraissait impossible qu'un chrétien commît une telle infamie ; alors j'ai dû lui rappeler que, grâce à moi, il mangeait un peu mieux que les autres colons, et que pour cette raison il n'avait rien à dire. Il suffisait de voir la joie démente de celui qui parvenait à chasser un rat sur les rives du Mapocho pour comprendre que même le cannibalisme pouvait exister.

*

Felipe, ou Felipillo, comme on appelait le jeune Mapuche, devint l'ombre de Pedro et une silhouette familière dans la ville, mascotte des soldats, qu'amusait la façon dont il imitait les manières et la voix du gouverneur, sans esprit de moquerie, par admiration. Pedro feignait de ne pas s'en apercevoir, mais je sais que l'attention muette du gamin et sa promptitude à le servir le flattaient : il faisait luire son armure avec du sable, affûtait son épée, suiffait ses courroies s'il trouvait un peu de graisse et, surtout, soignait Sultan comme s'il avait été son frère. Pedro le traitait avec cette joviale indifférence que l'on accorde à un chien fidèle ; le *Taita* n'avait pas besoin de lui adresser la parole, Felipe devinait ses désirs. Pedro ordonna à un soldat d'apprendre au garçon à utiliser une arquebuse « pour qu'il défende les femmes de la maison en mon absence », dit-il, ce qui m'offensa, car c'était toujours moi qui défendais non seulement les femmes, mais aussi les hommes. Felipe était un garçon contemplatif et silencieux, capable de passer des heures immobile, comme un vieux moine. « Il est paresseux, comme tous ceux de sa race », disait-on de lui. Sous le prétexte des cours de mapudungu – une obligation presque intolérable pour lui, il me méprisait pour la seule

263

raison que j'étais une femme –, j'ai appris une grande partie de ce que je sais sur les Mapuche. Pour eux la Terre-Mère pourvoit, les gens prennent ce qui leur est nécessaire et remercient, ils ne prennent pas plus et n'accumulent pas ; le travail est incompréhensible, le futur n'existant pas. A quoi sert l'or ? La terre n'appartient à personne, la mer non plus ; la seule idée de les posséder ou de les diviser produisait des fous rires chez Felipe habituellement taciturne. Les personnes n'appartiennent pas non plus à d'autres. Comment les *huincas* peuvent-ils acheter et vendre des gens, s'ils ne sont pas à eux ? Parfois, le garçon passait deux ou trois jours muet, désagréable, sans manger, et quand on lui demandait ce qu'il avait, la réponse était toujours la même : « Il y a des jours heureux et des jours tristes. Chacun est maître de son silence. » Il se comportait mal envers Catalina, qui se méfiait de lui, mais ils se racontaient leurs rêves, car pour tous deux la porte était toujours ouverte entre les deux moitiés de la vie, nocturne et diurne, la divinité communiquait avec eux à travers les rêves. Ne pas écouter les rêves cause de grands malheurs, assuraient-ils. Felipe n'a jamais permis à Catalina de lire son destin avec ses perles et ses coquillages de divination, pour lesquels il éprouvait une terreur superstitieuse, de même qu'il refusait de goûter à ses herbes médicinales.

Il était interdit aux domestiques de monter les chevaux, sous peine de coups de fouet, mais pour Felipe on fit une exception, vu qu'il les nourrissait et était capable de les dompter sans violence, en leur parlant à l'oreille en mapudungu. Il apprit à galoper comme un gitan et ses prouesses faisaient sensation dans ce village triste. Il se collait contre la bête jusqu'à faire partie d'elle, allait à son rythme sans jamais la forcer. Il n'utilisait ni selle ni étriers, guidait d'une pression légère des genoux et tenait les rênes dans sa bouche, gardant ainsi ses deux mains libres pour l'arc et les flèches. Il pouvait monter lorsque le cheval courait, se retourner sur son échine pour regarder vers la queue ou se pendre par les bras et les jambes, si bien qu'il galopait la poitrine contre le ventre de la bête. Les hommes entraient en lice, mais ils eurent beau essayer, aucun ne put l'imiter. Parfois il se perdait pendant plusieurs jours dans ses excursions de chasse et, juste au moment où nous le croyions mort entre les mains de Michimalonko, il revenait sain et sauf avec une traîne d'oiseaux à l'épaule pour enrichir notre insipide soupe. Valdivia s'inquiétait lorsqu'il disparaissait ; il l'a menacé plus d'une fois du fouet s'il repartait sans autorisation, mais il ne s'exécutait jamais, parce que nous dépendions du produit de ses chasses. Au centre de la place se trouvait le tronc taché de sang où l'on appliquait les peines de fouet, mais Felipe ne semblait pas en avoir peur. A cette époque il était devenu un adolescent mince, grand pour quelqu'un de sa race, au corps osseux et musclé, avec une expression intelligente et un regard pénétrant. Il était capable de porter sur son dos plus de poids que n'importe quel homme adulte et cultivait un mépris absolu pour la douleur et la mort. Les soldats admiraient son stoïcisme et quelques-uns, pour s'amuser, le mettaient à l'épreuve. Je dus leur interdire de le mettre au défi de prendre un charbon ardent dans la main ou de s'enfoncer des épines enduites de piment fort. Hiver comme été il se baignait pendant des heures dans les eaux toujours froides du Mapocho. Il nous avait expliqué que l'eau glacée fortifie le cœur, raison pour laquelle les mères mapuche plongent les enfants dans l'eau dès leur naissance. Les Espagnols, qui fuient le bain comme la peste, s'installaient au sommet du mur pour le regarder nager et parier sur sa résistance. Il lui arrivait de s'immerger dans les eaux tumultueuses du fleuve pendant plusieurs Notre Père et, alors que les curieux commençaient à payer les paris aux gagnants, Felipe réapparaissait sain et sauf.

Le pire, au cours de ces années, ce fut l'abandon et la solitude. Nous attendions du secours sans savoir s'il allait arriver, tout dépendait de la gestion du capitaine Monroy. Même l'infaillible réseau d'espions de Cecilia ne put nous renseigner sur lui et les cinq autres braves, mais nous ne nous faisions aucune illusion. C'eût été un miracle que cette poignée d'hommes fût passée entre les Indiens hostiles, eût traversé le désert et atteint son but. Pedro me disait, dans l'intimité de nos conversations au lit, que le véritable miracle serait que Monroy obtînt de l'aide au Pérou, où personne ne voulait investir de l'argent dans la conquête du Pérou. L'équipement en or de son cheval impressionnerait sans doute les curieux, mais pas les politiques et les commerçants. Le monde se réduisit pour nous à quelques pâtés de maisons à l'intérieur d'une grosse muraille de torchis, aux mêmes visages abîmés, aux jours sans nouvelles, à l'éternelle routine, aux sporadiques sorties de la cavalerie en quête de nourriture ou pour repousser un groupe d'Indiens audacieux, à des rosaires, des processions et des enterrements. Même les messes furent réduites au minimum, parce qu'il ne nous restait qu'une demi-bouteille de vin à consacrer et que ç'aurait été un sacrilège d'utiliser de la chicha. La seule chose qui ne nous a jamais manqué, c'est l'eau, car lorsque les Indiens nous ont empêchés d'aller au fleuve ou ont bouché les canaux d'irrigation des Incas, nous avons creusé des puits. On n'avait pas besoin de mes talents pour localiser l'eau, car où que nous piochions elle jaillissait en abondance. Comme nous manquions de papier pour noter les actes du conseil municipal et les sentences de justice, nous utilisions des bandes de cuir, mais les chiens affamés les ont mangées dans un de nos moments d'inattention, si bien qu'il y a peu de registres officiels des pénuries vécues au cours de ces années.

Attendre, toujours attendre, c'est à cela que passaient nos journées. Nous attendions les Indiens les armes à la main, nous attendions qu'un rat tombe dans les pièges, nous attendions des nouvelles de Monroy. Nous étions prisonniers à l'intérieur de la ville, entourés d'ennemis, à moitié morts de faim, mais il y avait un certain orgueil dans le malheur et la pauvreté. Pour les fêtes, les soldats revêtaient entièrement leur

266

armure sur leur corps nu ou protégé par des peaux de lapin ou de rats, car ils n'avaient pas de vêtements à porter en dessous, mais ils les entretenaient soigneusement et elles brillaient comme de l'argent. L'unique soutane de González de Marmolejo était raide de reprises et de crasse, mais pour la messe il enfilait par-dessus un morceau de nappe de dentelle sauvé de l'incendie. Comme Cecilia et les épouses des capitaines, je n'avais pas de jupe décente, mais nous passions des heures à nous coiffer et peignions nos lèvres en rose avec le fruit amer d'un arbuste qui, d'après Catalina, était vénéneux. Aucune n'en mourut, mais il est vrai qu'il produisait une mauvaise diarrhée. Nous parlions toujours de nos misères sur le ton de la plaisanterie, parce que nous plaindre pour de bon eût été le fait de lâches. Les *yanaconas* ne comprenaient pas cette forme d'humour tellement espagnole, et ils erraient comme des chiens battus, rêvant de rentrer au Pérou. Plusieurs femmes indigènes s'enfuirent pour se rendre aux Mapuche, chez lesquels au moins elles ne mourraient pas de faim, et aucune ne revint. Pour éviter que d'autres les imitent, nous fîmes courir la rumeur qu'ils les avaient mangées, mais Felipe soutenait que les Mapuche étaient toujours prêts à ajouter une autre épouse à leurs familles.

« Que deviennent-elles lorsque le mari meurt ? lui demandai-je en mapudungu, en pensant à la mortalité des guerriers que laissaient les batailles.

— On fait ce qu'on doit faire : le fils aîné hérite de toutes, sauf de sa mère, me répondit-il.

— Et toi, morveux, tu ne veux pas encore te marier ? lui suggérai-je en plaisantant.

— Le moment de voler une femme n'est pas venu », répliqua-t-il, très sérieux.

Il m'expliqua que dans la tradition mapuche, avec l'aide de ses frères et de ses amis, le fiancé vole la jeune fille qu'il désire. Parfois, la bande de jeunes gens entre violemment dans la maison, attache les parents et emporte la fille qui se débat, mais ensuite, à condition que la fiancée soit d'accord, le prétendant répare le dommage en payant à ses futurs beaux-parents la somme correspondante en animaux et autres biens. Ainsi est formalisée l'union. L'homme peut avoir plusieurs épouses, mais il doit donner la même chose à chacune et les traiter sur le même pied. Il est fréquent qu'il épouse deux ou plusieurs sœurs, pour ne pas les séparer. González de Marmolejo, qui assistait en général à mes leçons de mapudungu, expliqua à Felipe que cette lascivité effrénée était une preuve plus que suffisante de la présence du démon parmi les Mapuche qui, sans l'eau sacrée du baptême, finiraient rôtis dans les braises de l'enfer. Le garçon lui demanda si le démon était aussi parmi les Espagnols, qui prenaient une douzaine d'Indiennes sans indemniser leurs parents avec des lamas et des guanacos, comme il se doit, et en plus ils les battaient, ne les traitaient pas toutes de la même façon, et quand ça leur chantait en changeaient pour d'autres. Peut-être Espagnols et Mapuche allaient-ils se retrouver en enfer, où ils continueraient à s'entre-tuer pendant toute l'éternité, suggéra-t-il. Je dus sortir précipitamment de la pièce pour ne pas éclater de rire à la vénérable barbe du prêtre.

Pedro et moi étions faits pour l'effort, pas pour l'indolence. Le défi que représentait survivre un jour de plus et entretenir le moral de la colonie nous emplissait d'énergie. Nous ne nous laissions aller au découragement que lorsque nous étions seuls, mais cela ne durait pas longtemps, bien vite nous nous moquions de nous-mêmes. « Je préfère mâchonner des rats ici avec toi qu'être vêtue de brocart à la cour de Madrid », lui disais-je. « Disons plutôt que tu préfères être la femme du gouverneur ici que faire de la dentelle aux fuseaux à Plasencia », me répondait-il. Et nous tombions enlacés sur le lit en riant comme des enfants. Jamais nous n'avons été plus unis, jamais nous n'avons fait l'amour avec autant de passion et de sagesse qu'à cette époque. Quand je pense à Pedro, ce sont ces moments que je retiens ; c'est ainsi que je veux me souvenir de lui, comme il était à quarante et quelques années, abîmé par la faim, mais gardant l'esprit fort et décidé, plein d'espoir. J'ajouterais que je veux me le rappeler amoureux, mais ce serait superflu, car il l'a toujours été, même lorsque nous nous sommes séparés. Je sais qu'il est mort en pensant à moi. L'année de sa mort, en 1553, je me trouvais à Santiago et lui guerroyait à Tucapel, bien loin de là, mais j'ai su si clairement qu'il agonisait et mourait que lorsqu'on m'apporta la nouvelle, quelques semaines plus tard, je n'ai pas versé une larme. J'avais épuisé les pleurs.

*

Vers la mi-décembre, deux ans après que le capitaine Monroy fût parti pour sa périlleuse mission, alors que nous étions en train de préparer une modeste fête de Noël avec des cantiques et une crèche improvisée, arriva aux portes de Santiago un homme épuisé, couvert de poussière, que les sentinelles faillirent laisser dehors, car au début elles ne le reconnurent pas. C'était l'un de nos *yanaconas* ; il courait depuis deux jours et avait réussi à atteindre la ville en se glissant sans être vu dans les forêts pleines d'indigènes ennemis. Il faisait partie d'un petit groupe que Pedro avait laissé sur une plage de la côte dans l'espoir que des secours arrivent du Pérou. Sur un promontoire, il gardait plusieurs bûchers, prêts à être allumés au cas où un bateau apparaîtrait. Enfin les guetteurs, qui scrutaient l'horizon depuis une éternité, aperçurent une voile sur la mer et, joyeux, firent les signaux convenus. Le navire, commandé par un ancien ami de Pedro de Valdivia, apportait l'aide tant attendue.

« Il faut que tu apportes des hommes et des chevaux pour transporter la charge, *tatay*. C'est ça, rien d'autre, que t'envoie dire le *viracocha* du bateau », haleta l'Indien, exténué.

Pedro de Valdivia partit au galop avec plusieurs capitaines

en direction de la plage. Difficile de décrire l'allégresse qui s'empara de la ville. Le soulagement était tel que ces soldats endurcis pleuraient, et si grand l'espoir que personne ne prêta attention au curé lorsqu'il appela à une messe d'action de grâces. Toute la population était rassemblée sur le mur pour scruter le chemin, bien que nous sachions qu'il faudrait plusieurs jours aux visiteurs pour arriver à Santiago.

Une expression d'horreur se peignit sur les visages de ceux du bateau lorsqu'ils virent apparaître Valdivia et ses soldats sur la plage et, ensuite, lorsqu'ils atteignirent la ville et que nous sortîmes à leur rencontre. Cela nous donna une idée approximative de l'ampleur de notre misère. Nous nous étions habitués à notre aspect de squelettes, aux guenilles et à la crasse, mais en comprenant que nous inspirions de la pitié, nous ressentîmes une profonde honte. Bien que nous nous soyons pomponnés comme nous pouvions et que Santiago nous parût splendide dans la lumière radieuse de l'été, nos hôtes eurent la plus déplorable impression, à tel point qu'ils voulurent donner des vêtements à Valdivia et aux autres capitaines, mais il n'y a pire offense pour un Espagnol que de recevoir la charité. Ce que nous ne pouvions payer fut noté comme dette, et Valdivia se porta garant pour les autres, car nous n'avions pas d'or. Les commerçants qui avaient affrété le bateau au Pérou furent satisfaits, car ils triplèrent leur investissement et ils avaient la certitude de recouvrer la dette ; la parole de Valdivia leur paraissait une garantie plus que suffisante. Parmi eux se trouvait le marchand qui avait prêté de l'argent à Pedro au Cuzco, avec un intérêt usurier, pour financer l'expédition. Il venait percevoir ce qui lui revenait multiplié, mais il dut parvenir à un accord équitable : lorsqu'il vit l'état de notre colonie il comprit qu'autrement il ne récupérerait rien. Sur la cargaison du bateau, Pedro m'acheta trois chemises de lin et une de fine batiste, des jupes pour tous les jours et d'autres en soie, des bottes de travail et des chaussures de femmes, du savon, de la crème de fleur d'oranger pour le visage et un flacon de parfum, luxe que j'avais cru ne jamais revoir de ma vie.

Le bateau avait été envoyé par le capitaine Monroy. Alors qu'à Santiago nous subissions l'adversité, lui et ses cinq compagnons avaient réussi à atteindre Copiapó, où ils étaient tombés entre les mains des Indiens. Quatre soldats avaient été massacrés sur-le-champ, mais Monroy, monté sur son alezan d'or, ainsi qu'un autre homme, avaient survécu grâce à une chance incroyable ; ils avaient été sauvés par un soldat espagnol qui, ayant esquivé la justice du Pérou, vivait au Chili depuis des années. L'homme avait perdu les deux oreilles parce qu'il avait volé et, honteux, s'était réfugié chez les indigènes, fuyant tout contact avec ceux de sa race. Le châtiment du vol est l'amputation d'une main, coutume qui en Espagne date de l'époque des Maures, mais dans le cas d'un soldat on préfère lui couper le nez ou les oreilles, afin qu'il puisse continuer à combattre. L'homme aux oreilles coupées intervint pour que les Indiens ne tuent pas le capitaine, qu'il imagina très riche, à en juger par l'or qu'il portait sur lui, et son compagnon. Monroy était un homme sympathique qui avait la parole facile ; il fit si bonne impression aux Indiens qu'ils ne le traitèrent pas en prisonnier, mais en ami. Au bout de trois mois d'agréable captivité, le capitaine et l'autre Espagnol parvinrent à s'échapper à cheval, mais bien sûr sans l'équipement impérial. On raconte qu'au cours de ces trois mois Monroy séduisit la fille du cacique et la laissa enceinte, mais cela peut être une vantardise du capitaine lui-même ou un mythe populaire, de ceux qui fleurissent parmi nous. Le fait est que Monroy atteignit le Pérou, qu'il obtint des renforts, enthousiasma plusieurs commerçants, envoya le bateau au Chili et vint par voie de terre avec soixante-dix soldats, qui arrivèrent quelques mois plus tard. Cet Alonso de Monroy, galant, loyal et d'un grand courage, mourut au Pérou deux ans plus tard dans des circonstances mystérieuses. Certains disent qu'il fut empoisonné, d'autres qu'il fut expédié *ad*

271

patres par la peste ou une morsure d'araignée, et il n'en manque point pour croire qu'il vit toujours en Espagne, où il est rentré discrètement, fatigué de guerroyer.

Le bateau nous apporta des soldats, de la nourriture, du vin, des armes, des munitions, des vêtements, des ustensiles et des animaux domestiques, autrement dit les trésors dont nous rêvions. Le plus important fut le contact avec le monde civilisé; nous n'étions plus seuls au bout du monde. L'arrivée de cinq femmes espagnoles, épouses ou parentes de soldats, agrandit aussi notre colonie. Pour la première fois depuis que j'avais quitté le Cuzco je pus me comparer à d'autres femmes de ma race et constater combien j'avais changé. Je décidai d'abandonner les bottes et les vêtements d'homme, d'éliminer les tresses et de me faire une coiffure plus élégante, de mettre sur mon visage la crème que Pedro m'avait offerte et, enfin, de cultiver les manières féminines que j'avais laissées de côté depuis des années. L'optimisme revint gonfler les cœurs de nos gens, nous nous sentions capables d'affronter Michimalonko et le Diable lui-même s'ils se présentaient à Santiago. C'est certainement ce que perçut de loin le rusé cacique, car il ne revint pas attaquer la ville, bien qu'il fallût souvent le combattre dans les environs et le poursuivre jusque dans ses *pucaras*. A chacune de ces rencontres, il y avait tant d'Indiens tués que nous nous demandions d'où il en venait toujours.

Valdivia fit valoir les propriétés qu'il m'avait assignées à moi et à quelques-uns de ses capitaines. Il envoya des émissaires prier les indigènes pacifiques de revenir dans la vallée, où ils avaient toujours vécu avant notre arrivée, et leur promit la sécurité, la terre et la nourriture en échange de leur aide, car les terres sans âmes étaient inutiles. Un grand nombre de ces Indiens, qui avaient fui par peur de la guerre et des pillages des barbus, revinrent. Grâce à eux, nous commençâmes à prospérer. Le gouverneur convainquit aussi le cacique Vitacura de nous céder des Indiens quechua, plus efficaces que les Chiliens pour les travaux pénibles; avec ces nouveaux *yana-*

272

conas, il put exploiter la mine de Marga-Marga et d'autres dont il apprit l'existence. Aucun travail n'exigeait plus de sacrifice que celui des mines. J'y vis des centaines d'hommes et autant de femmes, certaines enceintes, d'autres avec des enfants attachés dans le dos, plongés dans l'eau froide jusqu'à la taille, lavant le sable pour en extraire l'or du lever au coucher du soleil, exposés aux maladies, au fouet des contremaîtres et aux abus des soldats.

*

Aujourd'hui, en sortant du lit, les forces m'ont manqué pour la première fois de ma longue vie. Il est étrange de sentir le corps s'épuiser alors que l'esprit continue à former des projets. Avec l'aide des servantes, je me suis habillée pour aller à la messe comme je le fais chaque jour, car j'aime saluer Notre-Dame du Secours, aujourd'hui propriétaire de sa propre église et d'une couronne d'or incrustée d'émeraudes ; nous sommes amies depuis longtemps. J'essaie d'aller à la première messe, celle des pauvres et des soldats, parce que, à cette heure, dans l'église, la lumière semble venir directement du ciel. Le soleil du matin entre par les hautes fenêtres et ses rayons resplendissants traversent la nef telles des lances, éclairant les saints dans leurs niches, et parfois aussi les esprits qui m'entourent, cachés derrière les piliers. C'est une heure paisible, propice à la prière. Il n'y a rien d'aussi mystérieux que le moment où le pain et le vin se changent en corps et sang du Christ. J'ai assisté à ce miracle des milliers de fois dans ma vie, mais il me surprend et m'émeut encore comme au jour de ma première communion. Je ne peux m'en empêcher, je pleure chaque fois que je reçois l'hostie. Tant que je pourrai bouger, je continuerai à aller à l'église et je n'abandonnerai pas mes obligations : l'hôpital, les pauvres, le couvent des augustines, la construction des ermitages, l'administration de mes propriétés et cette chronique, sans doute plus longue qu'il ne convient.

Je ne me sens pas encore vaincue par l'âge, mais j'admets que suis devenue maladroite et que j'ai des absences, je ne suis plus capable de bien faire ce que j'exécutais autrefois sans réfléchir ; les heures ne suffisent plus. Cependant, je n'ai pas abandonné ma vieille discipline : faire ma toilette et m'habiller avec soin ; j'ai l'intention de garder ma vanité jusqu'à la fin, car je veux que Rodrigo me trouve propre et élégante lorsque nous nous retrouverons de l'autre côté. Soixante-dix ans, ça ne me paraît pas si vieux... Si mon cœur le supportait, je pourrais vivre dix ans de plus, et dans ce cas je me remarierais, parce qu'on a besoin d'amour pour continuer à vivre. Je suis sûre que Rodrigo le comprendrait, comme je le ferais dans le cas inverse. S'il était avec moi, nous jouirions ensemble jusqu'à la fin de notre existence, lentement et sans tapage. Rodrigo redoutait le moment où nous ne pourrions plus faire l'amour. Je crois qu'il redoutait plus que tout d'être ridicule, les hommes mettent beaucoup d'orgueil dans cette affaire ; mais il y a bien des façons de s'aimer, et j'en aurais inventé une pour que, même vieux, nous continuions à nous ébattre comme en des temps meilleurs. Ses mains, son odeur, ses larges épaules, ses doux cheveux sur la nuque, le frôlement de sa barbe, le souffle de son haleine dans mes oreilles lorsque nous étions ensemble dans l'obscurité, comme je regrette tout cela ! J'ai tellement besoin de l'étreindre, d'être étendue près de lui que parfois je ne peux retenir un cri étouffé. Où es-tu Rodrigo ? Comme tu me manques !

Ce matin je me suis habillée et je suis sortie, malgré la fatigue de mes os et de mon cœur, parce que c'est mardi, jour où je rends visite à Marina Ortiz de Gaete. Les domestiques m'emmènent dans une chaise à porteurs, parce qu'elle vit près d'ici et que ce n'est pas la peine de prendre la voiture ; l'ostentation est très mal vue en ce royaume, et je crains que la voiture que Rodrigo m'a offerte n'attire un peu trop l'attention. Marina a quelques années de moins que moi, mais comparée à elle j'ai l'impression d'être une jeunette ; elle est devenue une bigote scrupuleuse et laide, que Dieu me pardonne ma mauvaise langue. « Mettez une sentinelle sur vos lèvres, mère », me conseilles-tu en riant, Isabel, lorsque tu m'entends parler ainsi, mais je soupçonne que mes sottises t'amusent ; de plus, ma fille, j'ai gagné le droit de dire ce que les autres n'osent dire. Les rides et les minauderies de Marina me causent une certaine satisfaction, mais je lutte contre ce sentiment mesquin, car je ne veux pas passer plus de temps que nécessaire au purgatoire. Je n'ai jamais aimé les personnes dolentes et faibles de caractère, comme Marina. Elle me fait pitié, parce que même les parents qu'elle a amenés avec elle d'Espagne, et qui sont maintenant des habitants prospères de Santiago, l'ont oubliée. Je ne leur en fais pas le reproche, car cette bonne dame est très ennuyeuse. Mais au moins ne vit-elle pas dans la pauvreté, elle a un veuvage digne, bien que cela ne compense en rien sa malchance d'épouse abandonnée. Comme elle doit se sentir seule cette malheureuse femme, qui attend mes visites avec anxiété et que je trouve en train de pleurnicher si j'ai un peu de retard. Nous buvons des tasses de chocolat, tandis que je dissimule mes bâillements et que nous parlons du seul sujet que nous ayons en commun : Pedro de Valdivia.

Marina vit au Chili depuis vingt-cinq ans. Elle est arrivée vers 1554, prête à assumer son rôle d'épouse du gouverneur, avec une cour de parents et d'adulateurs bien décidés à profiter de la richesse et du pouvoir de Pedro de Valdivia, à qui le roi avait accordé le titre de marquis et l'Ordre de Saint-Jacques. Mais en arrivant, Marina a eu la surprise d'apprendre qu'elle était veuve. Son mari était mort entre les mains des Mapuche quelques mois plus tôt, sans seulement avoir connaissance des honneurs accordés par le roi. Le comble, c'est que le trésor de Valdivia, qui avait suscité tant de commérages, s'avéra n'être que fumée. On avait accusé le gouverneur de trop s'enrichir, de garder les terres les plus vastes et les plus fertiles, d'exploiter un tiers des Indiens pour son propre pécule, mais il démontra finalement qu'il était plus pauvre que n'importe lequel de ses capitaines ; pour payer ses dettes, Marina dut même vendre sa maison de la place d'Armes. Le conseil municipal n'eut pas la décence d'assigner une pension à Marina Ortiz de Gaete, épouse légitime du conquérant du Chili, ingratitude si fréquente dans ces parages qu'elle a même un nom : « la récompense du Chili ». Je dus lui acheter une maison et payer ses dépenses, pour éviter que le fantôme de Pedro me tire les oreilles. Heureusement que je peux m'accorder certains plaisirs, comme fonder des institutions, m'assurer une niche dans l'église pour y être enterrée, entretenir une multitude de proches, laisser ma fille dans une bonne condition et tendre la main à l'épouse de mon ancien amant. Qu'importe aujourd'hui que nous ayons été rivales autrefois ?

Je viens de m'apercevoir que j'ai noirci bien des pages et que je n'ai pas encore expliqué pourquoi ce territoire éloigné est le seul royaume d'Amérique. Le Saint Empereur Charles Quint voulait marier son fils Philippe à Marie Tudor, reine d'Angleterre. En quelle année était-ce donc ? A peu près à l'époque où Pedro est mort, me semble-t-il. Le jeune homme avait besoin d'un titre de roi pour réaliser l'union, et comme son père n'avait pas l'intention de lui abandonner son trône, on décida que le Chili serait un royaume et Philippe son souverain ; cela n'améliora pas notre sort, mais contribua à nous classer.

Lorsqu'elle arriva, Marina avait quarante-deux ans, elle n'était pas très maligne, mais très belle, de cette beauté délavée des blondes mûres. Dans le même bateau qu'elle, venaient Daniel Belalcázar et ma nièce Constanza, que j'avais quittés à Cartagena en 1538. Je pensais que je ne reverrais pas cette nièce qui, au lieu de se faire religieuse, comme prévu, avait précipitamment épousé à quinze ans le chroniqueur qui l'avait séduite sur le bateau. Notre surprise fut immense, car je supposais qu'ils étaient morts dévorés par la forêt et eux n'avaient jamais imaginé que je finirais par fonder un royaume. Ils restèrent près de deux ans au Chili, étudiant le passé et les coutumes des Mapuche, de loin, certes, car la guerre était à son apogée et on ne pouvait envisager d'aller vivre parmi eux. Belalcázar disait que les Mapuche ressemblaient aux Asiatiques qu'il avait rencontrés dans ses voyages. Il les considérait comme de grands guerriers et ne cachait pas son admiration pour eux, comme cela est ensuite arrivé à ce poète qui a écrit une épopée sur l'Araucanie. En ai-je déjà parlé ? Peut-être pas, mais il est un peu tard pour m'occuper de lui. Il s'appelait Ercilla. Lorsqu'ils comprirent qu'ils ne pourraient jamais approcher les Mapuche pour les dessiner et leur poser des questions personnelles, les époux Belalcázar continuèrent leurs pérégrinations de par le monde. C'étaient des associés parfaits pour les entreprises scientifiques, tous deux souffraient de la même insatiable curiosité et du même mépris olympien pour les dangers de leurs entreprises échevelées.

Daniel Belalcázar me mit dans la tête de fonder un établissement d'enseignement, considérant que c'était un comble que nous nous prenions au Chili pour une colonie civilisée alors que ceux qui savaient lire se comptaient sur les doigts d'une main. J'ai fait la proposition à González de Marmolejo et tous deux avons lutté pendant des années pour créer des écoles, mais personne ne s'intéressait au projet. Les imbéciles ! Ils craignent, si le peuple apprend à lire, qu'il s'adonne au vice de penser, car de là à se rebeller contre la Couronne il n'y a qu'un pas.

Comme je le disais, aujourd'hui n'a pas été un bon jour pour moi. Au lieu de m'en tenir au récit de ma vie, je me suis mise à divaguer. Chaque jour il m'est plus difficile de me concentrer sur les faits, car je me distrais ; dans cette maison il y a beaucoup de raffut, bien que tu m'affirmes qu'elle est la plus calme de Santiago.

« Vous vous faites des idées, mère. Ici il n'y a aucun bruit, bien au contraire, les âmes peinent, m'as-tu dit hier soir.

277

— Exactement, Isabel, c'est de cela que je parle. »

Tu es comme ton père, pratique et raisonnable, c'est pour cela que tu ne perçois pas la foule qui se promène sans permission dans mes appartements. Avec l'âge, le voile qui sépare ce monde de l'autre s'amincit, et je commence à voir l'invisible. Je suppose que lorsque je mourrai tu rénoveras tout cela : tu donneras mes vieux meubles et tu peindras les murs d'une autre couche de chaux, mais souviens-toi que tu m'as promis de garder ces pages, écrites pour toi, mais aussi pour tes descendants. Si tu préfères, tu peux les donner aux curés de la Merci ou aux dominicains, qui me doivent quelques faveurs. Souviens-toi aussi que je laisserai un pécule pour entretenir Marina Ortiz de Gaete jusqu'à son dernier jour et pour nourrir les pauvres, qui ont l'habitude de recevoir leur repas quotidien à la porte de cette maison. Je crois t'avoir déjà dit tout cela, pardonne-moi si je me répète. Je suis sûre que tu respecteras mes dispositions, Isabel, parce que en cela aussi tu es comme ton père : tu as le cœur droit et ta parole est sacrée.

*

Le sort de notre colonie changea du tout au tout lorsque le contact avec le Pérou fut établi et que des provisions et des gens disposés à peupler le pays commencèrent à arriver. Grâce aux galions qui faisaient la navette, nous pouvions nous procurer ce qui nous était indispensable pour prospérer. Valdivia acheta du fer, des outils, des munitions et des canons, moi je commandai des arbres et des semences d'Espagne, qui poussent bien sous le climat chilien, des brebis, des chèvres et du bétail. Par erreur, on m'envoya huit vaches et douze taureaux ; un seul aurait suffi. Aguirre voulut profiter du malentendu pour inaugurer les premières arènes, mais les animaux étaient excités par le voyage en mer et ils ne servaient pas pour donner des coups de cornes. Ils ne furent pas perdus, car dix devinrent des bœufs qu'on employa au labour et au transport.

Les deux autres servirent de bonne grâce les vaches; un cheptel abondant s'étend aujourd'hui des pâturages de Copiapó à la vallée du Mapocho. Nous avions une carrière et des scieries, nous avons construit un moulin et des fours publics, établi des fabriques de tuiles et de briques séchées, créé des ateliers de tannerie, de poterie, de vannerie, de voiles, de charrues et de meubles. Il y avait deux tailleurs, quatre écrivains, un médecin – qui ne servait malheureusement pas à grand-chose – et un excellent vétérinaire. A l'allure où la ville grandissait, la vallée allait bientôt être dépouillée de tous ses arbres, tant était grande la poussée de nos constructions. Je ne peux dire que nous vivions dans l'aisance, mais nous ne manquions plus de nourriture; les *yanaconas* aussi avaient grossi et ils étaient devenus paresseux. Nous n'avons pas eu de problèmes graves, hormis l'invasion de rats provoquée par les arts vicieux qu'utilisaient les *machis* pour contrarier les chrétiens. Nous ne pouvions protéger les semis, les maisons ou les vêtements, les rats mangeaient tout, sauf le métal. Cecilia proposa la solution qu'on utilisait au Pérou : des jarres remplies d'eau jusqu'à la moitié. La nuit, nous en mettions plusieurs dans chaque maison, et le matin nous trouvions jusqu'à cinq cents rats noyés, mais le fléau ne prit fin que lorsque Cecilia trouva un sorcier quechua capable de défaire le maléfice des *machis*.

Valdivia demandait à ses soldats de faire venir leurs épouses d'Espagne, comme l'ordonnait le roi, et certains obéirent, mais la majorité préférait vivre avec plusieurs jeunes concubines indiennes qu'avec une épouse d'âge mûr. Dans notre colonie, de plus en plus d'enfants métis ignoraient qui était leur père. Les Espagnoles qui vinrent retrouver leur mari durent fermer les yeux et accepter cette situation, qui au fond n'était pas très différente de celle d'Espagne; au Chili existe toujours la coutume d'avoir une grande maison, où vivent l'épouse et les enfants légitimes, et d'autres maisons, « petites », pour les concubines et les bâtards. Je dois être la seule qui n'aie jamais toléré cela de son mari, bien que dans mon dos aient pu se produire des faits que je méconnais.

Santiago fut déclarée capitale du royaume. La population avait augmenté et l'on jouissait de davantage de sécurité ; les Indiens de Michimalonko se tenaient à distance. Cela nous permettait, entre autres avantages, d'organiser des promenades, des déjeuners champêtres et des parties de chasse sur les rives du Mapocho qui autrefois étaient terre interdite. On désigna des jours de fête pour honorer les saints et d'autres pour nous divertir en musique, auxquels prenaient part les Espagnols, les Indiens, les Noirs et les métis. Il y avait des combats de coqs, des courses de chiens, des jeux de boule et de ballon. Pedro de Valdivia, joueur enthousiaste, garda l'habitude d'organiser des parties de cartes dans notre maison, sauf qu'on pariait maintenant des illusions. Personne n'avait un maravedis en poche, mais on notait les dettes dans un livre avec une méticulosité d'usurier, en sachant fort bien qu'elles ne seraient jamais honorées.

Une fois que fut établi le courrier avec le Pérou et l'Espagne, on put envoyer et recevoir des lettres, qui ne mettaient qu'un ou deux ans pour arriver à destination. Pedro se mit à écrire de longues missives à l'empereur Charles Quint en lui racontant le Chili, les besoins que nous avions, ses dépenses et ses dettes, sa manière de rendre justice, comment, à son grand regret, beaucoup d'Indiens mouraient et que manquaient des âmes pour le travail des mines et de la terre. En passant il lui demandait des prébendes, car il revient aux souverains de les accorder, mais ses requêtes légitimes restaient sans réponse. Il voulait des soldats, des gens, des bateaux, la confirmation de son autorité, la reconnaissance de ce qu'il avait réalisé. Il me lisait ses lettres d'une voix forte de commandement, allant et venant dans la salle, gonflant la poitrine de vanité, et moi je ne disais rien ; comment aurais-je donné mon avis sur sa correspondance avec le monarque le plus puissant de la Terre, le très invincible et très sacré césar, comme Valdivia l'appelait ? Mais je commençais à me rendre compte que mon amant avait changé, le pouvoir lui montait à la tête, il était devenu très orgueilleux. Dans ses lettres, il faisait référence à de fabuleuses mines d'or, plus rêvées que réelles. C'était le miroir aux alouettes pour attirer les Espagnols et les convaincre de venir peupler le Chili, car lui et Rodrigo de Quiroga étaient les seuls à comprendre que la véritable richesse du Chili n'est pas l'or et l'argent, mais son climat agréable et sa terre féconde, qui invite à rester ; les autres colons caressaient encore l'idée de s'enrichir rapidement et de retourner en Espagne.

Pour assurer le libre passage vers le Pérou, Valdivia envoya fonder une ville au nord, La Serena, et un port près de Santiago, Valparaiso, puis il tourna les yeux vers le fleuve Bío-Bío, dans l'intention de dompter les Mapuche. Felipe m'avait expliqué que ce fleuve était sacré, parce qu'il ordonne le flux naturel des eaux, calme par sa fraîcheur la colère des volcans, et que sur son passage poussent les arbres les plus robustes comme les champignons les plus secrets, invisibles, transparents. D'après les documents que Pizarro avait remis à Valdivia, son gouvernement allait jusqu'au détroit de Magellan, mais personne ne savait avec certitude à quelle distance se trouvait le fameux canal qui unissait l'océan d'Orient à celui d'Occident. A cette époque, arriva du Pérou un bateau commandé par un jeune capitaine italien du nom de Pastene, à qui Valdivia donna le titre pompeux d'amiral et qu'il envoya explorer le sud. En longeant la côte, Pastene entrevit de merveilleux paysages de forêt profonde, des archipels et des glaciers, mais il ne trouva pas le détroit, qui apparemment est bien plus au sud qu'on ne le suppose. Pendant ce temps nous parvenaient de très mauvaises nouvelles du Pérou, où la situation politique était désastreuse : on sortait d'une guerre civile pour entrer dans une autre. Gonzalo Pizarro, l'un des frères du défunt marquis, avait pris le pouvoir en rébellion ouverte contre notre roi ; la corruption, les trahisons et les préjudices étaient tels, dans la vice-royauté, que l'empereur Charles Quint avait fini par envoyer un moine obstiné, La Gasca, mettre de l'ordre. Je ne gaspillerai pas d'encre à essayer d'expliquer les problèmes que traversait la Cité des Rois à cette époque, car je ne les comprends pas moi-même, mais je cite La Gasca parce que ce prêtre au visage piqué de vérole prit une décision qui allait changer mon destin.

Pedro bouillait d'impatience : non seulement il voulait conquérir plus de territoire chilien, que les Mapuche défendaient jusqu'à la mort, mais aussi participer aux événements du Pérou et entrer en contact avec la civilisation. Cela faisait huit ans qu'il était éloigné des centres de pouvoir et il désirait secrètement se rendre dans le nord pour retrouver d'autres militaires, faire des affaires, acheter, se faire valoir avec sa conquête du Chili et mettre son épée au service du roi contre l'insubordonné Gonzalo Pizarro. Était-il las de moi ? Peut-être, mais alors je n'en ai pas eu le moindre soupçon, je me sentais sûre de son amour, qui était pour moi aussi naturel que l'eau de pluie. Si je l'ai senti inquiet, j'ai supposé que la vie sédentaire l'ennuyait un peu, car l'excitation des premiers temps à Santiago, qui nous tenait jour et nuit l'épée à la main, avait fait place à une existence plus oisive et plus confortable.

« Nous avons besoin de soldats pour la guerre dans le sud et de familles pour peupler le reste du territoire, mais le Pérou ignore mes émissaires, me commenta Pedro un soir, taisant ses vraies raisons.

— Tu veux donc y aller toi-même ? Je t'avertis que si tu t'éloignes un seul jour, ici ce sera le désastre. Tu sais ce que prépare ton ami De la Hoz, dis-je pour parler, puisque, sans que je le sache, il avait déjà pris sa décision.

— Je laisserai Villagra à ma place, il a la main dure.

— Comment penses-tu persuader les Péruviens de venir au Chili ? Tous ne sont pas des idéalistes comme toi, Pedro. Les hommes vont là où il y a de la richesse, pas uniquement de la gloire.

282

— Je verrai comment m'y prendre. »

Ce fut son idée, je n'eus rien à y voir. Pedro annonça avec tambour et trompette qu'il allait envoyer le bateau de Pastene au Pérou, et que ceux qui voulaient partir et emporter leur or pouvaient le faire. Cela souleva un enthousiasme délirant, on ne parla pas d'autre chose à Santiago pendant des semaines. Partir ! Retourner en Espagne avec de l'argent ! C'était le rêve de chacun des hommes qui quittaient le vieux continent pour les Indes : revenir riche. Cependant, lorsque vint le moment d'inscrire les voyageurs, seuls seize colons décidèrent de profiter de l'occasion. Ils vendirent leurs propriétés à vil prix, emballèrent leurs affaires, rassemblèrent leur or et se préparèrent à partir. Parmi ceux qui composaient la caravane allant vers le port se comptait mon mentor, González de Marmolejo, qui avait déjà plus de soixante ans et qui d'une manière ou d'une autre s'était ingénié à s'enrichir sérieusement au service de Dieu. Il y avait aussi madame Díaz, une « dame » espagnole arrivée au Chili deux ans plus tôt dans l'un des bateaux. Elle n'avait pas grand-chose d'une dame, nous savions que c'était un homme habillé en femme. « Entre les jambes cette dame a des boules et un zizi », me raconta Catalina. « A quoi penses-tu ! Pourquoi un homme irait-il s'habiller en femme ? lui demandai-je. — Eh bien, *señoray*, pour soutirer de l'argent à d'autres hommes, voilà tout... », m'expliqua-t-elle. Mais cessons là les cancans.

Le jour dit, les voyageurs montèrent sur le bateau et y déposèrent leurs coffres bien fermés dans les cabines qui leur furent assignées, avec l'or à l'intérieur, bien à l'abri. Sur ce, apparurent sur la plage Valdivia et d'autres capitaines, accompagnés de nombreux domestiques, pour leur offrir un repas d'adieu, de délicieux poissons et des fruits de mer fraîchement sortis de la mer, arrosés de vin de la réserve personnelle du gouverneur. Ils mirent des bâches en guise de vélum sur le sable, déjeunèrent comme des princes et versèrent quelques larmes au moment des discours émouvants, surtout la dame au zizi, qui était très sentimentale et très maniérée. Valdivia insista pour que les colons laissent un témoignage de l'or qu'ils emportaient, pour éviter des problèmes ultérieurs, sage mesure qui reçut l'approbation générale. Tandis que le secrétaire notait précisément dans ses livres les chiffres que les voyageurs lui annonçaient, Valdivia grimpa dans le seul canot disponible et cinq vigoureux marins le conduisirent au bateau où l'attendaient plusieurs de ses plus loyaux capitaines, avec lesquels il pensait se mettre au service de la cause du roi au Pérou. Lorsqu'ils se rendirent compte de la tromperie, les colons naïfs hurlèrent de colère et quelques-uns se jetèrent à l'eau dans l'intention de poursuivre le canot, mais le seul qui l'atteignit reçut un coup de pagaie qui faillit l'assommer. Je peux imaginer la consternation des pauvres hommes lorsqu'ils virent les voiles du bateau se gonfler et filer vers le nord, emportant leurs biens terrestres.

Le rude capitaine Villagra, qui ne s'embarrassait pas de considérations, dut remplacer Valdivia en qualité de lieutenant gouverneur et affronter les colons furibonds sur la plage. Son aspect robuste, sa figure colorée plantée sur ses épaules, sa mine sévère et sa main posée sur la poignée de son épée imposèrent l'ordre. Il leur expliqua que Valdivia partait pour le Pérou afin de défendre le roi, son seigneur, et chercher des renforts pour la colonie du Chili, c'est pourquoi il s'était vu obligé de faire ce qu'il avait fait, mais il promettait de leur rendre jusqu'au dernier doublon ainsi que la part qui lui revenait de la mine de Marga-Marga. « Pour qui l'accepte, tant mieux, quant à celui qui refuse, il aura affaire à moi », conclut-il. Cela ne rassura personne.

Je peux comprendre les raisons de Pedro, qui vit dans cette duperie, si peu conforme à la droiture de son caractère, la seule solution au problème du Chili. Il mit dans la balance le mal qu'il faisait à ces seize innocents et la nécessité de donner à la conquête une impulsion qui profiterait à des milliers de personnes, et la seconde fut la plus lourde. S'il m'avait consultée, sans doute aurais-je approuvé sa décision, mais j'aurais agi de plus élégante façon – et en plus, je l'aurais accompagné –, mais il ne partagea son secret qu'avec trois capitaines. A-t-il pensé que j'allais faire échouer son plan avec des médisances ? Non, car au cours des années que nous avions passées ensemble j'avais fait preuve de discrétion et de férocité pour défendre sa vie et ses intérêts. Je crois plutôt qu'il a craint que j'essaie de le retenir. Il est parti en emportant le minimum indispensable, car s'il avait fait ses bagages comme il convenait à son rang, j'aurais deviné ses projets. Il est parti sans me dire adieu, comme l'avait fait Juan de Málaga, bien des années auparavant.

*

Le traquenard, car ce n'était pas autre chose, aussi élevée que fût la cause, s'avéra être un cadeau du ciel pour Sancho de la Hoz, qui pouvait maintenant accuser Valdivia d'un crime concret : il avait escroqué les gens, volé le fruit d'années de travail et de souffrances à ses propres soldats. Il méritait la mort.

Lorsque j'appris que Pedro était parti, je me sentis bien plus trahie que les colons trompés. Pour la première et dernière fois de ma vie, je perdis le contrôle de mes nerfs. Pendant toute une journée je hurlai de rage et détruisis tout ce qui se trouvait à portée de ma main. « Vous allez voir qui je suis, moi, Inés Suárez, car moi, personne ne me jette comme un chiffon, c'est pour ça que je suis le vrai gouverneur du Chili et tous savent ce qu'ils me doivent, que serait cette ville de merde sans moi, qui ai creusé des canaux d'irrigation de mes propres mains, qui ai soigné tous les pestiférés et les blessés que nous avons eus, qui ai semé, récolté et cuisiné pour qu'ils ne meurent pas de faim et, comme si c'était peu, qui ai brandi les armes comme le meilleur des soldats. Pedro me doit la vie, je l'ai aimé et servi et rendu heureux, car

285

personne ne le connaît mieux que moi, ni ne supporterait ses manies comme moi... », et je répétais ma rengaine, jusqu'à ce que Catalina et d'autres femmes m'attachent sur le lit et aillent chercher du secours. Je restai à me débattre dans mes liens, possédée par le démon ; installé au pied de mon lit, Juan de Málaga se moquait de moi. Bientôt accourut González de Marmolejo, très déprimé, parce qu'il était le plus âgé des leurrés et tenait pour assuré qu'il ne se remettrait jamais de cette perte. En fait, non seulement il récupéra ses biens avec intérêts, mais en mourant, plusieurs années plus tard, il était l'homme le plus riche du Chili. Comment a-t-il fait ? Mystère. Je suppose que j'y suis en partie pour quelque chose, car nous nous étions associés dans l'élevage de chevaux, une idée qui me trottait dans la tête depuis le début du voyage au Chili. Le prêtre arriva chez moi prêt à tenter un exorcisme, mais lorsqu'il comprit que mon mal n'était que l'indignation d'une amante délaissée, il se contenta de m'éclabousser d'eau bénite et de dire quelques Ave Maria, traitement qui me rendit la sagesse.

Le lendemain, Cecilia vint me voir ; elle avait déjà plusieurs enfants, mais ni les maternités ni les années n'avaient réussi à laisser leurs traces sur son port royal et son visage lisse de princesse inca. Grâce à son talent pour l'espionnage et en sa qualité d'épouse de l'alguazil Juan Gómez, elle savait tout ce qu'il se passait derrière les portes de la colonie, y compris ma récente crise de nerfs. Elle me trouva au lit, encore épuisée par mon emportement de la veille.

« Pedro me le paiera, Cecilia, annonçai-je en guise de salut.

— Je t'apporte de bonnes nouvelles, Inés. Tu n'auras pas à te venger de lui, d'autres le feront pour toi, m'annonça-t-elle.

— Que dis-tu ?

— Les mécontents, qui sont nombreux à Santiago, ont l'intention d'accuser Valdivia devant la Cour de Justice royale au Pérou. S'il ne perd pas la tête sur l'échafaud, il passera au moins le reste de sa vie dans un cachot. Vois la chance que tu as, Inés !

— Ça, c'est une idée de Sancho de la Hoz ! m'exclamai-je en sautant du lit pour m'habiller au plus vite.

— Comment pouvais-tu imaginer que cet idiot te ferait une si grande faveur ? De la Hoz a fait circuler une lettre demandant la destitution de Valdivia, et de nombreux habitants l'ont déjà signée. La majorité des habitants veut se débarrasser de Valdivia et le nommer, lui, gouverneur, m'apprit Cecilia.

— Ce fantoche ne se donne pas pour battu ! », marmottai-je en laçant mes bottines.

Quelques mois plus tôt, l'infâme courtisan avait tenté d'assassiner Valdivia. Comme tous les plans qu'il avait imaginés, celui-là aussi était assez pittoresque : il avait feint d'être malade, s'était mis au lit, avait annoncé qu'il agonisait, et qu'avant de mourir il voulait faire ses adieux à ses amis et ses ennemis, y compris le gouverneur. Il avait posté l'un de ses acolytes derrière un rideau, armé d'une dague, pour poignarder Valdivia dans le dos lorsque celui-ci se pencherait au-dessus du lit en écoutant les murmures du prétendu moribond. Ces détails ridicules et le fait de s'en vanter perdaient De la Hoz, car ses machinations arrivaient à mes oreilles sans que j'aie aucun effort à faire. Cette fois-là, j'avais de nouveau averti Pedro du danger ; au début il avait éclaté de rire et refusé de me croire, mais avait ensuite accepté de faire une enquête approfondie sur l'affaire. Le résultat donna Sancho de la Hoz coupable et il fut condamné à la potence pour la deuxième ou troisième fois, j'ai perdu le compte. Cependant, au dernier moment, Pedro lui pardonna, pour ne pas perdre les bonnes habitudes.

Je finis de m'habiller, renvoyai Cecilia avec une excuse et courus répéter les paroles de la princesse au capitaine Villagra, l'avertissant que si De la Hoz réussissait, les premiers à perdre la tête seraient lui-même et d'autres hommes loyaux envers Pedro.

« Vous avez des preuves, doña Inés ? voulut savoir Villagra, rouge de colère.

— Non, seulement des rumeurs, don Francisco.

— Cela me suffit. »

Sans autre forme de procès, il arrêta l'intrigant et le fit décapiter d'un coup de hache l'après-midi même, sans seulement lui laisser le temps de se confesser. Puis il ordonna de promener la tête dans la ville, tenue par les cheveux, avant de la clouer au pilori pour servir d'exemple aux hésitants, comme c'est l'usage en pareil cas. Combien de têtes ai-je vues ainsi exposées dans ma vie ? Impossible de les compter. Villagra s'abstint de s'en prendre aux autres conspirateurs, cachés comme des rats chez eux, car il aurait dû arrêter toute la population, tant était grand le malaise qui régnait à Santiago contre Valdivia. C'est ainsi qu'en une seule nuit ce capitaine élimina le germe d'une guerre civile et que nous fûmes débarrassés de la vermine qu'était Sancho de la Hoz. Il était grand temps.

*

Pedro de Valdivia mit un mois à arriver à Callao, parce qu'il s'arrêta en plusieurs endroits du nord pour attendre des nouvelles de Santiago ; il voulait être absolument sûr que Villagra avait habilement géré la situation et qu'il couvrait ses arrières. Il était au courant de la rébellion de Sancho de la Hoz, un messager l'avait rejoint avec la mauvaise nouvelle, mais il ne voulait pas être directement responsable de sa fin, qui pouvait lui créer des problèmes avec la justice. Bien que très heureux que son fidèle lieutenant ait résolu la conspiration à sa manière, il feignit la surprise et la contrariété devant les faits, car il n'oubliait pas que son ennemi comptait de bons contacts à la cour de Charles Quint.

Pour se faire pardonner de moi, Pedro m'envoya de La Serena, par un cavalier rapide, une lettre d'amour et une extravagante bague en or. Je déchirai la lettre et offris l'anneau à

Catalina en lui enjoignant de le faire disparaître, car sa seule vue me faisait bouillir les sangs.

Sur le chemin du nord, le gouverneur réunit un groupe de dix capitaines choisis, qu'il équipa d'armures, d'armes et de chevaux, en utilisant l'or qu'il avait escroqué aux habitants de Santiago, et il partit avec eux se placer sous la bannière du prêtre La Gasca, représentant légitime du roi au Pérou. Pour rejoindre l'armée de La Gasca, les hidalgos durent grimper les sommets glacés des Andes en forçant les chevaux qui tombaient, vaincus par le manque d'air, tandis que le mal de l'altitude leur crevait les tympans et leur faisait perdre du sang par divers orifices du corps. Ils savaient que La Gasca, qui manquait totalement d'expérience militaire bien qu'il fût un homme d'une trempe et d'une volonté exemplaires, allait devoir affronter une armée formidable conduite par un général expérimenté et courageux. On pouvait accuser Gonzalo Pizarro de tout sauf d'être un lâche. Les troupes de La Gasca, que l'effort du voyage dans la cordillère avait rendues malades, paralysées de froid et atterrées devant la supériorité de l'ennemi, reçurent Valdivia et ses dix capitaines comme des anges vengeurs. Pour La Gasca, ces hidalgos, venus par miracle les secourir, furent décisifs. Il les embrassa, reconnaissant, et confia le commandement à Pedro de Valdivia, le mythique conquérant du Chili, nommé mestre de camp. Immédiatement la troupe reprit confiance : avec ce général à sa tête, elle sentait la victoire certaine. Valdivia commença par assurer le bon moral des soldats par des paroles justes, fruit de nombreuses années d'expérience des subordonnés, puis il entreprit d'évaluer ses forces et son équipement. Lorsqu'il comprit qu'il avait devant lui une tâche ingrate, il se sentit rajeunir ; ses capitaines ne l'avaient pas vu aussi enthousiaste depuis les temps de la fondation de Santiago.

Pour s'approcher du Cuzco, où il devrait affronter l'armée du rebelle Gonzalo Pizarro, Valdivia utilisa les étroits sentiers des Incas, taillés au bord des précipices. Il avançait avec ses troupes comme une colonne d'insectes à travers la présence massive des montagnes violettes : roche, glace, cimes perdues dans les nuages, vents et condors. Des racines pétrifiées sortaient parfois des crevasses et les hommes s'y agrippaient pour se reposer un moment dans cette terrible ascension. Les sabots des bêtes glissaient sur les rochers escarpés, et les soldats, reliés par des cordes, devaient les saisir par les crins pour éviter qu'elles n'aillent rouler au fond des abîmes. Le paysage était d'une beauté accablante et menaçante, un monde de lumière resplendissante et d'ombres sidérales. Le vent et la grêle avaient sculpté des démons sur les contreforts ; la glace prise dans les fentes des rochers brillait des couleurs de l'aurore. Le matin, le soleil surgissait distant et froid, peignant les cimes de traits orange et rouges ; l'après-midi, la lumière disparaissait aussi soudainement qu'elle était apparue, plongeant la cordillère dans le noir. Les nuits étaient interminables, personne ne pouvait bouger dans l'obscurité, hommes et animaux se recroquevillaient, grelottant, suspendus sur les bords des ravins.

Pour les soulager du mal de l'altitude et donner de l'énergie aux hommes épuisés, Valdivia leur fit mâcher des feuilles de coca, comme le faisaient les Quechuas depuis des temps immémoriaux. Lorsqu'il apprit que Gonzalo Pizarro avait fait couper les ponts pour les empêcher de traverser torrents et précipices, il envoya les *yanaconas* tresser des cordes avec des fibres végétales de la région, travail qu'ils réalisaient avec une prodigieuse dextérité. Mettant à profit la brume de la sierra, il avança sans être vu avec un groupe de braves jusqu'à l'un des passages coupés par Pizarro, où il ordonna aux Indiens de tresser les cordes par six, comme le faisaient traditionnellement les Quechuas, et d'en fabriquer des ponts de cordes. Le lendemain, La Gasca arriva avec le gros de l'armée et trouva le problème résolu. Ils purent faire passer de l'autre côté près de mille soldats, cinquante cavaliers, d'innombrables *yanaconas* et l'armement lourd, se balançant sur les cordes au-dessus de ce gouffre épouvantable, dans les hurlements du vent. Valdivia dut ensuite obliger les soldats fatigués à grimper deux lieues de montagne abrupte, en portant l'équipement sur leur dos et halant les canons, jusqu'à l'endroit qu'il avait choisi pour défier Gonzalo Pizarro. Lorsqu'il eut posté l'armement sur des points stratégiques dans les montagnes, il décida de donner deux jours de repos aux hommes pour qu'ils reprennent des forces, tandis que lui, imitant son maître, le marquis de Pescara, révisait personnellement l'emplacement de l'artillerie et des arquebuses, parlait avec chaque soldat pour lui donner des instructions et préparait le plan de bataille. Il me semble le voir sur son cheval, vêtu de sa nouvelle armure, énergique, impatient, calculant à l'avance les mouvements de l'ennemi, disposant l'offensive, comme le bon joueur d'échecs qu'il était. Âgé de quarante-huit ans, il n'était plus tout jeune, il avait pris un peu de poids et sa vieille blessure à la hanche le gênait, mais il pouvait encore rester à cheval deux jours et deux nuits sans prendre de repos, et je sais qu'en ces moments il se sentait invincible. Il était si sûr de la victoire qu'il promit à La Gasca de perdre moins de trente hommes dans la bataille, et il tint parole.

Dès que les premiers coups de canon résonnèrent dans les montagnes, les pizarristes comprirent qu'ils se trouvaient devant un général formidable. De nombreux soldats, mal à l'aise à l'idée de se battre contre le roi, abandonnèrent les rangs de Gonzalo Pizarro pour rejoindre ceux de La Gasca. On raconte que le mestre de camp de Pizarro, un vieux renard qui avait bien des années d'expérience militaire, devina tout de suite à qui il avait affaire. « Il n'y a qu'un général au Nouveau Monde capable de cette stratégie : don Pedro de Valdivia, conquérant du Chili », raconte-t-on qu'il dit. Son ennemi ne le trompa pas, ni ne lui accorda de trêve. Au bout de plusieurs heures de lutte et de nombreuses pertes, Gonzalo Pizarro dut se rendre et remettre son épée à Valdivia. Il fut décapité au Cuzco quelques jours plus tard, avec son ancien mestre de camp.

La Gasca avait rempli sa mission d'étouffer l'insurrection et de rendre le Pérou à Charles Quint ; il lui revenait maintenant d'occuper le poste de Gonzalo Pizarro le déposé, avec l'immense pouvoir que cela impliquait. Il devait sa victoire au vigoureux capitaine Valdivia, et il le récompensa en confirmant son titre de gouverneur du Chili, donné par les habitants de Santiago et qui jusqu'alors n'avait pas été ratifié par la Couronne. De plus, il l'autorisa à recruter des soldats et à les emmener au Chili, à condition que ce ne soient ni des rebelles pizarristes ni des Indiens péruviens.

Pedro se souvenait-il de moi lorsqu'il se promenait triomphant dans les rues du Cuzco ? Ou, gonflé d'orgueil, ne pensait-il qu'à lui ? Je me suis demandé des centaines de fois pourquoi il ne m'avait pas emmenée avec lui dans ce voyage. S'il l'avait fait, notre destin eût été bien différent. Il partait pour une mission militaire, c'est vrai, mais j'avais été sa compagne dans la guerre comme dans la paix. Avait-il honte de moi ? Maîtresse, concubine, amante. Au Chili, j'étais doña Inés Suárez, la *Gobernadora*, et personne ne se souvenait que nous n'étions pas des époux légitimes. Moi-même, je l'oubliais souvent. Les femmes ont dû poursuivre Pedro de leurs assiduités au Cuzco, puis dans la Cité des Rois. Il était le héros absolu de la guerre civile, maître et seigneur du Chili, censément riche et toujours séduisant ; n'importe laquelle aurait été honorée d'aller à son bras. De plus, déjà circulait la rumeur d'une intrigue pour assassiner La Gasca, homme d'une rigidité fanatique, pour nommer Pedro de Valdivia à sa place, mais personne n'osait le dire en face à l'intéressé, car pour lui c'eût été une insulte. L'épée des Valdivia avait toujours loyalement servi le roi, jamais elle ne se retournerait contre lui, et La Gasca représentait le roi.

Ce n'est pas la peine, à mon âge, de faire des conjectures sur les femmes que Pedro a eues au Pérou, d'autant que moi-même je n'ai pas la conscience tout à fait tranquille : c'est à cette époque qu'a commencé mon amitié amoureuse avec

Rodrigo de Quiroga. Je dois cependant préciser qu'il n'a pris aucune initiative ni n'a paru deviner mes vagues désirs. Je savais qu'il ne trahirait jamais son ami Pedro de Valdivia, c'est pourquoi je me suis gardée de cette sympathie mutuelle comme il s'en est lui-même gardé. Me suis-je tournée vers Quiroga par dépit ? Pour me venger de l'abandon de Pedro ? Je l'ignore, le fait est que Rodrigo et moi nous sommes aimés comme de chastes fiancés, avec un sentiment profond et sans espoir, que nous n'avons jamais exprimé en mots, seulement en regards et en gestes. De mon côté, ce n'était pas une passion ardente, comme celle que j'avais éprouvée pour Juan de Málaga ou Pedro de Valdivia, mais un désir discret d'être près de Rodrigo, de partager sa vie, de m'occuper de lui. Santiago était une petite ville, où il était impossible de garder un secret, mais le prestige de Rodrigo était irréprochable et personne n'ébruita de rumeurs sur nous, malgré le fait que nous nous voyions chaque jour lorsqu'il n'était pas en train de guerroyer. Les prétextes ne manquaient pas, car il m'aidait dans mes projets de construction de l'église, des ermitages, du cimetière et de l'hôpital, et j'avais pris en charge l'éducation de sa fille.

Tu ne peux t'en souvenir, Isabel, parce que tu n'avais que trois ans. Eulalia, ta mère, qui vous a beaucoup aimés toi et Rodrigo, est morte cette année-là, pendant l'épidémie de typhus. Ton père t'a amenée chez moi en te tenant par la main et m'a dit : « Prenez soin d'elle pour moi pendant quelques jours, je vous en prie, doña Inés, écoutez, je dois aller régler leur compte à des sauvages, mais je serai bientôt de retour... » Tu étais une petite fille silencieuse et attentive, tu avais un visage de lama, les mêmes yeux doux aux longs cils, la même expression de curiosité et les cheveux rassemblés en deux couettes dressées sur la tête, comme les oreilles de cet animal. De ta mère quechua, tu as hérité la peau caramel et, de ton père, les traits aristocratiques ; un bon mélange. Je t'ai adorée dès l'instant où tu as franchi le seuil de ma maison, tenant dans tes bras un petit cheval de bois sculpté par Rodrigo. Je ne t'ai jamais rendue à ton père, te gardant près de moi sous divers prétextes, jusqu'au jour où Rodrigo et moi nous sommes mariés, alors tu fus légalement à moi. On me critiquait parce que je te gâtais et te traitais comme une adulte, on disait que j'élevais un monstre ; imagine-toi la déception qu'ont eue les mauvaises langues en voyant le résultat.

*

En ces neuf années de colonie au Chili, nous avions soutenu plusieurs batailles rangées et d'innombrables escarmouches avec les Indiens chiliens ; or, non seulement nous avions réussi à nous installer, mais aussi à fonder des villes. Nous nous pensions en sécurité, alors qu'en réalité les indigènes chiliens n'ont jamais accepté notre présence sur leur terre, comme nous le constaterions au cours des années suivantes. Au nord, les Indiens de Michimalonko se préparaient depuis longtemps à un soulèvement massif, mais ils n'osaient pas attaquer Santiago, comme ils l'avaient fait en 1541 : ils concentrèrent au contraire leur effort sur les petits hameaux du nord, où les colons espagnols se trouvaient presque sans défense.

Au cours de l'été 1549, don Benito mourut d'un mal de ventre, après avoir consommé de mauvaises huîtres. Il était très aimé de tous, nous le considérions comme le patriarche de la colonie. Nous étions arrivés jusqu'à la vallée du Mapocho poussés par le désir de ce vieux soldat, qui comparait le Chili au jardin d'Eden. Avec moi il fut toujours d'une loyauté et d'une galanterie exemplaires, et je fus désespérée de ne pouvoir l'aider dans son agonie. Il mourut dans mes bras en se tordant de douleur, empoisonné jusqu'à la moelle. Nous étions en pleines funérailles, auxquelles assistaient tous les habitants, lorsque firent leur apparition à Santiago deux soldats en guenilles, tombant de fatigue, l'un d'eux grièvement blessé. Ils venaient de La Serena, voyageant la nuit et se cachant le jour pour éviter les Indiens. Ils racontèrent qu'une nuit l'unique guetteur de la petite ville de La Serena, que l'on venait de fonder, put à peine donner l'alarme avant que des masses d'Indiens déchaînés se jettent sur le village. Les Espagnols ne purent se défendre et en quelques heures il ne resta rien de La Serena. Les assaillants torturèrent à mort hommes et femmes, mirent les enfants en pièces en les fracassant contre les rochers et réduisirent les maisons en cendre. Dans la confusion qui avait suivi, les deux soldats avaient réussi à prendre la fuite et, avec des difficultés infinies, avaient rapporté l'horrible nouvelle à Santiago. Ils nous assurèrent qu'il s'agissait d'un soulèvement général, les tribus étaient sur le pied de guerre, prêtes à détruire tous les emplacements espagnols.

La terreur s'empara de la population de Santiago ; il nous semblait voir les hordes de sauvages bondir par-dessus le fossé, escalader la muraille et tomber sur nous comme la colère du Diable. De nouveau nos forces étaient divisées, car une partie des soldats avait été assignée aux hameaux du nord, Pedro de Valdivia se trouvait absent avec plusieurs capitaines et les renforts promis n'étaient pas arrivés. Il était impossible de protéger les mines et les fermes, qui furent abandonnées, tandis que les colons venaient se réfugier dans la ville. Les femmes, désespérées, s'installèrent dans l'église pour prier jour et nuit, tandis que les hommes, y compris les vieux et les malades, se préparaient à défendre la ville.

Le conseil municipal, rassemblé en réunion plénière, décida que Villagra et soixante hommes allaient partir affronter les Indiens dans le nord, avant que ceux-ci ne s'organisent pour arriver à Santiago. Aguirre fut chargé de la défense de la capitale et Juan Gómez reçut l'ordre d'employer tous les moyens pour obtenir des informations sur la guerre, ce qui en peu de mots signifiait supplicier les suspects. Les hurlements de douleur des Indiens torturés nous mettaient les nerfs à vif. Mes suppliques de compassion furent inutiles, de même que l'argument qu'on n'obtient jamais la vérité par la torture, parce que la victime confesse ce que son bourreau veut entendre. La haine, la peur et le désir de vengeance étaient tels que lorsqu'ils apprenaient les expéditions punitives de Villagra, dont la fureur égalait celle des barbares, les gens faisaient la fête. Grâce à ses méthodes féroces il parvint à étouffer l'insurrection, à battre les troupes indigènes en moins de trois mois et à éviter que Santiago fût attaquée. Il imposa un accord de paix aux caciques, mais personne ne s'attendait à ce que la trêve fût durable ; notre seul espoir résidait dans le retour rapide du gouverneur et de ses capitaines, avec un renfort de soldats du Pérou.

Des mois après la campagne militaire de Villagra, le conseil expédia Francisco de Aguirre vers le nord avec la mission de reconstruire les villes asservies par les Indiens et de s'y faire des alliés, mais le capitaine basque profita de l'occasion pour donner libre cours à son tempérament impulsif et cruel. Il tombait sans pitié sur les campements, attrapait tous les hommes, depuis les enfants jusqu'aux vieux, les enfermait dans des baraques en bois et les brûlait vifs. Il faillit ainsi exterminer complètement la population indigène et, d'après ce qu'il disait lui-même en riant, il dut ensuite engrosser les veuves pour assurer le repeuplement. Et je ne donne pas plus de détails, car je crains que ces pages contiennent plus de barbarie que n'en peut supporter une âme chrétienne. Au Nouveau Monde personne ne fait la fine bouche à l'heure d'exercer la violence. Que dis-je? La violence comme celle que pratiquait Aguirre existe partout et a existé de tout temps. Rien ne change, les êtres humains répètent les mêmes péchés à l'infini, éternellement. Cela se passait aux Indes, alors qu'en Espagne l'empereur Charles Quint promulguait les Nouvelles Lois par lesquelles il confirmait que les Indiens étaient des sujets de la Couronne et avertissait les propriétaires de terres qu'ils ne pouvaient les obliger à travailler ou leur donner des punitions physiques, qu'ils devaient les employer par contrat écrit et les payer en argent sonnant et trébuchant. Mieux encore, les conquérants devaient aborder poliment les indigènes, en leur demandant avec des paroles aimables d'accepter le Dieu et le roi des chrétiens, de leur offrir leur terre et de se mettre aux ordres de leurs nouveaux maîtres. Comme tant de lois bien intentionnées, celle-ci restait lettre morte. « Notre souverain doit être plus mal de la tête que nous le supposons, s'il pense que cela est possible », commenta Aguirre à ce sujet. Il avait raison. Qu'ont fait les gens en Espagne lorsque sont arrivés des étrangers qui prétendaient leur imposer leurs coutumes et leur religion ? Ils les ont combattus jusqu'à la mort, cela va de soi.

Pendant ce temps, au Pérou, Pedro était parvenu à réunir un nombre considérable de soldats et il avait pris le chemin du retour par voie de terre, en suivant l'itinéraire connu du désert d'Atacama. Alors qu'il était en route depuis déjà plusieurs semaines, un messager de La Gasca l'avait rejoint au grand galop, lui intimant l'ordre de revenir dans la Cité des Rois, où l'attendait un volumineux dossier d'accusations contre lui. Valdivia dut laisser la troupe sous le commandement de ses capitaines et faire demi-tour pour affronter la justice. L'aide qu'il avait apportée au roi comme à La Gasca pour vaincre Gonzalo Pizarro et rendre la paix au Pérou ne lui servit de rien, car il fut jugé en bonne et due forme.

Outre les ennemis envieux que Valdivia s'était faits au Pérou, il avait d'autres détracteurs, qui étaient venus du Chili dans le dessein de le détruire. Il y avait plus de cinquante charges contre lui, mais je ne me souviens que des plus importantes et de celles qui me concernent. Il était accusé de s'être nommé gouverneur sans l'autorisation de Francisco Pizarro, qui ne lui avait donné que le titre de lieutenant gouverneur ; d'avoir ordonné la mort de Sancho de la Hoz et d'autres Espagnols innocents, comme le jeune Escobar, condamné par jalousie ; on assura qu'il avait volé l'argent des colons, mais on omit de préciser que Pedro avait remboursé cette dette presque intégralement grâce au produit de la mine de Marga-Marga, comme il l'avait promis; on affirma qu'il s'était emparé des meilleures terres et de milliers d'Indiens, sans préciser qu'il réglait diverses dépenses de la colonie, payait les soldats, prêtait de l'argent sans intérêt et, comble de tout, agissait comme trésorier du Chili avec l'argent de sa propre bourse, car il ne fut jamais ni avare ni cupide; on ajouta qu'il avait donné un excès de richesses à une certaine Inés Suárez, avec laquelle il vivait dans un concubinage scandaleux. Ce qui m'indigna le plus ensuite, lorsque j'appris les détails, ce fut que ces vauriens aient pu soutenir que je manipulais Pedro selon mon bon plaisir, et que pour obtenir quelque chose du gouverneur il fallait payer une commission à sa concubine. J'ai connu bien des difficultés dans la conquête du Chili et j'ai consacré ma vie à fonder ce royaume. Il est inutile d'établir une liste de ce que j'ai réalisé par mes efforts, parce que c'est inscrit dans les archives du conseil: celui qui a des doutes peut aller les consulter. Il est vrai que Pedro m'a honorée de bonnes terres et de propriétés, ce qui a causé la rancœur de personnes mesquines qui ont la mémoire courte, mais il n'est pas vrai que je les aie gagnées au lit. Ma fortune a grossi parce que je l'ai administrée avec le bon sens de paysanne que j'ai hérité de ma mère, qu'elle repose en paix. « Il faut qu'il sorte moins que ce qui entre », était sa philosophie à propos de l'argent, formule qui ne peut faillir. En bons hidalgos espagnols qu'ils étaient, Pedro et Rodrigo ne se sont jamais occupés de la gérance de leurs biens ou des affaires; Pedro est mort pauvre et Rodrigo a vécu riche grâce à moi.

Malgré sa sympathie pour l'accusé, à qui il devait tant, La Gasca mena le procès jusqu'à ses ultimes conséquences. On ne parlait pas d'autre chose au Pérou, et mon nom courait de bouche en bouche : on disait que j'étais une sorcière, que j'utilisais des potions pour rendre les hommes fous, que j'avais été prostituée en Espagne puis à Cartagena, que je gardais ma fraîcheur en buvant le sang de nouveau-nés et d'autres horreurs que j'ai honte de répéter. Pedro prouva son innocence en démontant les charges une à une, et à la fin je fus la seule perdante. La Gasca ratifia une fois de plus sa nomination de gouverneur, ses titres et ses honneurs, tout ce qu'il exigea de lui c'est qu'il paye ses dettes dans un délai raisonnable ; mais à mon égard ce prêtre – qui mérite de cuire en enfer – fut très dur. Il ordonna au gouverneur de me dépouiller de mes biens et de les répartir entre les capitaines, de se séparer de moi sur-le-champ et de me renvoyer au Pérou ou en Espagne, où j'aurais l'opportunité d'expier mes péchés dans un couvent.

*

Pedro fut absent un an et demi, et il revint du Pérou avec deux cents soldats, parmi lesquels quatre-vingts arrivèrent avec lui par bateau et le reste par voie de terre. Lorsque j'appris qu'il arrivait, je fus prise d'une fièvre d'activité qui rendit presque fous les domestiques. Je mis tout le monde à peindre, laver les rideaux, planter des fleurs dans les jardinières, préparer les friandises qu'il aimait, tisser des couvertures et coudre des draps neufs. Nous étions en été et nous produisions déjà, dans les potagers et les vergers des environs de Santiago, les fruits et légumes d'Espagne, mais en plus savoureux. Avec Catalina, nous nous occupâmes de préparer des conserves et les desserts préférés de Pedro. Pour la première fois depuis des années je me préoccupai de mon aspect, je me fis même de ravissantes jupes et chemises pour le recevoir comme une fiancée. J'avais environ quarante ans, mais je me sentais jeune et séduisante, peut-être parce que mon corps n'avait pas changé, comme c'est le cas des femmes sans enfants, et parce que je me voyais reflétée dans les yeux timides de Rodrigo de Quiroga ; mais j'avais peur que Pedro remarque les fines rides autour de mes yeux, les veines de mes jambes, mes mains que le travail avait rendues calleuses. Je décidai de m'abstenir de lui faire des reproches : ce qui était fait était fait ; je voulais me réconcilier avec lui, revenir aux temps où nous étions des amants de légende. Nous avions une longue histoire ensemble, dix années de lutte et de passion, qu'on ne pouvait perdre. Je me sortis de la tête Rodrigo de Quiroga, un rêve inutile et dangereux, et allai rendre visite à Cecilia pour apprendre ses secrets de beauté, qui suscitaient tant de potins à Santiago, car c'était une véritable merveille de voir cette femme rajeunir au fil des ans, contrairement au reste du monde. La maison de Juan et de Cecilia était bien plus petite et modeste que la nôtre, mais elle l'avait magnifiquement décorée de meubles et d'ornements du Pérou, certains venant même de l'ancien palais d'Atahualpa. Les sols étaient couverts de plusieurs épaisseurs de tapis de laine de différentes couleurs ornés de motifs incas, dans lesquels les pieds s'enfonçaient lorsqu'on marchait dessus. L'intérieur sentait la cannelle et le chocolat, qu'elle trouvait alors que nous devions tous nous contenter de maté et d'herbes locales. Pendant son enfance au palais d'Atahualpa, elle s'était tellement habituée à cette boisson que dans les temps difficiles de Santiago, lorsque nous souffrions de la faim, elle ne pleurait pas du besoin d'un morceau de pain, mais de l'envie de boire du chocolat. Avant l'arrivée des Espagnols au Nouveau Monde, le chocolat était réservé à la royauté, aux prêtres et aux militaires de haut rang, mais nous l'avions rapidement adopté. Nous prîmes place sur des coussins et ses servantes silencieuses nous servirent le breuvage parfumé dans des tasses d'argent ouvragé par des artisans quechua. Cecilia, qui en public s'habillait toujours comme une Espagnole, suivait chez elle la mode de la cour de l'Inca, plus confortable : jupe droite jusqu'aux chevilles et tunique brodée, retenue à la taille par une bande tissée de couleurs brillantes. Elle marchait pieds nus et je ne pus moins faire que comparer ses pieds parfaits de princesse avec les miens, de rude paysanne. Elle portait les cheveux défaits et ses seuls bijoux étaient de lourdes boucles d'oreilles en or, héritage de sa famille, apportées au Chili par les mêmes canaux mystérieux que les meubles.

« Si Pedro remarque tes rides, c'est qu'il ne t'aime plus et, quoi que tu fasses, rien ne changera ses sentiments », m'avertit-elle lorsque je lui fis part de mes doutes.

Je ne sais si ses paroles furent prophétiques ou si elle, qui connaissait jusqu'aux secrets les mieux gardés, était déjà au courant de ce que j'ignorais moi-même. Pour me faire plaisir, elle partagea avec moi ses crèmes, ses lotions et ses parfums, que je m'appliquai pendant plusieurs jours en attendant, impatiente, le retour de mon amant. Cependant, une semaine passa puis une autre et une autre encore sans que Valdivia apparût à Santiago. Il était installé sur le bateau ancré face à la rade de Concón, gouvernait au moyen d'émissaires, mais aucun de ses messages ne me fut destiné. Je n'arrivais pas à comprendre ce qu'il se passait, je me débattais dans l'incertitude, la colère et l'espoir, atterrée à l'idée qu'il eût cessé de m'aimer et à l'affût des moindres indices positifs. Je demandai à Catalina de me lire l'avenir, mais pour une fois elle ne découvrit rien dans ses coquillages, ou peut-être n'osa-t-elle pas me dire ce qu'elle y voyait. Les jours et les semaines passaient sans nouvelles de Pedro ; je cessai de manger et ne dormais presque plus. Pendant la journée je travaillais jusqu'à l'épuisement et la nuit je me promenais comme un taureau sauvage dans les galeries et les salons de la maison, faisant jaillir des étincelles du sol par mes coups de talons impatients. Je ne pleurais pas, parce que en réalité je n'étais pas triste, mais furieuse, et je ne priais pas parce qu'il me sembla que Notre-Dame du Secours ne comprendrait pas mon problème. Mille fois j'eus la tentation d'aller rendre visite à Pedro sur le bateau afin qu'il me dise ses intentions une fois pour toutes – ce n'était qu'à deux journées de cheval –, mais je ne pris pas ce risque, car mon instinct m'avertit que dans ces circonstances je ne devais pas le défier. Je suppose que je pressentis ma disgrâce, mais par orgueil je ne la formulais pas en mots. Je

301

refusais que quiconque me voie humiliée, et moins que tout autre Rodrigo de Quiroga, qui par chance ne me posa pas de questions.

*

Enfin, par un après-midi de grosse chaleur, l'air exténué, l'ecclésiastique González de Marmolejo se présenta chez moi ; en cinq jours il avait fait le voyage aller-retour pour Valparaiso et il avait le postérieur moulu par la chevauchée. Je le reçus avec une bouteille de mon meilleur vin, anxieuse, car je savais qu'il m'apportait des nouvelles. Pedro était-il en chemin ? M'appelait-il à ses côtés ? Marmolejo ne me permit pas de lui poser d'autres questions, il me remit une lettre scellée et s'en fut tête basse boire son vin sous le bougainvillée de la galerie, tandis que je la lisais. En quelques mots très précis, Pedro me communiquait la décision de La Gasca, il me réitérait son respect et son admiration, sans mentionner l'amour, et me priait d'écouter attentivement González de Marmolejo. Le héros des campagnes de Flandres et d'Italie, des révoltes du Pérou et de la conquête du Chili, le militaire le plus courageux et le plus célèbre du Nouveau Monde n'osait pas m'affronter, et c'est pour cette raison que depuis deux mois il restait caché sur un navire. Que lui était-il arrivé ? Je ne pouvais imaginer les raisons qu'il avait eues de me fuir. Peut-être étais-je devenue une sorcière dominante, une virago ; peut-être avais-je eu trop confiance en la solidité de notre amour, car je ne m'étais jamais demandé si Pedro m'aimait autant que je l'aimais, j'avais tenu cela pour une vérité indubitable. Non, décidai-je finalement. Ce n'était pas ma faute. Ce n'était pas moi qui avais changé, mais lui. Se sentant vieillir, il avait pris peur, il avait voulu redevenir le militaire héroïque et l'amant juvénile qu'il avait été. Je le connaissais trop bien, près de moi il ne pouvait se réinventer ou recommencer sous de nouveaux habits. Devant moi il lui

302

aurait été impossible de cacher ses faiblesses ou son âge et, comme il ne pouvait me tromper, il m'avait écartée.

« Lisez ceci, je vous prie, mon père, et dites-moi ce que cela signifie, dis-je, et je tendis la lettre au prêtre.

— Je connais son contenu, ma fille. Le gouverneur m'a fait l'honneur de se confier à moi et de me demander conseil.

— Alors, cette méchanceté est une idée de vous ?

— Non, doña Inés, ce sont les ordres de La Gasca, la plus haute autorité du roi et de l'Eglise dans cette partie du monde. J'ai ici les papiers, tu peux les regarder toi-même. Ton adultère avec Pedro est un motif de scandale.

— Maintenant que vous n'avez plus besoin de moi, mon amour pour Pedro est un scandale, mais quand je trouvais de l'eau dans le désert, soignais les malades, enterrais les morts et sauvais Santiago des Indiens, alors oui j'étais une sainte.

— Je sais ce que tu ressens, ma fille...

— Non, mon père, vous n'avez aucune idée de ce que je ressens. C'est une satanique ironie que la concubine soit la seule coupable, vu qu'elle est libre et lui marié. Je ne suis pas étonnée par la bassesse de La Gasca, qui est moine, mais de la lâcheté de Pedro, ça oui !

— Il n'a pas eu le choix, Inès.

— Un homme bien né a toujours le choix lorsqu'il s'agit de défendre son honneur. Je vous avertis, mon père, que je ne quitterai pas le Chili, parce que je l'ai conquis et que je l'ai fondé.

— Prends garde à ton orgueil, Inés ! Je suppose que tu ne veux pas que l'Inquisition vienne résoudre cela à sa manière.

— Vous me menacez ? lui demandai-je avec le frémissement que produit toujours en moi le mot Inquisition.

— Rien de plus éloigné de ma pensée, ma fille. J'apporte la commission du gouverneur avec une proposition qui pourrait te permettre de rester au Chili.

— Laquelle ?

— Eh bien, tu pourrais te marier..., parvint à dire le religieux en se raclant la gorge et en se tordant sur sa chaise. C'est la seule façon que tu puisses rester au Chili. Il ne manquera pas d'hommes heureux d'épouser une femme avec tes mérites et une dot comme la tienne. En inscrivant tes biens au nom de ton mari, on ne pourra pas te les enlever. »

Je restai sans voix un bon moment. J'avais du mal à croire qu'il m'offrait cette solution tordue, la dernière qui me serait venue à l'esprit.

« Le gouverneur veut t'aider, même si cela signifie renoncer à toi. Tu ne vois pas que son acte est désintéressé, une preuve d'amour et de gratitude ? » ajouta le prêtre.

Il s'éventait, nerveux, chassant les mouches de l'été, pendant que j'allais et venais à grands pas dans la galerie, essayant de me calmer. L'idée n'était pas le fruit d'une inspiration subite, elle avait déjà été suggérée par Pedro de Valdivia à La Gasca au Pérou et celui-ci l'avait approuvée ; autrement dit, mon sort avait été décidé à mon insu. La trahison de Pedro me parut si grave qu'une vague de haine me submergea comme de l'eau sale des pieds à la tête, me remplissant la bouche de bile. A cet instant j'eus une envie folle de tuer le prêtre de mes mains, et je dus faire un effort énorme pour admettre qu'il n'était que le messager ; celui qui méritait ma vengeance était Pedro, non ce pauvre vieux qui transpirait de peur dans sa soutane. Soudain, quelque chose comme un coup de poing me frappa dans la poitrine, qui me coupa le souffle et me fit tituber. Mon cœur se mit à donner des ruades de cheval sauvage, comme jamais je n'en avais senti. Tout mon sang me monta aux tempes, mes jambes flageolèrent et je ne vis plus rien. Si je ne m'étais pas écroulée sur une chaise, j'aurais roulé à terre. Mon évanouissement ne dura que quelques instants, je repris bientôt conscience et me retrouvai la tête appuyée sur mes genoux. Dans cette position, j'attendis que les battements de mon cœur redeviennent réguliers dans ma poitrine et que ma respiration reprenne un rythme normal. Je mis mon bref évanouissement sur le compte de la colère et de la chaleur, sans soupçonner que mon cœur s'était brisé et que j'allais devoir vivre encore trente ans avec cette brisure.

« Je suppose que Pedro, qui désire tellement m'aider, a également pris la peine de me choisir un époux, n'est-ce pas ? demandai-je à Marmolejo lorsque je pus parler.

— Le gouverneur a deux noms à l'esprit...

— Dites à Pedro que j'accepte le marché et que je choisirai moi-même mon futur époux, parce que j'ai l'intention de me marier par amour et d'être très heureuse.

— Inés, je te répète que l'orgueil est un péché mortel.

— Dites-moi une chose, mon père. La rumeur qui dit que Pedro a ramené avec lui deux concubines est-elle vraie ? »

González de Marmolejo ne répondit pas, confirmant par son silence les potins qui étaient arrivés jusqu'à moi. Pedro avait remplacé une femme de quarante ans par deux de vingt. C'était deux Espagnoles, María de Encio et sa mystérieuse servante, Juana Jiménez, qui partageait aussi le lit de Pedro et qui, d'après ce qu'on racontait, les tenait tous deux sous sa coupe par son art de la sorcellerie. Sorcellerie ? On avait dit la même chose de moi. Il suffit parfois d'éponger la sueur sur le front d'un homme fatigué pour qu'il mange dans la main qui le caresse. Il n'est pas nécessaire d'être nécromancienne pour cela. Être loyale et joyeuse, écouter – ou au moins faire semblant –, cuisiner de bons petits plats, le surveiller sans qu'il s'en rende compte pour éviter qu'il commette des bêtises, jouir et le faire jouir à chaque étreinte, et d'autres choses très simples sont la recette. Je pourrais résumer cela en deux phrases : main de fer, gant de velours.

Je me souviens que lorsque Pedro m'avait parlé de la chemise de nuit avec un trou en forme de croix que portait son épouse Marina, je m'étais fait la promesse secrète de ne pas cacher mon corps à l'homme qui partageait mon lit. J'ai tenu cette promesse, et je l'ai accomplie avec une telle insolence, jusqu'au dernier jour que j'ai vécu avec Rodrigo, qu'il n'a jamais remarqué que mes chairs s'étaient relâchées, comme celles de n'importe quelle vieille femme. Les hommes qui m'ont touchée ont été simples : j'ai agi comme si j'étais belle et ils l'ont cru. Maintenant je suis seule, je n'ai personne à rendre heureux en amour, mais je peux affirmer que Pedro le fut tant qu'il vécut avec moi, et Rodrigo aussi, même quand sa maladie l'empêchait de prendre l'initiative. Pardon, Isabel, je sais que tu seras un peu troublée lorsque tu liras ces lignes, mais il faut que tu apprennes. N'écoute pas les curés, qui ne savent rien de cela.

*

Santiago était déjà une ville de cinq cents habitants, mais les commérages y circulaient aussi vite que dans un village, c'est pourquoi je décidai de ne pas perdre de temps en sima-grées. Mon cœur continua à faire des bonds pendant plusieurs jours après la conversation avec l'ecclésiastique. Catalina me prépara de l'eau de *cochayuyo*, des algues marines séchées, qu'elle mit à tremper pendant la nuit. Voilà trente ans que je bois ce liquide visqueux en me réveillant, je me suis habituée à son goût répugnant, et grâce à lui je vis encore. Ce diman-che-là j'ai revêtu mes plus beaux atours, je t'ai prise par la main, Isabel, car tu vivais avec moi depuis des mois, et j'ai traversé la place en direction de la maison de Rodrigo de Quiroga à l'heure où les gens sortaient de la messe, pour que tout le monde me voie. Catalina venait avec nous, couverte de son manteau noir et marmottant des incantations en que-chua, plus efficaces que les prières chrétiennes dans ces cas-là, et Baltasar, avec son trottinement de vieux chien. Un Indien m'ouvrit la porte et me conduisit à la salle, tandis que ceux qui m'accompagnaient restaient dans la cour poussiéreuse couverte d'excréments de poules. Je jetai un regard autour de moi et compris qu'il y aurait beaucoup à faire pour transfor-mer ce hangar militaire, nu et laid, en une demeure habitable. Je supposai que Rodrigo n'avait même pas un lit décent et qu'il dormait sur un grabat de soldat ; pas étonnant que tu te sois si rapidement adaptée aux commodités de ma maison. Il allait falloir remplacer ces meubles grossiers de bois et de cuir, peindre, acheter ce qui était nécessaire pour habiller les murs et le sol, construire des galeries d'ombre et de soleil, planter des arbres et des fleurs, mettre des fontaines dans le patio, remplacer la paille du toit par des tuiles, bref, j'aurais de quoi m'occuper pendant des années. J'aime les projets. Quelques instants plus tard Rodrigo entra, surpris, parce que je ne lui avais jamais rendu visite chez lui. Il avait ôté son pourpoint du dimanche, portait des chausses et une chemise blanche aux manches larges, ouverte sur la poitrine. Il me parut très jeune et je fus tentée de m'enfuir en courant par où j'étais entrée. Combien d'années de moins que moi avait cet homme ?

« Bonjour, doña Inés. Il se passe quelque chose ? Comment va Isabel ?

— Je viens vous proposer le mariage, don Rodrigo, qu'en pensez-vous ? », lui lâchai-je d'un trait, parce qu'il n'était pas possible de tourner autour du pot en pareilles circonstances.

Je dois dire, à l'honneur de Quiroga, qu'il prit ma proposition avec une légèreté de comédie. Son visage s'illumina, il leva les bras au ciel et lança un long cri d'Indien, inattendu chez un homme de sa prestance. Bien sûr, la rumeur de ce qui s'était passé au Pérou avec La Gasca et l'étrange solution dont le gouverneur avait eu l'idée étaient déjà parvenues jusqu'à lui ; tous les capitaines la commentaient, en particulier les célibataires. Peut-être se doutait-il qu'il serait mon élu, mais il était trop modeste pour en avoir la certitude. Je voulus lui expliquer les termes de l'accord, mais il ne me laissa pas placer un mot, il me prit dans ses bras avec une telle urgence qu'il me souleva de terre et, sans autre forme de procès, ferma ma bouche avec la sienne. Alors je pris conscience que j'attendais moi aussi ce moment depuis près d'un an. Je m'agrippai des deux mains à sa chemise et lui rendis son baiser avec une passion qui dormait en moi depuis longtemps ou s'était

307

trompée d'objet, une passion que j'avais gardée en réserve pour Pedro de Valdivia et qui implorait d'être vécue avant que ma jeunesse s'en aille. J'eus la certitude de son désir lorsque je sentis ses mains sur ma taille, sur ma nuque, dans mes cheveux, ses lèvres sur mon visage et mon cou, son odeur d'homme jeune, sa voix qui murmurait mon nom, et je me sentis pleinement heureuse. Comment ai-je pu passer en une minute de la douleur d'avoir été abandonnée au bonheur de me savoir aimée? A cette époque, je devais être une girouette... Je me jurai à cet instant d'être fidèle à Rodrigo jusqu'à la mort, et non seulement j'ai tenu ce serment au pied de la lettre, mais de plus je l'ai aimé chaque jour davantage pendant trente ans. Il fut très facile de l'aimer. Rodrigo a toujours été admirable, tout le monde était d'accord là-dessus, mais les meilleurs hommes ont en général de graves défauts qui ne se manifestent que dans l'intimité. Ce n'était pas le cas de ce noble hidalgo, soldat, ami et mari. Il n'a jamais prétendu me faire oublier Pedro de Valdivia, qu'il respectait et aimait, il m'a même aidée à préserver sa mémoire pour que le Chili, si ingrat, l'honore comme il le mérite, mais il avait décidé de me rendre amoureuse et il y a réussi.

Lorsque enfin nous pûmes nous défaire de notre étreinte et reprendre souffle, je sortis donner un ordre à Catalina, tandis que Rodrigo saluait sa fille. Une demi-heure plus tard, une file d'Indiens transportèrent mes malles, mon prie-Dieu et la statue de Notre-Dame du Secours dans la maison de Rodrigo de Quiroga, tandis que les habitants de Santiago, qui étaient restés à attendre sur la place d'Armes après la messe, applaudissaient. Il me fallut deux semaines pour préparer la noce, car je ne voulais pas me marier en cachette, mais avec pompe et cérémonie. Il était impossible de décorer la maison de Rodrigo en si peu de temps, mais nous nous sommes concentrés sur la transplantation d'arbres et d'arbustes dans son jardin, la préparation des arches de fleurs et l'installation de vélums et de longues tables pour le repas. Le père González de

Marmolejo nous maria dans ce qui est aujourd'hui la cathédrale, et qui était alors l'église en construction, devant une nombreuse assistance de Blancs, Noirs, Indiens et métis. Nous avions ajusté à ma taille une robe virginale de Cecilia, car je n'avais pas le temps de commander le tissu pour en faire une autre. « Marie-toi en blanc, Inés, don Rodrigo mérite d'être ton premier amour », avait décrété Cecilia, et elle avait raison. Le mariage fut célébré par une messe chantée, après laquelle fut offert un goûter avec des plats de ma spécialité : friands, ragoûts de volailles, gâteau de maïs, pommes de terre farcies, haricots au piment, agneau et cabri rôtis, légumes de ma ferme et les divers desserts que j'avais eu l'intention de préparer pour le retour de Pedro de Valdivia. Les agapes furent dûment arrosées des vins que je sortis sans remords de la cave du gouverneur, qui était aussi la mienne. Les portes de la maison de Rodrigo restèrent ouvertes toute la journée, et celui qui voulut manger et faire la fête avec nous fut le bienvenu. Dans la foule couraient des dizaines d'enfants métis et indiens et, assis sur des chaises disposées en demi-cercle, se trouvaient les anciens de la colonie. Catalina calcula que trois cents personnes avaient défilé dans cette maison, mais elle n'a jamais été bonne en calcul, il se peut qu'il y en ait eu davantage. Le lendemain, Rodrigo et moi partîmes avec toi, Isabel, et une suite de *yanaconas* passer quelques semaines d'amour dans ma ferme. Plusieurs soldats nous accompagnèrent aussi pour nous protéger des Indiens chiliens, qui attaquaient souvent les voyageurs imprudents.

Catalina et mes fidèles servantes amenées du Cuzco furent chargées de préparer au mieux la maison de Rodrigo ; tous les autres serviteurs restèrent à leur place chez Pedro de Valdivia.

C'est alors que le gouverneur osa débarquer avec ses deux concubines et qu'il revint dans sa maison à Santiago, qu'il trouva propre, ordonnée et bien garnie, sans aucune trace de moi.

CHAPITRE SIX

La guerre du Chili, 1549-1553

VOUS remarquerez que mon écriture a changé dans la dernière partie de ce récit. Les premiers mois, je l'ai écrit de ma main, mais à présent je me fatigue au bout de quelques lignes et je préfère te dicter ; mon écriture ressemble à des pattes de mouche, alors que la tienne, Isabel, est fine et élégante. Tu aimes l'encre couleur rouille, une nouveauté venue d'Espagne que j'ai beaucoup de mal à lire, mais comme tu me fais la faveur de m'aider, je ne peux t'imposer mon encrier noir. Nous avancerions plus vite, ma fille, si tu ne me harcelais pas d'autant de questions. T'écouter m'amuse. Tu parles l'espagnol chantant et vif du Chili ; Rodrigo et moi ne sommes pas parvenus à t'inculquer les *jotas* (j) et les *zetas* (z) dures de chez nous. C'est ainsi que parlait l'évêque González de Marmolejo, qui était de Séville. Il y a longtemps qu'il est mort, te souviens-tu de lui ? Il t'aimait comme un grand-père, le pauvre vieux. A cette époque, il admettait avoir soixante-dix-sept ans, mais il ressemblait à un patriarche biblique de cent ans, avec sa barbe blanche et cette tendance à annoncer l'Apocalypse qui lui est venue à la fin de ses jours. L'idée fixe de la fin du monde ne l'a pas empêché de s'occuper d'affaires matérielles, il recevait une inspiration divine pour faire de l'argent. Parmi ses somptueux négoces figurait l'élevage de chevaux que nous avions fondé en société. En expérimentant des croisements de races, nous avons obtenu des animaux forts, élégants et dociles, les fameux

313

poulains chiliens, aujourd'hui connus sur tout le continent, parce qu'ils sont aussi nobles que les coursiers arabes, mais plus résistants. L'évêque est mort la même année que ma bonne Catalina. Lui a été victime du mal des poumons, qu'aucune plante médicinale ne put guérir ; quant à elle, elle fut expédiée dans l'autre monde par une tuile tombée du ciel lors d'un tremblement de terre, qui atterrit sur sa nuque. Le coup fut si adroit qu'elle n'a pas eu le temps de se rendre compte que la terre tremblait. C'est à cette époque aussi que Villagra est mort, tellement effrayé par ses péchés qu'il portait l'habit de saint François. Pendant un temps il avait été gouverneur du Chili et on se souviendra de lui comme un militaire des plus vigoureux et des plus téméraires, mais personne ne l'appréciait, parce qu'il était pingre. L'avarice est un défaut que nous autres Espagnols, toujours généreux, détestons.

Nous n'avons pas de temps pour les détails, ma fille ; car si nous nous attardons ce récit peut rester inachevé et personne n'aime lire des centaines de pages et se retrouver avec une histoire dont la fin n'est pas explicitée. Quelle est la fin de celle-ci ? Ma mort, je suppose, car tant qu'il me restera un souffle de vie j'aurai des souvenirs pour remplir ces pages ; il y a beaucoup à raconter dans une vie comme la mienne. J'aurais dû commencer ces Mémoires depuis longtemps, mais j'étais occupée ; ériger et faire prospérer une ville représente un gros travail. Je ne me suis mise à écrire que lorsque Rodrigo est mort et que la tristesse m'a ôté l'envie de faire toutes les choses qui autrefois me paraissaient urgentes. Sans lui, presque toutes mes nuits sont blanches, et l'insomnie convient parfaitement à l'écriture. Je me demande où est mon mari, s'il m'attend quelque part ou s'il est ici même, dans cette maison, guettant dans l'ombre, veillant sur moi avec discrétion, comme il l'a toujours fait lorsqu'il était en vie. Comment est-ce, mourir ? Qu'y a-t-il de l'autre côté ? N'est-ce que nuit et silence ? J'imagine que mourir, c'est partir comme une flèche dans l'obscurité vers le firmament, un espace infini où, un à un, je devrai chercher les êtres qui me sont chers. Je suis étonnée aujourd'hui, alors que je pense tellement à la mort, d'avoir encore le désir de réaliser des projets et de satisfaire des ambitions. Sans doute est-ce pur orgueil : laisser renommée et souvenir de moi, comme disait Pedro. Je soupçonne que dans cette vie nous n'allons nulle part, surtout si nous sommes pressés ; on ne fait que marcher, un pas à la fois, vers la mort. Alors allons-y, continuons à raconter jusqu'à la fin de mes jours, puisque j'ai plus de matière qu'il n'en faut.

Après avoir épousé Rodrigo, j'ai décidé d'éviter Pedro, du moins au début, en attendant que me passe la haine qui avait remplacé l'amour que je lui avais porté pendant dix ans. Je le détestais autant que je l'avais aimé autrefois ; je voulais le blesser comme je l'avais défendu jusque-là. Ses défauts grandirent à mes yeux, il ne me paraissait plus noble, mais ambitieux et vain ; autrefois il était robuste, astucieux et sévère ; à présent il était gros, faux et cruel. Je ne m'épanchais qu'auprès de Catalina, car cette rancune à l'encontre de mon ancien amant me faisait honte. J'ai réussi à la cacher à Rodrigo, que sa droiture empêchait de percevoir mon fardeau de mauvais sentiments. Comme il était incapable de bassesse, il ne l'imaginait pas chez les autres. S'il a semblé trouver étrange que je ne me montre pas dans Santiago lorsque Pedro de Valdivia était en ville, il ne m'en a rien dit. Je me suis consacrée à la tâche d'embellir nos maisons de campagne, y prolongeant mes séjours le plus possible sous prétexte de jardiner, de cultiver des roses, d'élever des chevaux et des mules, mais dans le fond je m'ennuyais et je regrettais mon travail à l'hôpital. Pour nous voir, sa fille et moi, Rodrigo faisait chaque semaine le voyage entre la ville et la campagne au triple galop, se cassant les reins. Le grand air, le travail physique, ta compagnie, Isabel, et une nichée de chiots, progéniture du vieux Baltasar, m'ont aidée. A cette époque je priais beaucoup, je portais Notre-Dame du Secours au jardin, nous nous installions sous un arbre et je lui racontais mes peines. Elle m'a montré que le cœur est comme une boîte : si on la remplit de saleté, il n'y a pas d'espace pour autre chose. Je ne pourrais pas aimer Rodrigo et sa fille si j'avais le cœur plein d'amertume, m'avertit la Vierge. D'après Catalina, la rancœur rend la peau jaune et donne une mauvaise odeur, aussi me donnait-elle des tisanes à boire, pour m'en purifier. Je me suis guérie de ma rancune envers Pedro en deux mois grâce aux prières et aux tisanes. Une nuit, j'ai rêvé que me poussaient des serres de condor, que je me jetais sur Pedro et lui arrachais les yeux. Ce fut un rêve extraordinaire, très vivace, et je me suis réveillée vengée. A l'aube je suis sortie du lit et j'ai constaté que je ne ressentais plus cette douleur aux épaules et au cou qui m'avait tourmentée pendant des semaines ; le poids inutile de la haine avait disparu. J'entendis les bruits du réveil : les coqs, les chiens, le balai de branches du jardinier sur la terrasse, les voix des servantes. C'était un matin tiède et clair. Je suis sortie pieds nus dans la cour et la brise m'a caressé la peau sous ma chemise. J'ai pensé à Rodrigo, et le besoin de faire l'amour avec lui m'a fait frissonner, comme dans ma jeunesse, lorsque je m'enfuyais dans les vergers de Plasencia pour m'étendre avec Juan de Málaga. J'ai bâillé à pleins poumons, me suis étirée comme un chat, face au soleil, et tout de suite j'ai ordonné que l'on prépare les chevaux pour rentrer à Santiago avec toi le jour même, sans autres bagages que les vêtements que nous avions sur le dos et les armes. Rodrigo ne nous permettait pas de sortir de la maison sans protection, par crainte des bandes d'Indiens qui rôdaient dans la vallée, mais nous sommes parties quand même. Nous avons eu de la chance et sommes arrivées à Santiago à la tombée de la nuit, sans problèmes. Les sentinelles de la ville donnèrent l'alarme depuis leurs tours de guet lorsqu'elles virent le nuage de poussière soulevée par les chevaux. Inquiet, Rodrigo sortit me recevoir, craignant un malheur, mais je lui sautai au cou, l'embrassai sur la bouche et l'entraînai par la main dans la maison. Cette nuit-là commença vraiment notre amour, ce que nous avions vécu jusque-là n'était qu'un avant-goût. Au cours des mois qui suivirent nous apprîmes à nous connaître et à nous donner du plaisir. Mon amour pour lui était différent du désir que j'avais ressenti pour Juan de Málaga et de ma passion pour Pedro de Valdivia, c'était un sentiment mûr et joyeux, sans conflit, qui devint plus intense au fil du temps, au point que je ne pouvais me passer de lui. Mes voyages solitaires à la campagne prirent fin, nous ne nous séparions que lorsque l'urgence de la guerre appelait Rodrigo. Cet homme, si sérieux face au monde, était tendre et blagueur en privé ; il nous gâtait, nous étions ses deux reines, tu te souviens ? Ainsi s'accomplit la prophétie des coquillages magiques de Catalina, qui m'avait prédit que je serais reine. Pendant les trente années que nous allions vivre ensemble, aussi graves que fussent les pressions extérieures, Rodrigo n'a jamais perdu sa bonne humeur dans notre foyer. Il partageait avec moi les affaires de la guerre, du gouvernement et de la politique, de même que ses craintes et ses regrets, sans que rien affecte notre relation. Il avait confiance en mon jugement, me demandait mon avis, écoutait mes conseils. Avec lui, il n'était pas nécessaire d'user de détours pour éviter de le froisser, comme cela arrivait avec Valdivia et arrive en général avec les hommes, souvent chatouilleux sur le chapitre de leur autorité.

Je suppose que tu n'as pas envie que je parle de cela, Isabel, mais je ne peux l'omettre, parce que c'est un aspect de ton père que tu dois connaître. Avant d'être avec moi, Rodrigo croyait que la jeunesse et la vigueur suffisaient en amour, erreur très courante. La première fois que nous nous sommes retrouvés au lit, j'ai eu la surprise de constater qu'il était aussi pressé qu'un garçon de quinze ans. J'ai attribué cela au fait qu'il m'avait attendue longtemps, m'aimant en silence et sans espoir pendant neuf ans, comme il me l'avait avoué, mais sa maladresse persista au cours des nuits suivantes. Apparemment, Eulalia, ta mère, qui l'aimait jalousement, ne lui avait rien appris ; la tâche de l'éduquer me revint et, une fois débarrassée de ma rancune à l'égard de Valdivia, je l'assumai avec plaisir, comme tu peux l'imaginer. J'avais fait de même avec Pedro de Valdivia des années plus tôt, lorsque nous nous étions connus au Cuzco. Mon expérience des capitaines espagnols est limitée, mais je peux te dire que ceux que j'ai connus savaient peu de choses en matière amoureuse, quoi qu'ils fussent bien disposés à l'heure d'apprendre. Ne ris pas, ma fille, c'est vrai. Je te raconte cela au cas où. Je ne sais comment sont tes relations intimes avec ton mari, mais si tu as des griefs, je te conseille de m'en parler, car après ma mort, tu n'auras personne avec qui le faire. Les hommes, comme les chiens et les chevaux, doivent être domestiqués, mais peu de femmes en sont capables, vu qu'elles-mêmes ne savent rien, car elles n'ont pas eu un maître comme Juan de Málaga. De plus, la plupart d'entre elles s'embrouillent dans des scrupules, rappelle-toi la célèbre chemise de nuit de Marina Ortiz de Gaete. C'est ainsi que se multiplie l'ignorance, qui met souvent fin aux amours les mieux intentionnées.

A peine étais-je revenue à Santiago et commençais-je à cultiver le plaisir et l'amour béni de Rodrigo qu'un jour la ville fut réveillée par la sonnerie d'alarme d'une sentinelle. On avait découvert une tête de cheval plantée sur la pique où tant de têtes humaines avaient été exposées au fil des années. En l'examinant de près, on vit qu'elle appartenait à Sultan, le coursier préféré du gouverneur. Un cri d'horreur resta coincé dans toutes les poitrines. On avait imposé le couvre-feu à Santiago pour éviter les vols ; aucun Indien, Noir ou métis ne pouvait circuler la nuit, sous peine de cent coups de fouet à peau nue, sur la bille de bois de la place, la même peine qui leur était appliquée s'ils faisaient des fêtes sans permission, se saoulaient ou pariaient au jeu, vices réservés à leurs maîtres. Le couvre-feu écartait toute la population métisse et indigène de la ville, mais personne n'imaginait qu'un Espagnol fût coupable d'une telle aberration. Valdivia ordonna à Juan

Gómez d'appliquer la torture à qui il voulait pour découvrir l'auteur de l'outrage.

*

Bien que guérie de ma haine pour Pedro de Valdivia, je préférais le voir le moins possible. De toute façon, nous nous rencontrions fréquemment, car le centre de Santiago est réduit et nous vivions tout près, mais nous ne participions pas aux mêmes événements sociaux. Nos amis prenaient soin de ne pas nous inviter ensemble. Lorsque nous nous croisions dans la rue ou à l'église, nous nous adressions un discret salut de la tête, pas plus. Mais sa relation avec Rodrigo ne changea pas ; Pedro continua à lui accorder sa confiance et celui-ci y répondit avec loyauté et affection. Moi, bien sûr, j'étais la cible de commentaires malicieux.

« Pourquoi les gens sont-ils si mesquins et cancaniers, Inés ? commenta Cecilia.

— Ça les ennuie qu'au lieu de tenir le rôle de la maîtresse abandonnée je sois une épouse heureuse. Ils se réjouissent de voir humiliées les femmes fortes comme toi et moi. Ils ne nous pardonnent pas de triompher lorsque tant d'autres échouent, lui expliquai-je.

— Je ne mérite pas que tu me compares à toi, Inés, je n'ai pas ta trempe, dit Cecilia en riant.

— Le caractère est une vertu appréciée chez l'homme, mais on le considère comme un défaut chez les personnes de notre sexe. Les femmes qui ont du caractère mettent en danger le déséquilibre du monde, qui favorise les hommes, c'est pour-quoi on s'acharne à les brimer et à les détruire. Mais elles sont comme les cafards : on en écrase une et il en sort un tas de tous les coins », lui dis-je.

Pour ce qui est de María de Encio, je me souviens qu'aucun des habitants importants ne la recevait, bien qu'elle fût espagnole et la maîtresse du gouverneur. Tout juste la traitaient-ils comme sa gouvernante. Quant à l'autre, Juana Jiménez, on se moquait d'elle dans son dos en disant que sa maîtresse lui avait appris à faire au lit des pirouettes qu'elle-même n'avait pas l'estomac de faire. Si c'était vrai, je me demande dans quels vices elles ont entraîné Pedro, qui était un homme d'une sensualité saine et directe, il ne s'était jamais intéressé aux curiosités des petits livres français que faisait circuler Francisco de Aguirre, sauf à l'époque du pauvre Escobar, lorsqu'il voulut oublier sa culpabilité en me rabaissant au rang de putain. A ce propos, que je n'oublie pas de dire dans ces pages qu'Escobar n'est jamais arrivé au Pérou, pas plus qu'il n'est mort de soif dans le désert, comme on le supposait. Bien des années plus tard, j'appris que le jeune *yanacona* qui l'accompagnait l'avait conduit par des chemins secrets vers le village de ses parents, caché entre les pics de la sierra, où tous deux vivent encore aujourd'hui. Avant de s'enfoncer dans le désert, Escobar avait promis à González de Marmolejo de se faire prêtre s'il arrivait en vie au Pérou, car Dieu l'avait sans doute désigné en le sauvant d'abord de la potence et ensuite du désert. Il n'avait pas tenu sa promesse, en revanche il avait eu plusieurs épouses quechua et des enfants métis, propageant ainsi la sainte foi à sa manière. Pour revenir aux maîtresses que Valdivia avait ramenées du Cuzco, j'appris de Catalina qu'elles lui préparaient des décoctions d'herbe du clou. Peut-être Pedro craignait-il de perdre sa puissance virile, qui était pour lui aussi importante que son courage de soldat ; c'est pour cette raison qu'il buvait des potions et employait deux femmes pour le stimuler. Il n'était pas encore à l'âge où sa vigueur risquait de diminuer, mais sa santé n'était plus aussi belle et ses anciennes blessures le faisaient souffrir. Le sort de ces deux femmes fut aventureux. Après la mort de Valdivia, Juana Jiménez disparut, on raconte que les Mapuche l'enlevèrent lors d'un raid dans le sud. Le caractère de María de Encio s'aigrit et elle passait le plus clair de son temps à torturer ses Indiennes ; on raconte que les os des malheureuses sont enterrés dans la maison, qui appartient maintenant au conseil de la ville, et que la nuit on entend leurs gémissements, mais là aussi, c'est une autre histoire que je ne raconterai pas.

J'ai tenu María et Juana à distance. Je n'avais aucune intention de leur adresser un jour la parole, mais Pedro tomba de cheval et se fractura une jambe ; alors elles m'appelèrent, car personne n'en connaissait plus que moi en cette matière. Je rentrai pour la première fois dans la maison qui avait été la mienne, que j'avais bâtie de mes propres mains, et je ne la reconnus pas, alors que les mêmes meubles occupaient les mêmes places. Juana, une Galicienne de petite taille, mais bien proportionnée et aux traits agréables, me reçut avec une révérence de servante et me conduisit dans la chambre que je partageais autrefois avec Pedro. María s'y trouvait, pleurnichant et appliquant des morceaux de tissu humide sur le front du blessé, qui était couché, plus mort que vif. María se jeta sur moi pour me baiser les mains, sanglotant de gratitude et de frayeur – si Pedro mourait, son sort était assez incertain –, mais je l'écartai avec délicatesse, pour ne pas la froisser, et je m'approchai du lit. Lorsque j'enlevai le drap et vis la jambe brisée en deux parties, je pensai que la meilleure chose à faire serait de l'amputer au-dessus du genou, avant qu'elle ne pourrisse, mais cette opération m'a toujours épouvantée et je me sentis incapable de la pratiquer sur ce corps que j'avais aimé.

Je me recommandai à la Vierge et m'apprêtai à réparer le mal du mieux possible, aidée par le vétérinaire et le maréchal-ferrant, le médecin s'étant révélé un ivrogne et un incapable. C'était l'une de ces mauvaises fractures, difficiles à traiter. Je dus remettre chaque os à sa place en tâtant à l'aveuglette, et ce n'est que par miracle que j'obtins un résultat à peu près correct. Catalina étourdissait le patient avec ses poudres magiques diluées dans l'alcool, mais même endormi il hurlait ; il fallait plusieurs hommes pour le tenir à chaque manipulation. Je menai le travail à bien sans malice ni rancœur, essayant de lui épargner la souffrance, mais ce fut impossible. A vrai dire, j'oubliai complètement son ingratitude. Pedro se sentit tant de fois mourir de douleur qu'il dicta son testament à González de Marmolejo, le scella et l'envoya garder sous trois cadenas dans le bureau du conseil. Lorsqu'il fut ouvert, après sa mort, le document stipulait entre autres choses que Rodrigo de Quiroga devait le remplacer comme gouverneur. Je reconnais que ses deux maîtresses espagnoles s'occupèrent de lui avec dévouement, et qu'en partie grâce à ces soins Pedro put remarcher, même s'il devait boiter le reste de sa vie.

*

Il ne fut pas nécessaire que Juan Gómez supplicie qui que ce soit pour découvrir le coupable du crime de Sultan ; dans la demi-heure qui suivit, on sut que c'était Felipe. Au début je ne pus le croire, parce que le jeune Mapuche adorait l'animal. Un jour que Sultan avait été blessé par les Indiens à Marga-Marga, Felipe l'avait soigné pendant des semaines, il dormait avec lui, lui donnait à manger dans sa main, le nettoyait et lui prodiguait des soins, jusqu'à ce qu'il soit remis. L'affection entre le garçon et le cheval était telle que Pedro en était jaloux, mais comme personne ne s'occupait de Sultan mieux que Felipe, il préférait ne pas intervenir. L'habileté du jeune Mapuche avec les chevaux était devenue légendaire, et Valdivia pensait même le nommer palefrenier lorsqu'il aurait l'âge requis, office très respecté dans la colonie où l'élevage des chevaux était essentiel. Felipe avait tué son noble ami en lui tranchant la veine jugulaire, pour qu'il ne souffre pas, puis il l'avait décapité avec une machette. Défiant le couvre-feu et profitant de l'obscurité, il avait planté la tête sur la place et quitté la ville. Il avait fait un paquet de ses vêtements et de ses rares biens, et l'avait laissé dans l'écurie inondée de sang. Il était parti nu, portant au cou l'amulette avec laquelle il était arrivé quelques années plus tôt. Je l'imagine courant pieds nus sur la terre molle, aspirant à pleins poumons les parfums secrets de la forêt, laurier, quillaja, romarin, passant à gué les bourbiers et les cours d'eau, traversant à la nage les eaux glacées des rivières, avec le ciel infini au-dessus de sa tête, enfin libre. Pourquoi a-t-il commis cet acte barbare sur la bête qu'il aimait tant? L'énigmatique explication de Catalina, qui n'avait jamais eu de sympathie pour Felipe, s'avéra exacte. « Tu vois pas que le Mapuche retourne avec les siens, *mamitay*? »

Je suppose que Pedro de Valdivia explosa de rage devant les faits, jurant le plus horrible châtiment à son valet d'écurie préféré, mais il dut remettre la vengeance à plus tard, car il avait des affaires plus urgentes à traiter. Il venait de conclure une alliance avec son principal ennemi, le cacique Michimalonko, et il était en train d'organiser une grande campagne au sud du pays pour soumettre les Mapuche. Le vieux cacique, sur qui les années ne laissaient pas de marques, avait compris l'intérêt d'une alliance avec les *huincas*, vu qu'il avait été incapable de les vaincre. La répression d'Aguirre l'avait pratiquement laissé sans hommes pour ses troupes; dans le nord, il ne restait que des femmes et des enfants, dont la moitié étaient des métis. Entre périr ou se battre contre les Mapuche du sud, avec lesquels il avait eu des problèmes les derniers temps, parce qu'il n'avait pu tenir la promesse qu'il leur avait faite d'anéantir les Espagnols, il choisit la seconde option, ainsi au moins sa dignité était sauve et il n'avait pas à mettre ses guerriers à travailler la terre et à chercher de l'or pour les *huincas*.

Moi, cependant, je ne pus m'enlever Felipe de la tête; la mort de Sultan m'apparut comme un acte symbolique : avec ces coups de machette il avait assassiné le gouverneur, après quoi il n'y avait plus de retour en arrière possible, il rompait avec nous pour toujours, emportant avec lui les leçons apprises pendant des années de dissimulation intelligente. Je me souvins de la première attaque indigène sur la ville naissante de Santiago, au printemps de 1541, et je crus comprendre le rôle que Felipe avait joué dans nos vies. Cette fois-là les Indiens s'étaient dissimulés sous des couvertures brunes pour avancer la nuit sans être vus par les sentinelles, comme l'avaient fait en Europe les troupes du marquis de Pescara avec des draps blancs sur la neige. Felipe avait entendu Pedro raconter cette histoire plus d'une fois et il en avait transmis l'idée aux *toquis*. Ses fréquentes disparitions n'étaient pas fortuites, elles correspondaient à une farouche détermination, presque impossible à imaginer chez l'enfant qu'il était alors. Il pouvait sortir de la ville pour chasser sans être inquiété par les troupes hostiles qui nous assiégeaient, parce qu'il était des leurs. Ses sorties de chasse servaient de prétexte pour retrouver les siens et les renseigner sur nous. C'est lui qui était arrivé avec la nouvelle que les gens de Michimalonko se concentraient près de Santiago, lui qui avait aidé à préparer l'embuscade pour éloigner Valdivia et la moitié de nos gens, lui qui avait averti les Indiens du moment propice pour nous attaquer. Où était cet enfant pendant l'assaut de Santiago ? Dans le raffut de cette journée terrible, nous l'avions oublié. Il s'était caché ou avait aidé nos ennemis, peut-être avait-il contribué à attiser l'incendie ; je l'ignore. Pendant des années, Felipe avait passé son temps à étudier les chevaux, à les dompter et à les élever ; il écoutait avec attention les récits des soldats et apprenait la stratégie militaire ; il savait utiliser nos armes, de l'épée à l'arquebuse et au canon ; il connaissait nos forces et nos faiblesses. Nous croyions qu'il admirait Valdivia, son Taita, qu'il servait mieux que personne, mais en réalité il l'épiait, tandis qu'en son for intérieur il cultivait la rancœur contre les envahisseurs de sa terre. Quelque temps plus tard, nous avons appris qu'il était le fils d'un chef, le dernier d'une longue lignée, aussi orgueilleux de son lignage de guerriers que Valdivia l'était du sien. J'imagine la haine terrible qui obscurcissait le cœur de Felipe. Et maintenant ce Mapuche de dix-huit ans, fort et mince comme un jonc, courait nu vers les forêts humides du sud, où l'attendaient les tribus.

*

Son vrai nom était Lautaro et il est devenu le chef le plus célèbre de l'Araucanie, démon redouté pour les Espagnols, héros pour les Mapuche, prince de l'épopée guerrière. Sous son commandement, les troupes désordonnées des Indiens se sont organisées sur l'exemple des meilleures armées d'Europe, en escadrons d'infanterie et de cavalerie. Pour renverser les chevaux sans les tuer – ils étaient aussi précieux pour eux que pour nous –, il a utilisé les *boleadoras*, deux pierres attachées aux extrémités d'une corde, qui s'enroulaient autour des pattes et faisaient tomber l'animal, ou autour du cou du cavalier pour le désarçonner. Il a envoyé les siens voler des chevaux pour les élever et les dompter, et a fait de même avec les chiens. Il a entraîné ses hommes pour en faire les meilleurs cavaliers du monde, comme il l'était lui-même, au point que la cavalerie mapuche est devenue invincible. Il a changé les anciens gourdins, lourds et lents, pour des massues courtes, beaucoup plus efficaces. Dans chaque bataille il s'emparait des armes de l'ennemi pour les utiliser et les copier. Il a mis en place un système de communication si efficace que même le dernier de ses guerriers recevait les ordres de son *toqui* en un instant, et il a imposé une discipline de fer, comparable à celle des célèbres régiments d'infanterie espagnols. Il a fait des femmes de féroces guerrières tandis que les enfants étaient chargés de transporter vivres, équipements et messages. Il connaissait le terrain et préférait la forêt pour cacher ses armées, mais lorsque le besoin s'en est fait sentir, il a érigé des fortins dans des endroits inaccessibles, où il préparait ses troupes, tandis que ses espions l'informaient de chaque pas de l'ennemi, pour le devancer. Cependant, il n'a pu changer la mauvaise habitude de ses guerriers de s'enivrer de chicha de maïs au point de sombrer dans l'hébétude après chaque victoire. S'il y était parvenu, les Mapuche auraient exterminé notre armée dans le sud. Trente ans plus tard, l'esprit de Lautaro est toujours à la tête de ses troupes et son nom résonnera pendant des siècles, jamais nous ne pourrons le vaincre.

Nous avons pris connaissance de l'épopée de Lautaro un peu plus tard, lorsque Pedro de Valdivia est parti en Araucanie fonder de nouvelles villes, avec le rêve d'étendre la conquête jusqu'au détroit de Magellan. « Si Francisco Pizarro a conquis le Pérou avec cent et quelques soldats qui se sont battus contre trente-cinq mille hommes de l'armée d'Atahualpa, il serait honteux que quelques sauvages chiliens nous arrêtent », a-t-il annoncé devant le conseil réuni. Il emmenait deux cents soldats bien équipés, quatre capitaines, parmi lesquels le vaillant Jerónimo de Alderete, des centaines de serviteurs indiens portant les bagages et, de plus, Michimalonko l'accompagnait, montant le coursier qu'il lui avait offert, à la tête de ses bandes indisciplinées, mais courageuses. Les cavaliers portaient une armure complète ; les fantassins, des cuirasses et des boucliers, et les *yanaconas* eux-mêmes étaient coiffés de casques pour se protéger des formidables coups de massue des Mapuche. La seule chose qui détonnait dans la superbe militaire, c'était qu'il fallut transporter Valdivia dans un palanquin, telle une courtisane, parce que la douleur de sa jambe fracturée, pas encore bien guérie, l'empêchait de monter à cheval. Avant de partir il envoya le redoutable Francisco de Aguirre reconstruire La Serena et fonder d'autres villes dans le nord, pratiquement dépeuplé par les campagnes d'extermination que Aguirre lui-même avait auparavant menées à bien, et par la retraite massive des gens de Michimalonko. Il nomma Rodrigo de Quiroga son représentant à Santiago, le seul capitaine écouté et respecté de tous. Ainsi, par l'un de ces retournements inattendus de la vie, je redevins la *Gobernadora*, charge que j'ai en fait toujours exercée, bien que ce n'ait pas toujours été mon titre légitime.

*

Lautaro s'échappe de Santiago au cours de la nuit la plus obscure de l'été sans être vu par les sentinelles et sans alerter les chiens, qui le connaissent. Il court sur la rive du Mapocho, caché dans la végétation de roseaux et de fougères. Il n'utilise pas le pont de cordes des *huincas*, se jette dans les eaux noires et nage, en poussant un cri de joie longtemps retenu dans sa poitrine. L'eau froide le lave à l'intérieur et à l'extérieur, le débarrassant de l'odeur des *huincas*. A longues brasses, il traverse la rivière et émerge sur l'autre rive comme un nouveau-né. « *Inche Lautaro!* Je suis Lautaro! », crie-t-il. Il attend, immobile sur la berge, tandis que l'air tiède sèche son corps mouillé. Il entend le croassement d'un *chón-chón*, un esprit qui a un corps d'oiseau et un visage d'homme, et répond par un appel similaire ; alors il sent tout près de lui la présence de son guide, Guacolda. Il doit faire un effort pour la voir, bien que ses yeux s'habituent peu à peu à l'obscurité, parce qu'elle a le don du vent ; invisible, elle peut passer entre les rangs ennemis, les hommes ne la remarquent pas, les chiens ne la sentent pas. Guacolda, de cinq ans son aînée, est sa promise. Il la connaît depuis l'enfance et sait qu'il lui appartient, de même qu'elle lui appartient. Il l'a vue chaque fois qu'il s'enfuyait de la ville des *huincas* pour transmettre des renseignements aux tribus. Elle était le lien, la rapide messagère. C'est elle qui l'avait conduit jusqu'à la ville des envahisseurs, lorsqu'il était un gamin de onze ans, avec l'instruction précise de dissimuler et de veiller ; elle qui l'avait observé à peu de distance lorsqu'il s'était collé au moine vêtu de noir et l'avait suivi. Lors de leur dernière rencontre, Guacolda lui avait dit de s'enfuir au cours de la prochaine nuit sans lune, parce que son temps chez l'ennemi était terminé, il savait tout ce qui était nécessaire et son peuple l'attendait. Lorsqu'elle le voit arriver cette nuit-là sans vêtement de *huinca*, nu, Guacolda le salue : « *Mari, mari* », puis elle l'embrasse pour la première fois sur la bouche, lui lèche le visage, le touche comme une femme pour établir son droit sur lui. « *Mari, mari* », répond Lautaro, qui sait déjà que l'heure de l'amour a sonné pour lui, bientôt il pourra enlever Guacolda dans sa hutte, la jeter sur son dos et s'enfuir avec elle, comme le veut la coutume. Il le lui dit, et elle sourit, puis d'un pas léger elle le conduit vers le sud, toujours vers le sud. L'amulette que Lautaro n'enlève jamais de son cou appartient à Guacolda.

Quelques jours plus tard, les deux jeunes gens atteignent enfin leur destination. Le père de Lautaro, cacique très respecté, le présente aux autres chefs de guerre, pour qu'ils entendent ce que son fils a à dire.

« L'ennemi est en route, ce sont les *huincas* qui ont vaincu les frères du nord, explique Lautaro. Ils s'approchent du Bío-Bío, le fleuve sacré, avec leurs *yanaconas*, leurs chevaux et leurs chiens. Avec eux vient Michimalonko, le traître, qui amène son armée de lâches combattre contre leurs propres frères du sud. Mort à Michimalonko ! Mort aux *huincas* ! »

Lautaro parle pendant des jours, il raconte que les arquebuses ne sont que bruit et vent, qu'il faut craindre davantage les épées, les lances, les haches et les chiens ; les capitaines portent des cottes de mailles, où ne pénètrent ni les flèches ni les lances de bois ; avec eux, il faut utiliser des massues pour les estourbir, les faire tomber de cheval avec des lassos ; une fois au sol ils sont perdus, il est facile de les traîner et de les mettre en pièces, car sous le métal ils sont de chair.

« Attention ! Ce sont des hommes sans peur. Les fantassins n'ont de protection que sur la poitrine et la tête, avec eux il faut employer les flèches. Attention ! Eux non plus n'ont pas peur. Il faut empoisonner les flèches si on ne veut pas que les blessés retournent se battre. Les chevaux sont vitaux, on doit les prendre vivants, surtout les juments, pour les élever. La nuit, il faudra envoyer des enfants près des campements des *huincas* pour jeter de la viande empoisonnée aux chiens, qui sont toujours enchaînés. Nous ferons des pièges. Nous creuserons des trous profonds, nous les couvrirons de branches et les chevaux qui tomberont dedans seront empalés sur les perches plantées au fond. L'avantage des Mapuche, c'est le nombre, la rapidité et la connaissance de la forêt, dit Lautaro. Les *huincas* ne sont pas invincibles, ils dorment plus que les Mapuche, ils mangent et boivent trop, et ils ont besoin de porteurs parce que le poids de leur équipement les épuise. Nous allons les harceler sans répit, nous serons comme les guêpes et les taons, ordonne-t-il; d'abord nous les fatiguons, et ensuite nous les tuons. Les *huincas* sont des humains, ils meurent comme les Mapuche, mais ils se comportent comme des démons. Dans le nord, ils ont brûlé vives des tribus entières. Ils prétendent nous faire accepter leur dieu cloué sur une croix, un dieu de la mort, que nous nous soumettions à leur roi, qui ne vit pas ici et que nous ne connaissons pas, ils veulent occuper notre terre et que nous soyons leurs esclaves. Pourquoi? je vous le demande. Pour rien, mes frères. Ils n'apprécient pas la liberté. Ils n'entendent rien à l'orgueil, ils obéissent, mettent genoux à terre, baissent la tête. Ils ne savent rien de la justice et du partage. Les *huincas* sont fous, mais ce sont des fous mauvais. Et je vous le dis, mes frères, nous ne serons jamais leurs prisonniers, nous mourrons en nous battant. Nous tuerons les hommes, mais nous prendrons vivants leurs enfants et leurs femmes. Elles seront nos *chiñuras* et, si vous voulez, nous échangerons les enfants contre des chevaux. C'est juste. Nous serons silencieux et rapides, comme des poissons, ils ne sauront jamais que nous sommes tout près; alors nous leur tomberons dessus par surprise. Nous serons des chasseurs patients. Cette lutte sera longue. Préparez-vous. »

*

Tandis que le jeune général Lautaro organise la stratégie le jour et se cache la nuit dans la végétation avec Guacolda pour l'aimer en secret, les tribus choisissent leurs chefs de guerre, qui prendront la tête des escadrons, et qui à leur tour seront sous les ordres du *ñidoltoqui*, le chef des chefs, Lautaro. L'air de l'après-midi est tiède dans la clairière de la forêt, mais dès que la nuit tombera il fera froid. Les tournois ont commencé avec des semaines d'avance, les candidats ont déjà concouru et un à un ils ont été éliminés. Seuls les plus forts et les plus résistants, ceux qui ont le plus de trempe et de volonté, peuvent aspirer au titre de chef de guerre. L'un des plus robustes bondit dans le cercle et se présente : « *Inche Caupolicán !* » Il est nu, à l'exception d'un cache-sexe, mais il porte les rubans de son rang noués autour des bras et sur le front. Deux grands gaillards s'approchent du tronc de chêne qu'ils ont préparé, ils le soulèvent avec peine, un à chaque extrémité. Ils le montrent, afin que l'assistance le voie et évalue son poids, puis ils le placent avec précaution sur les solides épaules de Caupolicán. La taille et les genoux de l'homme ploient lorsqu'il reçoit la terrible charge, et l'espace d'un instant il semble qu'il va tomber écrasé, mais il se redresse aussitôt. Les muscles de son corps se tendent, sa peau brille de sueur, les veines de son cou se gonflent, sur le point d'éclater. Une exclamation étouffée s'échappe du cercle des spectateurs lorsque, lentement, Caupolicán commence à avancer à petits pas, mesurant ses forces pour qu'elles ne lui manquent pas pendant les heures nécessaires. Il doit en vaincre d'autres aussi forts que lui. Son seul avantage est la féroce détermination de mourir dans l'épreuve plutôt que de céder la première place. Il veut conduire les siens au combat, il désire que l'on se souvienne de son nom, il veut avoir des enfants avec Fresia, la jeune fille qu'il a choisie, et qu'ils soient fiers de leur sang. Il installe le tronc posé sur sa nuque, maintenu par ses épaules et ses bras. L'écorce rugueuse lui déchire la peau et des filets de sang coulent sur toute la largeur de son dos. Il aspire profondément le parfum intense de la forêt, sent le réconfort de la brise et de la rosée. Les yeux noirs de Fresia, qui sera sa femme s'il sort vainqueur de l'épreuve, se plantent dans les siens sans la moindre compassion, mais amoureux. Par ce regard elle exige qu'il triomphe : elle le désire, mais elle n'épousera que le meilleur. Dans ses cheveux brille un *copihue*, la fleur rouge des forêts qui pousse dans les airs, goutte de sang de la Terre-Mère, cadeau de Caupolicán, qui a grimpé à l'arbre le plus haut pour la lui rapporter.

Le guerrier marche en cercles, portant le poids du monde sur ses épaules, et il dit : « Nous sommes le rêve de la Terre, c'est elle qui nous rêve. Dans les étoiles aussi il y a des êtres qui sont rêvés et qui ont leurs propres merveilles. Nous sommes des rêves dans d'autres rêves. Nous sommes mariés à la Nature. Nous saluons la Sainte Terre, notre mère, à qui nous chantons dans la langue des araucarias et des canneliers, des cerises et des condors. Que les vents fleuris viennent nous apporter la voix des ancêtres afin que notre regard s'endurcisse. Que le courage des anciens chefs coule dans nos veines. Les ancêtres disent que l'heure de la hache est venue. Les aïeux des aïeux nous surveillent et soutiennent notre bras. C'est l'heure du combat. Nous devons mourir. La vie et la mort sont une seule et même chose... » La voix posée du guerrier parle et parle pendant des heures en une prière interminable, tandis que le tronc se balance sur ses épaules. Il invoque les esprits de la Nature pour qu'ils défendent leur terre, ses grandes eaux, ses aurores. Il invoque les ancêtres pour qu'ils changent en lances les bras des hommes. Il invoque les pumas de la montagne pour qu'ils prêtent aux femmes leur force et leur vaillance. Les spectateurs se fatiguent, ils sont mouillés par la bruine ténue de la nuit, certains allument de petits feux pour s'éclairer, mâchent des grains de maïs grillés, d'autres s'endorment ou s'en vont, mais ensuite ils reviennent, admiratifs. La vieille *machi* éclabousse Caupolicán à l'aide d'une petite branche de cannelier trempée dans le sang du sacrifice, pour lui communiquer la force de caractère. La femme a peur, parce que la nuit précédente lui sont apparus en rêve *ñeru-filú*, le serpent-renard, et *piwichén*, le serpentcoq, pour lui dire que le sang de la guerre sera si abondant qu'il colorera de rouge le Bío-Bío jusqu'à la fin des temps. Fresia approche une calebasse d'eau des lèvres desséchées de Caupolicán. Il voit les mains dures de son aimée sur sa poitrine, qui palpent ses muscles de pierre, mais il ne les sent pas, de même qu'il ne sent plus douleur ni fatigue. Il continue à parler, en transe, continue à marcher en dormant. Et ainsi passent les heures, la nuit entière, ainsi naît le jour, filtrant la lumière entre les feuilles des grands arbres. Le guerrier flotte dans la brume froide qui s'élève de la terre, les premiers rayons d'or baignent son corps et il continue à faire des petits pas de danseur, le dos rouge de sang, le discours fluide. « Nous sommes à la saison de *hualán*, le temps sacré des fruits, où la Mère sainte nous donne la nourriture, le temps du pignon et des petits des animaux et des femmes, fils et filles de Ngenechén. Avant le temps du repos, le temps du froid et du rêve de la Terre-Mère, les *huincas* viendront. »

La rumeur a couru à travers les montagnes et voilà qu'arrivent les guerriers d'autres tribus, et que la clairière se remplit d'hommes et de femmes. Le cercle où marche Caupolicán devient de plus en plus exigu. Maintenant ils l'excitent, à nouveau la *machi* l'arrose de sang frais, Fresia et d'autres femmes lavent son corps avec des peaux de lapin mouillées, elles lui donnent de l'eau, lui introduisent un peu de nourriture mâchée dans la bouche, afin qu'il l'avale sans interrompre son discours poétique. Les vieux *toquis* s'inclinent avec respect devant le guerrier, ils n'ont jamais rien vu de semblable. Le soleil chauffe la terre et dégage le brouillard, l'air se remplit de papillons transparents. Au-dessus de la cime des arbres, sur le ciel se découpe la silhouette imposante du volcan avec son éternelle colonne de fumée. « Encore de l'eau pour le guerrier », ordonne la *machi*. Caupolicán, qui a gagné la compétition depuis un moment, mais ne lâche pas le tronc, continue à marcher en parlant. Le soleil atteint son zénith et commence à descendre jusqu'à disparaître derrière les arbres sans qu'il s'arrête. Pendant ce temps, des milliers de Mapuche sont encore arrivés et la foule occupe la clairière et la forêt tout entière, il en vient d'autres par les montagnes ; les *trutucas* et les *cultrunes* sonnent, annonçant l'exploit aux quatre vents. Les yeux de Fresia ne quittent plus ceux du Caupolicán, ils le soutiennent, le guident.

Enfin, alors que la nuit est tombée, le guerrier rassemble ses forces et lève le tronc au-dessus de sa tête, il le tient là quelques instants, puis le lance au loin. Lautaro a son lieutenant. « Ooooooooooooom ! Ooooooooooooom ! » Le cri immense parcourt la forêt, il résonne entre les montagnes, voyage dans toute l'Araucanie et arrive aux oreilles des *huincas*, à bien des lieues de distance. « Ooooooooooooom ! »

*

Valdivia mit près d'un mois pour atteindre le territoire mapuche, et pendant ce temps il parvint à se remettre suffisamment pour monter par moments à cheval, avec beaucoup de difficultés. Dès qu'ils eurent installé le campement commencèrent les attaques quotidiennes de l'ennemi. Les Mapuche traversaient à la nage les rivières qui bloquaient le passage aux Espagnols, incapables de les franchir sans embarcations à cause du poids de leurs armures et de leur équipement. Tandis que quelques-uns affrontaient les chiens poitrine nue, sachant qu'ils seraient dévorés vivants, mais prêts à remplir la mission de les arrêter, les autres se jetaient sur les Espagnols. Ils laissaient des douzaines de morts, emportaient les blessés qui pouvaient tenir debout et disparaissaient dans la forêt avant que les soldats aient eu le temps de s'organiser pour les poursuivre. Valdivia ordonna que la moitié de sa petite armée monte la garde, pendant que l'autre moitié se reposait, par tours de six heures. Malgré le harcèlement, le gouverneur continua à avancer, vainqueur à chaque escarmouche. Il pénétra de plus en plus loin dans l'Araucanie sans rencontrer de bandes importantes d'indigènes, juste des groupes dispersés, dont les attaques-surprises fulgurantes fatiguaient ses soldats, mais ne les arrêtaient pas, ils avaient l'habitude d'affronter des ennemis cent fois plus nombreux. Le seul inquiet était Michimalonko, car il savait très bien avec qui il aurait bientôt maille à partir.

Et il en fut ainsi. Le premier affrontement sérieux avec les Mapuche se produisit en janvier 1550, alors que les *huincas* avaient atteint la rive du Bío-Bío, ligne de démarcation du territoire inviolable des Mapuche. Les Espagnols campèrent près d'une lagune, sur un site bien abrité, de sorte que les arrières étaient protégés par les eaux glacées et cristallines. Ils n'avaient pas imaginé que les ennemis pouvaient arriver par le fleuve, loups de mer rapides et silencieux. Les sentinelles ne virent rien, la nuit semblait paisible, jusqu'à ce que, soudain, ils entendent un charivari de hurlements, de flûtes et de tambours, et que la terre se mette à trembler sous le martèlement des pieds nus de milliers et de milliers de guerriers : les hommes de Lautaro. La cavalerie espagnole, toujours en alerte, partit à leur rencontre, mais les indigènes ne furent pas effrayés, comme cela arrivait autrefois devant la fougue des bêtes : ils se plantèrent devant, dressant une muraille de lances en arrêt. Les chevaux se cabrèrent et les cavaliers durent se replier, tandis que les arquebusiers lançaient leur première salve. Lautaro avait averti ses hommes que charger les armes à feu prenait quelques minutes, pendant lesquelles le soldat se trouvait sans défense ; cela leur donnait le temps d'attaquer. Déconcerté par l'absence totale de crainte des Mapuche, qui combattaient corps à corps contre des soldats en armure, Valdivia organisa sa troupe comme il l'avait fait en Italie, des escadrons compacts protégés par des cuirasses, hérissés de lances et d'épées, tandis que par-derrière Michimalonko chargeait avec ses troupes. Le féroce combat dura jusqu'à la nuit, lorsque l'armée de Lautaro se retira ; elle ne s'enfuit pas dans une course précipitée, mais se replia en bon ordre sur un signal des *cultrunes*.

« Au Nouveau Monde, on n'a rien vu qui ressemble à ces guerriers, déclara Jerónimo de Alderete, exténué.

— Jamais de ma vie je n'ai eu d'ennemis aussi féroces. Voilà plus de trente ans que je sers Sa Majesté et j'ai lutté contre de nombreuses nations, mais je n'avais jamais vu une ténacité semblable à celle de ces gens pour se battre, ajouta Valdivia.

— Que faisons-nous maintenant ?

— Nous allons fonder une ville à cet endroit. Il a tous les avantages : une baie abritée, un fleuve large et poissonneux, du bois.

— Et aussi des milliers de sauvages, remarqua Alderete.

— D'abord, nous construirons un fort. Nous mettrons tout le monde, sauf les blessés et les sentinelles, à couper des arbres pour construire des baraques et une muraille avec un fossé, comme il se doit. Nous verrons si ces barbares osent nous affronter. »

Ils osèrent, bien sûr. Dès que les Espagnols eurent terminé de construire la muraille, Lautaro se présenta avec une armée tellement énorme que les sentinelles atterrées l'estimèrent à cent mille hommes. Valdivia harangua ses troupes : « Ils ne sont même pas la moitié et nous pouvons en venir à bout. Saint Jacques et vive l'Espagne ! » Il était impressionné devant l'audace et l'attitude de l'ennemi, plus que par le nombre. Les Mapuche avançaient avec une discipline parfaite, en quatre divisions commandées par leurs chefs de guerre. Les terribles hurlements avec lesquels ils effrayaient l'ennemi étaient maintenant renforcés par des flûtes faites avec les os des Espagnols tombés dans la précédente bataille.

« Ils ne pourront pas franchir le fossé et la muraille. Les arquebusiers vont les arrêter, suggéra Alderete.

— Si nous nous enfermons dans le fort ils peuvent nous assiéger et nous laisser mourir de faim, expliqua Valdivia.

« — Nous assiéger ? Je ne crois pas qu'ils en aient l'idée, ce n'est pas une tactique que connaissent les sauvages.

— Je crains qu'ils aient beaucoup appris de nous. Nous devons aller à leur rencontre.

— Ils sont trop nombreux, nous ne pourrons pas en venir à bout.

— Nous pourrons avec la faveur de Dieu », répliqua Valdivia.

Il ordonna à Jerónimo de Alderete de sortir avec cinquante cavaliers pour affronter le premier escadron mapuche, qui avançait vers la porte d'un pas résolu, malgré la première décharge de poudre, qui fit beaucoup de morts. Le capitaine et ses soldats se préparèrent à lui obéir sans répliquer, bien qu'ils soient convaincus d'aller à une mort certaine. Valdivia fit ses adieux à son ami dans une étreinte émue. Ils se connaissaient depuis de nombreuses années et ils avaient survécu ensemble à d'innombrables périls.

*

Les miracles existent, cela ne fait pas de doute. Ce jour-là en vit un, il n'y a pas d'autre explication, comme le répéteront pour les siècles des siècles les descendants des Espagnols qui assistèrent à l'événement, et certainement aussi les Mapuche dans les générations à venir.

Jerónimo de Alderete se mit à la tête de ses cinquante cavaliers rangés, et sur un signe de lui on ouvrit grand les portes. Le monstrueux charivari des indigènes reçut la cavalerie, qui sortit au galop. En quelques minutes une énorme masse de guerriers encercla les Espagnols et Alderete comprit sur-le-champ que continuer serait suicidaire. Il ordonna à ses hommes de se regrouper, mais les *boleadoras* imposées par Lautaro s'enroulaient autour des pattes des bêtes, leur interdisant toute manœuvre. Depuis la muraille, les arquebusiers expédièrent la deuxième salve, qui ne parvint pas à freiner l'avance des assaillants. Valdivia se prépara à sortir pour renforcer la cavalerie, bien que cela signifiât laisser le fort sans défense face aux trois autres divisions indigènes qui l'entouraient, mais il ne pouvait laisser massacrer cinquante de ses hommes sans leur prêter secours. Pour la première fois dans sa carrière militaire il craignit d'avoir commis une erreur tactique irréparable. Le héros du Pérou, qui quelques mois plus tôt avait magistralement vaincu l'armée de Gonzalo Pizarro, était perplexe devant ces sauvages. Les cris étaient terrifiants, les ordres ne s'entendaient pas et dans la confusion l'un des cavaliers espagnols tomba mort, atteint par un tir d'arquebuse qui toucha la mauvaise cible. Soudain, alors que les Mapuche du premier escadron avaient gagné du terrain, ils commencèrent à reculer à la hâte, presque aussitôt suivis par les trois autres divisions. En quelques minutes les attaquants abandonnèrent le champ de bataille pour s'enfuir comme des lièvres dans les forêts.

Surpris, les Espagnols ne comprirent pas ce que diable il se passait et ils craignirent que ce soit une nouvelle tactique de l'ennemi, car il n'y avait pas d'autre explication à une si subite retraite qui mettait fin à la bataille à peine commencée. Valdivia fit ce que lui dictait son expérience de soldat : il ordonna de les poursuivre. C'est ce qu'il écrivit au roi dans l'un de ses messages : « A peine les cavaliers étaient-ils arrivés que les Indiens nous tournèrent le dos, et les trois autres escadrons firent de même. Nous avons tué jusqu'à mille cinq cents ou deux mille Indiens, de nombreux autres ont été transpercés de lances et nous avons fait quelques prisonniers. »

Ceux qui étaient présents assurent que le miracle fut visible par tous, qu'une figure angélique aussi brillante que l'éclair descendit sur le champ de bataille, éclairant le jour d'une lumière surnaturelle. Certains crurent reconnaître l'apôtre saint Jacques en personne, chevauchant un coursier blanc, qui affronta les sauvages, leur servit un sermon éloquent et leur ordonna de se rendre aux chrétiens. D'autres aperçurent la figure de Notre-Dame du Secours, une dame merveilleusement belle vêtue d'or et d'argent, flotter dans l'espace. Les Indiens prisonniers confessèrent avoir vu une flamme qui traça un vaste arc dans le firmament et explosa dans un coup de tonnerre, laissant dans l'air une traîne d'étoiles. Au cours des années suivantes les phraseurs proposèrent d'autres versions, affirmant que ce fut un bolide céleste, quelque chose comme une énorme roche détachée du soleil, qui tomba sur la Terre. Jamais je n'ai vu l'un de ces bolides célestes, mais cela m'émerveille qu'ils aient une forme d'apôtre ou de Vierge, et que celui-ci soit tombé juste à l'heure et sur le lieu approprié pour favoriser les Espagnols. Miracle ou corps céleste, je ne sais, mais le fait est que les Indiens s'enfuirent et que les chrétiens restèrent maîtres du terrain, célébrant une victoire imméritée.

D'après les nouvelles qui arrivèrent à Santiago, Valdivia fit près de trois cents prisonniers – bien que lui-même, devant le roi, n'en ait admis que deux cents –, et il ordonna de les punir : on leur coupa la main droite d'un coup de hache et le nez avec un couteau. Pendant que des soldats forçaient les prisonniers à mettre le bras sur un tronc, afin que les bourreaux noirs assènent le fil de la hache, d'autres cautérisaient les moignons en les plongeant dans la graisse bouillante, ainsi les victimes ne perdaient pas de sang et pouvaient porter l'exemple à leur tribu. Plus loin, d'autres encore mutilaient les visages des malheureux Mapuche. On remplit des paniers de mains et de nez, et le sang trempait la terre. Dans sa lettre au roi, Valdivia dit qu'une fois justice faite, il rassembla les captifs et leur parla, parce qu'il y avait parmi eux quelques caciques et des Indiens importants. Il déclara qu'il « faisait cela parce qu'il les avait convoqués bien des fois avec des requêtes de paix et qu'ils n'avaient pas répondu ». De sorte que les suppliciés durent en plus supporter une harangue en castillan. Ceux qui étaient encore capables de tenir debout s'éloignèrent vers la forêt en titubant pour aller montrer leurs moignons à leurs compagnons. Beaucoup d'amputés tombaient évanouis, mais ils se relevaient tout de suite et partaient aussi, pleins de haine, sans donner à leurs tortionnaires le plaisir de les voir supplier ou gémir de douleur. Quand, de fatigue et de nausée, les bourreaux ne purent plus lever les haches et les couteaux, les soldats durent les remplacer. Ils jetèrent dans le fleuve les paniers de mains et de nez, qui s'en allèrent en flottant vers la mer, emportés par le courant rouge sang.

Lorsque j'appris ce qu'il s'était passé, je demandai à Rodrigo quel avait été le but de cette boucherie, qui à mes yeux apporterait d'horribles conséquences, parce que après un fait semblable nous ne pouvions nous attendre à la miséricorde des Mapuche, mais à la pire des vengeances. Rodrigo m'expliqua que ces actions sont parfois nécessaires pour effrayer l'ennemi.

« Aurais-tu, toi aussi, fait une chose semblable ? voulus-je savoir.

— Je crois que non, Inés, mais je n'étais pas là et je ne peux juger les décisions du capitaine général.

— Avec Pedro, pendant dix ans, j'ai connu le meilleur et le pire, Rodrigo, mais cela ne concorde pas avec la personne que je connais. Pedro a beaucoup changé, et laisse-moi te dire que je me réjouis qu'il ne fasse plus partie de ma vie.

— La guerre est la guerre. Je prie Dieu qu'elle se termine bientôt et que nous puissions fonder cette nation en paix.

— Si la guerre est la guerre, nous pouvons aussi justifier les massacres de Francisco de Aguirre dans le nord », lui dis-je.

Après ce châtiment sauvage, Valdivia fit rassembler la nourriture et les animaux qu'il put confisquer aux Indiens et il les emporta au fort. Il envoya des messagers dans les villes annonçant qu'en moins de quatre mois, avec l'aide de l'apôtre saint Jacques et de Notre-Dame, grâce à son habileté il avait imposé la paix sur cette terre. Il me sembla qu'il chantait victoire avec trop de hâte.

*

Pendant les trois années de vie qui lui restaient, j'ai très peu
vu Pedro de Valdivia, je n'ai eu de ses nouvelles que par des
tierces personnes. Tandis que Rodrigo et moi prospérions
presque sans nous en apercevoir – car où que nous posions les
yeux le bétail croissait, les champs ensemencés se multi-
pliaient et l'or jaillissait des pierres –, le gouverneur se consa-
crait à la construction de forts et à la fondation de villes dans
le sud. Il commençait par planter la croix et l'étendard, s'il y
avait un prêtre il faisait dire une messe, puis il dressait l'arbre
de justice, c'est-à-dire le gibet, et se mettait à couper des
arbres pour construire la muraille de défense et les maisons.
Le plus difficile était de trouver des colons, mais des soldats et
des familles arrivaient peu à peu. Ainsi surgirent, entre autres,
Concepción, La Imperial et Villarrica, cette dernière à
proximité des mines d'or qu'on avait découvertes sur un
affluent du Bío-Bío. Ces mines produisaient tellement que
dans le commerce ne circulait que l'or en poudre pour acheter
le pain, la viande, les fruits, les légumes et le reste ; il n'y avait
d'autre monnaie que l'or. Les marchands, les taverniers et les
vendeurs se déplaçaient avec leurs poids et balances pour
vendre et acheter. Ainsi se réalisa le rêve des conquérants, et
dès lors personne n'osa plus appeler le Chili « pays de gueux »
ou « sépulture d'Espagnols ». On fonda aussi la ville de Valdivia, ainsi nommée sur l'insistance des capitaines, non par
vanité du gouverneur. Son blason la décrit : « Un fleuve et
une ville d'argent. » Les soldats racontaient que dans les
détours de la cordillère existait la fameuse Cité des Césars,
toute d'or et de pierres précieuses, défendue par de belles
amazones ; en somme, le même mythe que l'El Dorado, mais
Pedro de Valdivia, homme pratique, ne perdit ni temps ni
hommes à la chercher.

Au Chili, on recevait de nombreux renforts militaires par voie terrestre ou maritime, mais ils étaient toujours insuffisants pour occuper ce vaste territoire de côte, de forêt et de montagne. Pour gagner les bonnes grâces de ses soldats, le gouverneur distribuait des terres et des Indiens avec sa générosité habituelle, mais c'étaient des cadeaux en paroles, des intentions poétiques, car les terres étaient vierges et les autochtones indomptés. On ne pouvait obliger les Mapuche à travailler que par la force brute. Sa jambe avait guéri, bien qu'elle le fît encore souffrir, et à présent il pouvait monter à cheval. Il parcourait sans répit les immensités du sud, s'enfonçant dans les forêts humides et sombres, sous la haute coupole verte tissée par les arbres les plus nobles et couronnée par le superbe araucaria, dont la dure géométrie se profilait sur le ciel. Les sabots des chevaux foulaient un matelas d'humus odorant tandis que les cavaliers s'ouvraient un chemin à l'aide de leurs épées dans l'épaisseur parfois impénétrable des fougères. Ils traversaient des ruisseaux d'eau froide, où les oiseaux restaient figés sur les rives, ces mêmes eaux où les mères mapuche plongeaient leurs nouveau-nés. Les lacs étaient les miroirs originels du bleu intense du ciel, si calmes que l'on pouvait compter les petites pierres du fond. Les araignées tissaient leurs dentelles perlées de rosée entre les branches des chênes, des myrtes et des noisetiers. Les oiseaux de la forêt chantaient en chœur, chardonneret, passereau, sizerin, ramier, grive, litorne, et même le pic-vert, marquant le rythme de son infatigable tac-tac-tac. Au passage des cavaliers, des nuées de papillons s'envolaient et les biches, curieuses, s'approchaient pour saluer. La lumière filtrait entre les feuilles, dessinant des ombres sur le paysage; la brume montait du sol tiède et enveloppait le monde d'un halo de mystère. De la pluie et encore de la pluie, des rivières, des lacs, des cascades d'eau blanche et écumeuse, un univers liquide. Et au fond, toujours, les montagnes enneigées, les volcans fumants, les nuages voyageurs. En automne, le paysage était d'or et de sang, magnifiquement paré de joyaux. L'âme de Pedro de Valdivia lui échappait et elle restait prise entre les troncs sveltes vêtus du fin velours de la mousse. Le jardin d'Eden, la terre promise, le paradis. Muet, le visage mouillé de larmes, le conquérant conquis découvrait le lieu où la terre prend fin, le Chili.

Un jour qu'il avançait avec ses soldats dans une forêt de noisetiers, des morceaux d'or tombèrent de la cime des arbres. Incrédules devant un tel prodige, les soldats mirent rapidement pied à terre et se jetèrent sur les pierres jaunes, tandis que Valdivia, aussi étonné que ses hommes, tentait d'imposer l'ordre. Ils étaient en train de se disputer l'or lorsque cent guerriers mapuche les entourèrent. Lautaro leur avait appris à viser les endroits vulnérables du corps, où les Espagnols n'étaient pas protégés par le fer. En moins de dix minutes la forêt fut jonchée de morts et de blessés. Avant que les survivants puissent réagir, les indigènes avaient disparu aussi silencieusement qu'ils étaient apparus quelques instants plus tôt. On s'aperçut ensuite que le leurre était en fait des pierres de la rivière couvertes d'une fine couche d'or.

Quelques semaines plus tard, un autre détachement d'Espagnols qui parcourait la région entendit des voix féminines. Les hommes s'avancèrent au trot, écartèrent les fougères et se trouvèrent devant une scène enchanteresse : des jeunes filles se baignaient dans la rivière, couronnées de fleurs, avec leurs longues chevelures noires pour tout vêtement. Les ondines mythiques continuèrent leur baignade sans montrer la moindre crainte lorsque les soldats éperonnèrent leurs chevaux et se lancèrent à l'eau en poussant des cris de joie. Les luxurieux barbus n'allèrent pas loin, car le lit de la rivière était un marécage, dans lequel les chevaux s'enfoncèrent jusqu'aux flancs. Les hommes descendirent de leur monture, avec l'intention de tirer les bêtes vers la terre ferme, mais ils étaient prisonniers de leur lourde armure et commencèrent aussi à s'enliser dans la fange. Sur ces entrefaites ils réapparurent les implacables archers de Lautaro, qui les criblèrent de flèches, tandis que de la rive opposée les beautés mapuche dénudées applaudissaient au massacre.

Très vite Valdivia se rendit compte qu'il avait affaire à un général aussi habile que lui, quelqu'un qui connaissait les faiblesses des Espagnols, mais il ne s'inquiéta pas outre mesure. Il était sûr de la victoire. Les Mapuche, aussi aguerris et rusés qu'ils fussent, ne pouvaient être comparés à la puissance militaire de ses capitaines et soldats expérimentés. Tout n'était qu'une question de temps, disait-il, l'Auracanie serait sienne. Il ne tarda pas à apprendre le nom qui courait de bouche en bouche, Lautaro, le chef de guerre qui osait défier les Espagnols. Lautaro. Jamais il ne lui vint à l'esprit qu'il pouvait s'agir de Felipe, son ancien valet d'écurie ; cela, il le découvrirait le jour de sa mort. Valdivia s'arrêtait dans les hameaux isolés des colons et il les haranguait avec son optimisme invincible. Juana Jiménez l'accompagnait, comme je l'avais fait autrefois, tandis que María de Encio ruminait son dépit à Santiago. Le gouverneur écrivait des lettres au roi pour lui répéter que les sauvages avaient compris la nécessité d'accepter les desseins de Sa Majesté et les bontés du christianisme, et qu'il avait dompté cette terre très belle, fertile et paisible, où ne manquaient que des Espagnols et des chevaux. Entre deux paragraphes, il sollicitait de nouvelles prébendes, que l'empereur ignorait.

Pastene, amiral d'une flotte composée de deux vieux bateaux, continuait à explorer la côte du nord au sud et du sud au nord, luttant contre des courants invisibles, des vagues noires terrifiantes, des vents orgueilleux qui déchiraient les voiles, cherchant vainement le passage entre les deux océans. Un autre capitaine découvrirait le détroit de Magellan, en 1554. Pedro de Valdivia mourut sans le savoir et sans réaliser son rêve d'étendre la conquête jusqu'à ce point de la carte. Au cours de ses pérégrinations, Pastene découvrit des endroits idylliques, qu'il décrivait avec une éloquence tout italienne, omettant les atrocités que ses hommes commettaient. Cependant, les nouvelles de ces délits finirent par se savoir, comme cela arrive toujours à la longue. Un chroniqueur qui voyageait avec Pastene raconta que dans une lointaine rade les marins furent reçus avec de la nourriture et des cadeaux par d'aimables indigènes, qu'ils récompensèrent en violant les femmes, assassinant de nombreux hommes et en capturant d'autres. Puis ils amenèrent les prisonniers enchaînés à Concepción, où ils les exhibèrent comme des animaux de foire. Valdivia considéra que cet incident, comme tant d'autres où la soldatesque se comportait particulièrement mal, ne méritait ni l'encre ni le papier. Il ne le mentionna pas au roi.

D'autres capitaines, comme Villagra et Alderete, allaient et venaient, galopaient dans les vallées, grimpaient sur la cordillère, s'enfonçaient dans les forêts, naviguaient sur les lacs, implantant ainsi leur impétueuse présence dans cette région enchanteresse. Ils avaient souvent de brèves rixes avec des bandes d'Indiens, mais Lautaro prenait soin de ne pas montrer sa véritable force, tandis qu'il se préparait avec d'infinies précautions au plus profond de l'Araucanie. Michimalonko était mort lors d'une rencontre avec Lautaro et certains de ses guerriers s'étaient alliés à leurs frères de race, les Mapuche, mais Valdivia parvint à en retenir un bon nombre. Le gouverneur insistait pour poursuivre la conquête vers le sud, mais plus il occupait de territoire, moins il pouvait le contrôler. Il devait laisser des soldats dans chaque ville pour protéger les colons, et en envoyer d'autres explorer, punir les indigènes, voler du bétail et de la nourriture. L'armée était divisée en petits groupes, qui restaient isolés des mois durant.

Pendant le rude hiver, les conquérants se réfugiaient dans les hameaux des colons, qu'ils appelaient villes, car il leur était très difficile de se déplacer avec leurs lourds approvisionnements, bravant le sol bourbeux, la pluie impitoyable, la gelée blanche du matin et en subissant le vent des neiges qui brisait les os. De mai à septembre la terre entrait en repos, tout se

344

taisait ; seuls les eaux torrentueuses des rivières, le frappement vif et répété de la pluie, les coups de tonnerre et les éclairs interrompaient le sommeil hivernal. En cette saison de repos et de nuit précoce, les démons rôdaient autour de Valdivia, les prémonitions et les remords troublaient son âme. Lorsqu'il n'était pas sur un cheval, l'épée au ceinturon, son âme s'assombrissait et il se persuadait que la malchance le poursuivait. A Santiago nous parvenaient des rumeurs disant que le gouverneur avait beaucoup changé, qu'il vieillissait rapidement, et que ses hommes ne lui accordaient plus la confiance aveugle d'autrefois. D'après Cecilia, son étoile s'était élevée lorsqu'il m'avait connue et elle avait commencé à décliner lorsqu'il m'avait quittée, théorie terrifiante, parce que je ne veux être responsable ni de ses succès ni de ses échecs. Chacun est maître de son propre destin. Valdivia passait ces mois de froidure sous son toit, enveloppé dans des ponchos de laine, se réchauffant près du brasero et écrivant ses missives au roi. Juana Jiménez lui servait du maté, une infusion d'herbe amère qui l'aidait à supporter les douleurs de ses vieilles blessures.

Pendant ce temps, les guerriers de Lautaro, invisibles, observaient les *huincas* depuis la profondeur de la forêt, comme le leur avait ordonné le *ñidoltoqui*.

*

En 1552, Pedro de Valdivia vint à Santiago. Il ne savait pas que ce serait sa dernière visite, mais il s'en doutait, car des rêves sombres revenaient le tourmenter. Comme autrefois, il rêvait de massacres et se réveillait en tremblant dans les bras de Juana. Comment je sais cela ? Parce qu'il se soignait avec de l'écorce de *latua*, qu'on utilise pour éloigner les cauchemars. Tout se sait dans ce pays. A son arrivée il trouva une ville en fête pour le recevoir, prospère et bien organisée, car Rodrigo de Quiroga l'avait remplacé avec sagesse. Nos vies

345

s'étaient améliorées au cours de ces deux années. La maison de Rodrigo, sur la place, avait été refaite sous ma direction, c'était devenu une demeure digne du lieutenant gouverneur. Dans mon élan, je fis construire une autre résidence à quelques pâtés de maisons, dans l'idée de t'en faire cadeau lorsque tu te marierais, Isabel. Nous avions en outre des maisons très confortables dans nos métairies ; je les aime vastes, avec un plafond haut, des galeries et des vergers, des plantes médicinales et des fleurs. Je mets les animaux domestiques bien à l'abri dans la troisième cour, afin qu'on ne les vole pas. Je fais en sorte que les domestiques disposent de chambres décentes ; cela m'irrite de voir les autres colons loger mieux les chevaux que les personnes. Je n'ai pas oublié que je suis d'origine humble, et n'ai aucun problème avec les gens de service, qui ont toujours fait preuve de loyauté à mon égard. Ils sont ma famille. A cette époque, Catalina, encore forte et en bonne santé, s'occupait des affaires domestiques, mais je restais très attentive à ce qu'on ne commît pas d'abus avec les serviteurs. Les heures me manquaient pour accomplir toutes mes tâches. Je me consacrais à divers commerces, à construire et aider Rodrigo dans les affaires du gouvernement, en plus de la charité, qui n'est jamais suffisante. La file d'Indiens pauvres qui mangeaient quotidiennement dans notre cuisine faisait le tour de la place d'Armes, et Catalina se plaignait tellement de la foule et de la crasse que j'avais décidé d'ouvrir une cantine dans une autre rue. Par un bateau en provenance de Panamá arriva doña Flor, une Noire sénégalaise, magnifique cuisinière, qui se chargea de ce projet. Tu sais de qui je veux parler, Isabel, tu connais cette femme. Elle a débarqué au Chili pieds nus, mais elle s'habille aujourd'hui de brocarts et vit dans une maison qu'envient les dames les plus notoires de Santiago. Sa cuisine était si bonne que les messieurs distingués commencèrent à se plaindre de ce que les indigents mangeaient mieux qu'eux ; doña Flor eut alors l'idée de financer la marmite des pauvres en vendant de la nourriture raffinée aux gens aisés, et en gagnant de l'argent au passage. Ainsi est-elle devenue riche ; je m'en réjouis pour elle, mais cela n'a pas résolu mon problème, car dès que ses poches ont été pleines, elle a oublié les mendiants, qui sont revenus faire la queue devant ma porte. Cela n'a pas changé jusqu'à aujourd'hui.

Lorsqu'on apprit que Valdivia venait à Santiago, je remarquai que Rodrigo devint préoccupé, il ne savait comment gérer la situation sans offenser personne ; il était divisé entre sa charge officielle, sa loyauté envers l'ami, et le désir de me protéger. Cela faisait plus de deux ans que nous n'avions pas vu mon ancien amant et son absence nous convenait très bien. Avec sa venue, je cessais d'être la *gobernadora* et je me demandai, amusée, si María de Encio serait à la hauteur des circonstances. J'avais du mal à l'imaginer à ma place.

« Je sais à quoi tu penses, Rodrigo. Rassure-toi, il n'y aura pas de problème avec Pedro, lui dis-je.

— Peut-être serait-il bien que tu partes à la campagne avec Isabel...

— Je n'ai pas l'intention de m'enfuir, Rodrigo. Cette ville est aussi la mienne. Je m'abstiendrai de prendre part aux affaires du gouvernement tant qu'il sera ici, mais le reste de ma vie continuera de la même façon. Je suis sûre que je pourrai voir Pedro sans que mes jambes flageolent, lui dis-je en riant.

— Tu le rencontreras souvent, c'est inévitable, Inés.

— Pas seulement cela, Rodrigo. Nous devrons lui offrir un banquet.

— Un banquet, dis-tu !

— Bien sûr, nous sommes la deuxième autorité du Chili, il nous revient de lui faire bon accueil. Nous l'inviterons avec sa María de Encio et, s'il le veut, avec l'autre aussi. Comment s'appelle-t-elle, déjà, la Galicienne ? »

Rodrigo me regarda avec cette expression de doute que lui causaient en général mes initiatives, mais je lui plantai un bref baiser sur le front et l'assurai qu'il n'y aurait aucune sorte de scandale. En réalité, j'avais déjà mis plusieurs femmes à coudre des nappes, tandis que doña Flor, requise pour l'occasion, rassemblait les ingrédients du repas, surtout pour les desserts favoris du gouverneur. Les bateaux apportaient de la mélasse et du sucre qui, s'ils coûtaient cher en Europe, au Chili étaient franchement inabordables, mais tous les desserts ne peuvent se préparer avec du miel, aussi me résignai-je à payer ce qu'on me demandait. Je voulais impressionner les invités par un déploiement de plats jamais goûtés dans notre capitale. « Tu ferais mieux de penser à ce que tu vas te mettre, *señoray* », me rappela Catalina. Je lui fis repasser une élégante robe en soie chatoyante d'un ton cuivré, récemment arrivée d'Espagne, qui accentuait la couleur de mes cheveux... Bon, Isabel, je ne crois pas avoir besoin de préciser que je les teignais au henné, comme les Maures et les gitanes, tu le sais déjà. La robe m'était un peu juste, c'est vrai, parce que la vie agréable et l'amour de Rodrigo m'avaient enorgueilli l'âme et le corps, mais de toute façon j'aurais meilleure allure que María de Encio, qui s'habillait comme une courtisane, ou que sa guillerette de servante, qui ne pouvait rivaliser avec moi. Ne ris pas, ma fille. Je sais que ce commentaire paraît être une mesquincrie de ma part, mais c'est vrai : ces femmes étaient très ordinaires.

Pedro de Valdivia fit une entrée triomphale à Santiago sous des arches de branches et de fleurs, ovationné par le conseil municipal et la population tout entière. Rodrigo de Quiroga, ses capitaines et ses soldats, en armures reluisantes et heaumes empanachés, formèrent les rangs sur la place d'Armes. María de Encio, à la porte de la maison qui autrefois était la mienne, attendait son maître en se tortillant avec de petits rires coquets et des minauderies. Quelle femme odieuse ! Je m'abstins d'apparaître, j'observai le spectacle de loin, épiant depuis une fenêtre. Il me sembla que les années étaient tombées tout d'un coup sur Pedro, il paraissait plus lourd et se déplaçait avec solennité, je ne sais si cela était le fait de l'arrogance, de l'embonpoint ou de la fatigue du voyage.

Je suppose que cette nuit-là le gouverneur se reposa dans les bras de ses deux maîtresses ; dès le lendemain il se mit à travailler avec l'ardeur qui le caractérisait. Il reçut le rapport détaillé de l'état de la colonie et de la ville que Rodrigo avait préparé pour lui, révisa les comptes du trésor, écouta les réclamations du conseil, reçut un par un les habitants qui vinrent lui présenter des requêtes ou demander justice. Il était devenu un homme pompeux, impatient, hautain et tyrannique, qui se répandait en menaces à la moindre contradiction. Il ne demandait plus conseil ni ne partageait ses décisions, agissant comme un souverain. Il y avait trop longtemps qu'il faisait la guerre, il avait pris l'habitude d'être obéi sans que la troupe renâcle. Il semble qu'il traitait également ainsi ses capitaines et ses amis, mais il fut aimable avec Rodrigo de Quiroga ; sans doute devina-t-il que celui-ci ne supporterait pas un manque de respect. D'après Cecilia, à qui rien n'échappait, ses concubines et ses domestiques en avaient une peur bleue, parce que Valdavia déchargeait sur eux ses frustrations, allant des douleurs de ses os au silence obstiné du roi, qui ne répondait pas à ses lettres.

Le banquet en l'honneur du gouverneur fut l'un des plus spectaculaires qu'il m'ait été donné d'offrir dans ma longue vie. Établir la liste des invités fut déjà une tâche ardue, car nous ne pouvions inclure les cinq cents habitants de la capitale avec leurs familles. De nombreuses personnes importantes attendirent en vain l'invitation. Santiago bouillonnait de commentaires, tout le monde voulait assister à la fête, je recevais des cadeaux inattendus et de nombreux messages d'amitié de personnes qui la veille me regardaient à peine, mais il fallut limiter la liste aux anciens capitaines arrivés avec nous au Chili en 1540, les fonctionnaires royaux et ceux du conseil. On fit venir des Indiens auxiliaires des métairies et on les habilla d'uniformes impeccables, mais on ne put leur mettre de chaussures, qu'ils ne supportaient pas. On éclaira avec des centaines de bougies, de lampes à huile et de torches de résine de pin, qui parfumaient l'atmosphère. La maison avait l'air splendide, pleine de fleurs, de grandes coupes de fruits de saison et de cages d'oiseaux. On servit du vin péruvien de bons cépages, et un vin chilien que Rodrigo et moi commencions à produire. On installa trente invités à la table principale et cent de plus dans d'autres salles ainsi que dans les cours. Je décidai que ce soir-là les femmes s'assiéraient à table avec les hommes, comme j'avais entendu que cela se faisait en France, au lieu de les installer sur des coussins par terre, comme en Espagne. On sacrifia des cochons de lait et des agneaux pour offrir une variété de plats, outre les volailles farcies et les poissons de la côte, qui furent transportés vivants dans de l'eau de mer. Il y avait une table uniquement pour les desserts : tartes, gâteaux feuilletés, meringues, crèmes brûlées, confiture de lait, fruits. La brise promenait à travers la ville les odeurs du banquet : ail, viande rôtie, caramel. Les invités vinrent dans leurs plus beaux atours, rares étaient les occasions de sortir les étoffes de luxe du fond des malles. La plus belle femme de la fête fut bien sûr Cecilia, vêtue d'une robe bleutée serrée à la taille par une ceinture d'or et parée de ses bijoux de princesse inca. Elle amena un petit nègre, qui s'installa derrière sa chaise pour l'éventer à l'aide d'un plumeau, détail du plus grand raffinement qui nous laissa tous pantois, nous autres gens frustes. Valdivia apparut avec María de Encio, qui n'était pas mal, je dois le reconnaître, mais il n'amena pas l'autre, car se présenter avec deux concubines eût été un camouflet à la face de notre petite, mais orgueilleuse société. Il me baisa la main et me complimenta par les galanteries d'usage en ces occasions. Il me sembla percevoir dans son regard un mélange de tristesse et de jalousie, mais il se peut que je me sois fait des idées. Lorsque chacun eut pris place à table, il leva sa coupe pour rendre hommage à ses amphitryons, Rodrigo et moi, et il fit un beau discours dans lequel il comparait la dure époque de la disette à Santiago, dix ans auparavant seulement, à l'abondance actuelle.

« Dans ce banquet impérial, belle doña Inés, il ne manque qu'une chose..., conclut-il, la coupe levée et les yeux humides.

— Ne m'en dites pas plus, Votre Seigneurie », répondis-je.

A ce moment tu es entrée, Isabel, vêtue d'organdi, couronnée de rubans et de fleurs, portant un plat d'argent couvert d'une serviette de lin blanc qui contenait un friand pour le gouverneur. Des applaudissements vibrants célébrèrent l'occasion, parce que tous se souvenaient des temps de vaches maigres, lorsque nous faisions des friands avec ce que nous avions sous la main, y compris des lézards.

Après le dîner, il y eut un bal, mais Valdivia, qui avait été un danseur agile, doué d'une bonne oreille et d'une grâce naturelle, n'y prit point part, prétextant une douleur dans les os. Lorsque les invités furent partis et que les domestiques eurent terminé de distribuer les reliefs du banquet aux pauvres – qui étaient venus écouter la fête depuis la place d'Armes –, fermé la maison et éteint les bougies, Rodrigo et moi tombâmes exténués sur le lit. J'appuyai ma tête sur sa poitrine, comme toujours, et je dormis d'un sommeil sans rêves jusqu'à six heures du matin, ce qui pour moi, toujours insomniaque, est une éternité.

*

Le gouverneur séjourna trois mois à Santiago. Pendant cette période, il prit une décision à laquelle il avait sans doute mûrement réfléchi : il envoya Jerónimo de Alderete en Espagne remettre soixante mille pesos d'or au roi, le cinquième correspondant à la Couronne, somme ridicule si on la compare aux galions chargés de ce métal qui partaient du Pérou. Il emportait des lettres destinées au monarque qui contenaient plusieurs pétitions, entre autres qu'on lui accordât un marquisat et l'Ordre de Saint-Jacques. Sur cela aussi Valdivia avait changé, il n'était plus l'homme qui se targuait de mépriser titres et honneurs. De plus, lui qui autrefois rejetait l'esclavage sollicitait la permission de commander deux mille esclaves noirs sans payer d'impôts. La deuxième partie de la mission de Alderete consistait à rendre visite à Marina Ortiz de Gaete, qui vivait toujours dans la modeste demeure de Castuera, à lui remettre de l'argent et à l'inviter à venir au Chili occuper le rang de *gobernadora* auprès de son mari, qu'elle n'avait pas vu depuis dix-sept ans. J'aimerais bien savoir comment María et Juana reçurent cette nouvelle. Je regrette que Jerónimo de Alderete n'ait pu apporter la réponse positive du roi. Son absence dura près de trois ans, si j'ai bonne mémoire, en raison de la durée du voyage à travers l'océan et parce que l'Empereur n'était pas un homme pressé. A son retour, alors qu'il franchissait l'isthme de Panamá, le capitaine attrapa une maladie tropicale, qui l'expédia dans une vie meilleure. Ce Jerónimo de Alderete était un grand soldat et un ami loyal, j'espère que l'Histoire lui réservera la place qu'il mérite. Toujours est-il que Pedro de Valdivia mourut sans savoir qu'il avait enfin obtenu les privilèges sollicités.

Lorsqu'elle reçut l'invitation de son mari de venir en ce royaume, qu'elle imaginait semblable à Venise, allez savoir pourquoi, ainsi que sept mille cinq cents pesos d'or pour ses dépenses, Marina Ortiz de Gaete s'acheta un trône doré, un trousseau impérial, et elle se fit accompagner par une suite impressionnante comprenant plusieurs membres de sa famille. La pauvre femme arriva au Chili devenue veuve; elle découvrit ici que Pedro l'avait laissée ruinée et, pour comble de malheur, en six mois tous ses neveux, qu'elle adorait, moururent dans la guerre contre les Indiens. Je ne peux faire autrement qu'avoir pitié d'elle.

Pendant la période que Pedro de Valdivia passa à Santiago nous nous vîmes peu et uniquement lors de réunions sociales, entourés d'autres personnes qui nous observaient avec malice, espérant nous surprendre dans un geste d'intimité ou essayant de deviner nos sentiments. Dans cette ville, on ne pouvait faire un pas sans être guetté à travers les fenêtres et critiqué. Pourquoi est-ce que je parle au passé ? Nous sommes en 1580 et les gens sont toujours aussi cancaniers. Après avoir partagé avec Pedro les années les plus intenses de ma jeunesse, je ressentais une étrange indifférence en sa présence, j'avais l'impression que l'homme que j'avais aimé d'une passion désespérée était un autre. Peu avant qu'il annonce son départ pour le sud, où il avait l'intention de visiter les nouvelles villes et de continuer à chercher l'introuvable détroit de Magellan, González de Marmolejo vint me trouver.

« Je voulais te dire, ma fille, que le gouverneur a demandé au roi de me nommer évêque du Chili, me dit-il.

— Tout Santiago sait déjà cela, mon père. Dites-moi donc pourquoi vous êtes venu en réalité.

— Que tu es insolente, Inés ! dit le prêtre en riant.

— Allons, videz votre sac, mon père.

— Le gouverneur désire te parler en privé, ma fille, et comme il faut ménager les apparences, logiquement, cela ne peut se faire ni chez toi, ni chez lui, ni dans un lieu public. Je lui ai proposé de te rencontrer dans ma résidence...

— Rodrigo est-il au courant ?

— Le gouverneur ne croit pas qu'il soit nécessaire d'ennuyer ton mari avec cette bagatelle, Inés. »

Le messager, la requête et le secret me parurent suspects, aussi, pour éviter tout problème, j'en parlai le jour même à Rodrigo ; j'appris alors que celui-ci le savait déjà, car Valdivia lui avait demandé la permission d'avoir un rendez-vous avec moi en tête à tête. Pourquoi, dans ce cas, voulait-il que je le cache à mon mari ? Et pourquoi Rodrigo ne m'en avait-il rien dit ? Je suppose que le premier avait voulu me mettre à l'épreuve, mais je ne crois pas que cela ait été l'intention du second ; Rodrigo était incapable de telles manigances.

« Sais-tu pourquoi Pedro veut me parler ? demandai-je à mon mari.

— Il souhaite t'expliquer pourquoi il a agi comme il l'a fait, Inés.

— Plus de trois ans ont passé, et il vient maintenant avec des explications? Cela me paraît bien étrange!

— Si tu ne veux pas lui parler, je le lui dirai directement.

— Cela ne te dérange pas que je me retrouve seule avec lui?

— J'ai pleinement confiance en toi, Inés. Jamais je ne t'offenserais avec ma jalousie.

— Tu n'as pas grand-chose d'un Espagnol, Rodrigo. Du sang hollandais doit couler dans tes veines. »

Le lendemain, je me rendis chez González de Marmolejo, la plus grande et la plus luxueuse maison du Chili après la mienne. La fortune du prêtre était sans doute d'origine miraculeuse. Je fus reçue par sa gouvernante quechua, une femme très sage, qui connaissait les plantes médicinales et qui était une si bonne amie qu'elle n'avait nul besoin de me cacher qu'elle vivait maritalement avec le futur évêque depuis des années. Nous traversâmes plusieurs salons, séparés par des doubles-portes sculptées par un artisan que le prêtre avait fait venir du Pérou, et nous arrivâmes dans une petite pièce où il avait son bureau et la plus grande partie de ses livres. Le gouverneur, vêtu avec un soin extrême d'un pourpoint rouge foncé avec des manches à crevés, de chausses verdâtres et coiffé d'un béret de soie noire orné d'une jolie plume, s'avança pour me saluer. La gouvernante se retira discrètement et ferma la porte. Alors, me voyant seule avec Pedro, je sentis battre mes tempes et mon cœur s'emballer, je pensai que je ne serais pas capable de soutenir le regard de ces yeux bleus, dont j'avais souvent baisé les paupières lorsqu'il dormait. Bien que Pedro ait beaucoup changé, à une époque il avait été l'amant que j'avais suivi au bout du monde. Pedro posa ses mains sur mes épaules et me tourna vers la fenêtre, pour m'observer en pleine lumière.

« Tu es si belle, Inés! Comment se fait-il que le temps ne passe pas pour toi? soupira-t-il, ému.

— Tu as besoin de lunettes, lui dis-je en faisant un pas en arrière pour me détacher de ses mains.

— Dis-moi que tu es heureuse. Il est très important pour moi que tu le sois.

— Pourquoi ? Aurais-tu mauvaise conscience ? »

Je souris, il rit également et nous respirâmes tous deux, soulagés, la glace était brisée. Il me raconta en détail le procès auquel il avait dû faire face au Pérou et la condamnation de La Gasca ; l'idée de me marier à un autre lui était venue comme unique solution pour me sauver de l'exil et de la pauvreté.

« En proposant cela à La Gasca je me suis planté une dague dans la poitrine, Inés, et je saigne encore. Je t'ai toujours aimée, tu es la seule femme de ma vie, les autres ne comptent pas. Te savoir mariée à un autre me cause une douleur atroce.

— Tu as toujours été jaloux.

— Ne te moque pas, Inés. Je souffre beaucoup de ne plus t'avoir auprès de moi, mais je suis heureux que tu sois riche et que tu aies épousé le meilleur hidalgo de ce royaume.

— Cette fois-là, lorsque tu as envoyé González de Marmolejo me donner la nouvelle, il a insinué que tu avais choisi quelqu'un pour moi. C'était Rodrigo ?

— Je te connais trop bien pour essayer de t'imposer quoi que ce soit, Inés, et encore moins un mari, me répondit-il, évasif.

— Alors, pour ta tranquillité, je te dirai que la solution que tu as imaginée fut excellente. Je suis heureuse et j'aime beaucoup Rodrigo.

— Plus que moi ?

— Toi, je ne t'aime plus de cette sorte d'amour, Pedro.

— Tu en es bien sûre, Inés de mon âme ? »

De nouveau il me prit par les épaules et m'attira contre lui, cherchant mes lèvres. Je sentis le chatouillis de sa barbe blonde et la chaleur de son haleine, je tournai la tête et le repoussai doucement.

« Ce que tu appréciais le plus chez moi, Pedro, c'était ma loyauté. Je ne l'ai pas perdue, mais à présent je la dois à Rodrigo », lui dis-je avec tristesse, parce que je pressentis à cet instant que nous nous disions adieu.

*

Pedro de Valdivia repartit poursuivre la conquête et consolider les sept villes et les forts récemment fondés. On découvrit plusieurs mines aux riches veines, qui attirèrent de nouveaux colons, y compris des habitants de Santiago qui choisirent de laisser leurs fertiles haciendas de la vallée du Mapocho pour partir avec leur famille dans les forêts mystérieuses du sud, éblouis par l'attrait de l'or et de l'argent. Vingt mille Indiens travaillaient dans les mines et la production était presque aussi importante que celle du Pérou. Parmi les colons qui s'en furent se trouvait l'alguazil Juan Gómez, mais Cecilia et ses enfants ne l'accompagnèrent pas. « Moi, je reste à Santiago. Si tu veux t'enliser dans ces bourbiers, libre à toi ! », lui dit Cecilia, sans imaginer que ses paroles seraient funestes.

Lorsqu'il prit congé de Valdivia, Rodrigo de Quiroga lui conseilla de ne pas accaparer plus que ce qu'il pouvait contrôler. Certains forts disposaient à peine d'une poignée de soldats, et plusieurs villes étaient sans protection.

« Il n'y a pas de danger, Rodrigo, les Indiens nous ont causé très peu de problèmes. Le territoire est soumis.

— Il me paraît étrange que les Mapuche, dont la réputation d'indomptables était arrivée au Pérou avant que l'on entreprenne la conquête du Chili, ne nous aient pas combattus comme nous nous y attendions.

— Ils ont compris que nous sommes un ennemi trop puissant pour eux et ils se sont dispersés, lui expliqua Valdivia.

— S'il en est ainsi, tant mieux, mais reste sur tes gardes. »

Ils s'étreignirent avec effusion et Valdivia partit sans se préoccuper des avertissements de Quiroga. Pendant plusieurs mois on n'eut pas de nouvelles de lui directement, mais des rumeurs nous arrivèrent selon lesquelles il menait une vie de Turc, couché sur des coussins et prenant du poids dans sa maison de Concepción, qu'il appelait son « palais d'hiver ». Elles disaient que Juana Jiménez cachait l'or des mines qui arrivait dans de grandes batées, pour n'avoir ni à le partager ni à le déclarer aux officiers du roi. On ajoutait avec envie que l'or accumulé et celui qui restait dans les mines de Quilacoya était tel que Valdivia se trouvait plus riche que Charles Quint. Les gens sont toujours pressés de juger leur prochain. Rappelle-toi, Isabel, qu'à sa mort Valdivia n'a pas laissé un seul maravédis. A moins que Juana Jiménez, au lieu d'être enlevée par les Indiens, comme on le croit, ait réussi à voler cette fortune et à s'enfuir quelque part, le trésor de Valdivia n'a jamais existé.

Tucapel était le nom de l'un des forts destinés à décourager les Indiens et à protéger les mines d'or et d'argent, bien qu'il n'ait compté qu'une douzaine de soldats, qui passaient leurs journées à surveiller l'épaisse forêt en s'ennuyant. Le capitaine qui avait la charge du fort soupçonnait que les Mapuche tramaient quelque chose, bien que ses relations avec eux aient été pacifiques. Une à deux fois par semaine, les Indiens apportaient des provisions au fort ; c'étaient toujours les mêmes et les soldats, qui les connaissaient, échangeaient avec eux des signes d'amitié. Malgré tout, quelque chose dans l'attitude de ces Indiens incita le capitaine à capturer plusieurs d'entre eux et, au moyen du supplice, il découvrit que se préparait un grand soulèvement des tribus. Je pourrais jurer que les Indiens n'avouèrent que ce que Lautaro voulait que les huincas sachent, car les Mapuche n'ont jamais plié sous la torture. Le capitaine envoya demander des renforts, mais Pedro de Valdivia accorda si peu d'importance à cette information que pour toute aide il dépêcha cinq soldats à cheval au fort de Tucapel.

C'était le printemps de 1553 dans les forêts parfumées de

l'Araucanie. L'air était doux et au passage des cinq soldats s'envolaient des nuées d'insectes transparents et des oiseaux bruyants. Soudain, un charivari infernal rompit la paix idyllique du paysage et aussitôt les Espagnols se virent entourés d'une foule d'assaillants. Trois d'entre eux tombèrent, transpercés de lances, mais deux parvinrent à faire demi-tour et ils galopèrent à bride abattue vers le fort le plus proche pour demander du secours.

Pendant ce temps, à Tucapel, les indigènes qui apportaient toujours les victuailles se présentèrent, saluant de l'air le plus soumis du monde, comme s'ils ignoraient les tortures qu'avaient subies leurs compagnons. Les soldats ouvrirent les portes du fort et les laissèrent entrer avec leurs paquets. Une fois dans la cour, les Mapuche ouvrirent leurs sacs, sortirent les armes qu'ils portaient cachées et se jetèrent sur les soldats. Sitôt remis de leur surprise, ceux-ci se précipitèrent à la recherche de leurs épées et de leurs cuirasses pour se défendre. Dans les minutes qui suivirent il y eut un massacre de Mapuche et beaucoup furent faits prisonniers, mais le stratagème donna des résultats, car tandis que les Espagnols étaient occupés avec ceux de l'intérieur, des milliers d'autres indigènes entourèrent le fort. Le capitaine sortit avec huit de ses hommes à cheval pour les affronter, décision très courageuse mais inutile, parce que l'ennemi était trop nombreux. Au terme d'une lutte héroïque, les soldats encore en vie reculèrent vers le fort, où la bataille inégale continua toute la journée, jusqu'à ce qu'enfin, à la tombée de la nuit, les attaquants se replient. Dans le fort de Tucapel restèrent six soldats, les seuls Espagnols survivants, de nombreux *yanaconas* et les Indiens prisonniers. Le capitaine prit une décision désespérée visant à épouvanter les Mapuche qui attendaient l'aube pour lancer une nouvelle attaque. Il avait entendu la légende racontant que j'avais sauvé la ville de Santiago en lançant les têtes des caciques aux troupes indigènes, et il décida de faire pareil. Il fit décapiter les captifs, puis jeta leurs têtes par-dessus la muraille. Un long rugissement, telle la terrible vague d'une mer en furie, accueillit ce geste.

Au cours des heures qui suivirent, le cercle mapuche qui entourait le fort grossit de façon alarmante ; les six Espagnols comprirent que leur seule possibilité de salut était d'essayer de traverser à cheval les rangs ennemis en profitant de la nuit, et d'atteindre Purén, le fort le plus proche. Cela signifiait abandonner à leur sort les *yanaconas*, qui n'avaient pas de chevaux. Je ne sais pas comment les Espagnols réussirent leur coup audacieux, car la forêt était infestée d'indigènes qui étaient venus de loin, appelés par Lautaro, pour la grande insurrection. Peut-être les laissèrent-ils passer dans quelque but retors. Quoi qu'il en soit, à la première lueur de l'aube les Indiens, qui avaient attendu toute la nuit dans les environs, firent irruption dans le fort de Tucapel abandonné et découvrirent les restes de leurs compagnons dans la cour inondée de sang. Les malheureux *yanaconas* qui se trouvaient encore dans le fort furent massacrés.

La nouvelle de la première attaque victorieuse parvint très rapidement à Lautaro grâce au système de communications qu'il avait lui-même imaginé. Le jeune *ñidoltoqui* venait de formaliser son union avec Guacolda, après avoir payé la dot correspondante. Il ne participa pas à la beuverie qui célébrait cette victoire, parce qu'il n'aimait pas l'alcool et était très occupé à planifier la deuxième étape de la campagne. Son objectif était Pedro de Valdivia.

*

Juan Gómez, qui était arrivé dans le sud une semaine plus tôt, n'eut pas le temps de penser aux mines d'or qui l'avaient incité à se séparer de sa famille, car il reçut l'appel au secours du fort de Purén, où les six soldats survivants de Tucapel avaient rejoint les onze qu'il y avait là. Comme tout conquérant possédant des terres et des Indiens, il avait l'obligation d'aller à la guerre lorsqu'il était appelé, et n'avait d'ailleurs pas hésité à le faire. Gómez galopa jusqu'à Purén et prit la tête du petit détachement. Après avoir écouté les détails de ce qu'il s'était passé à Tucapel, il eut la certitude qu'il ne s'agissait pas d'une escarmouche, comme tant de celles qu'il y avait eu dans le passé, mais d'un soulèvement massif des tribus du sud. Il se prépara à résister le mieux possible, mais, étant donné les faibles moyens dont il disposait à Purén, il ne pouvait pas faire grand-chose.

Quelques jours plus tard, à l'aube, ils entendirent le charivari habituel et les sentinelles virent au pied de la colline un escadron mapuche qui criait des menaces, mais attendait, immobile. Juan Gómez calcula qu'il devait y avoir quelque cinq cents ennemis pour chacun de ses hommes, mais il avait l'avantage des armes, des chevaux et de la discipline, qui avait rendu les soldats espagnols si célèbres. Ayant une grande expérience de la lutte contre les Indiens, il savait qu'il valait mieux les combattre à ciel ouvert, où la cavalerie pouvait manœuvrer plus facilement et où les arquebusiers montraient leur efficacité. Il décida de sortir affronter l'ennemi avec ce dont il disposait : dix-sept soldats à cheval, quatre arquebusiers et quelque deux cents *yanaconas*.

On ouvrit les portes du fort et le détachement sortit avec Juan Gómez à sa tête. A son signal, tous se lancèrent au bas de la colline dans un galop effréné, brandissant leurs terribles épées, mais cette fois, à leur grande surprise, il ne se produisit aucune débandade : les indigènes attendaient en rangs serrés. Ils n'étaient plus nus, ils avaient le torse protégé par un plastron et la tête par une capuche en cuir de phoque, aussi dur que les armures espagnoles. Ils empoignaient des lances de trois aunes de long, qui visaient le poitrail des chevaux, et de lourdes massues au manche court, plus maniables que les gourdins d'autrefois. Ils ne bougèrent pas de leur place et reçurent de front l'impact de la cavalerie, qui vint s'embrocher sur les lances. Plusieurs chevaux tombèrent, agonisants, mais très vite les soldats se reprirent. Malgré les terribles pertes causées par les fers espagnols, les Mapuche ne se laissèrent pas décimer.

Une heure plus tard, on entendit le tam-tam caractéristique des *cultrunes* et la masse indigène s'arrêta, puis recula, se perdant dans la forêt et laissant le champ semé de morts et de blessés. Le soulagement des Espagnols fut de courte durée : un autre millier de guerriers vint remplacer ceux qui s'étaient retirés. Les soldats n'eurent d'autre alternative que de continuer à se battre. Les Mapuche répétèrent la même stratégie toutes les heures : les tambours résonnaient, les troupes fatiguées disparaissaient et d'autres, fraîches, entraient dans la bataille, tandis que les Espagnols s'épuisaient. Juan Gómez comprit qu'il était impossible de s'opposer à cette habile manœuvre avec son petit nombre de soldats. Les Mapuche, divisés en quatre escadrons, se relayaient, de sorte que pendant qu'un groupe combattait, les trois autres attendaient leur tour en se reposant. Il dut donner l'ordre de se replier dans le fort, car ses hommes, presque tous blessés, avaient besoin de reprendre souffle et de se désaltérer.

Au cours des heures qui suivirent ils soignèrent le mieux possible les blessés et se restaurèrent. A la nuit tombante, Juan Gómez considéra qu'ils devaient tenter une nouvelle attaque, pour ne pas donner à l'ennemi l'occasion de se ressaisir pendant la nuit. Plusieurs des hommes blessés déclarèrent qu'ils préféraient mourir dans la bataille ; ils savaient que si les Indiens entraient dans le fort la mort serait inévitable et sans gloire. Cette fois, Gómez ne comptait que sur une douzaine de cavaliers et une demi-douzaine de fantassins, mais cela ne lui fit pas peur. Il mit ses hommes en place et les harangua par des paroles enflammées, se recommanda à Dieu et à l'apôtre de l'Espagne, puis lança aussitôt l'ordre de l'attaque.

Le choc des fers et des massues dura moins d'une demi-heure, les Mapuche paraissaient découragés, ils se battaient sans la férocité du matin et se retirèrent à l'appel des *cultrunes* avant qu'on ne l'escompte. Gómez attendit la deuxième vague de relève, comme le matin, mais elle ne vint pas et, confus, il ordonna le retour dans le fort. Il n'avait perdu aucun de ses hommes. Cette nuit-là et le jour suivant, les Espagnols guettèrent l'attaque de l'ennemi sans dormir, gardant leurs armures, les armes à la main, sans que celui-ci donnât signe de vie, jusqu'à ce qu'ils finissent par se convaincre qu'il ne reviendrait pas et, à genoux dans la cour, rendent grâces à l'apôtre pour une si étrange victoire. Ils les avaient vaincus sans savoir comment. Juan Gómez estima qu'ils ne pouvaient rester isolés dans le fort à attendre sur des charbons ardents l'horrible charivari annonçant le retour des Mapuche. La meilleure solution était de profiter de la nuit, pendant laquelle les indigènes agissaient rarement – par crainte des esprits malins –, pour envoyer à Pedro de Valdivia deux émissaires rapides annonçant l'inexplicable victoire, mais l'avertissant qu'ils se trouvaient devant une rébellion de toutes les tribus et que, s'ils ne l'écrasaient pas immédiatement, ils pourraient perdre tout le territoire situé au sud du Bío-Bío. Les émissaires galopèrent aussi rapidement que le permettaient l'épaisse végétation et l'obscurité, craignant que les Indiens leur tombent dessus à n'importe quel détour du chemin, mais cela n'arriva pas ; ils purent voyager sans inconvénients et parvenir à destination au petit matin. Il leur sembla que pendant le trajet les Mapuche les surveillaient, cachés dans les fougères, mais comme ils ne les avaient pas attaqués, ils attribuèrent cette impression à leurs nerfs exacerbés. Ils ne pouvaient imaginer que Lautaro voulait que Valdivia reçoive le message, et que c'était la raison pour laquelle il les avait laissés passer, comme il le fit avec les messagers qui apportaient la lettre de réponse du gouverneur, dans laquelle il demandait à Gómez de venir le rejoindre dans les ruines du fort Tucapel le jour de Noël. C'est ce qu'avait soigneusement planifié le *ñidoltoqui*. Il apprit, par les espions qu'il avait partout, le contenu de la lettre et sourit, satisfait ; il tenait désormais Valdivia à sa merci. Il envoya un escadron assiéger le fort de Purén, pour enfermer Juan Gómez et l'empêcher d'obéir aux instructions reçues, tandis qu'il terminait de refermer le piège tendu au Taita à Tucapel.

*

Valdivia avait passé les mois d'oisiveté de l'hiver à Concepción, à regarder la pluie et se distraire en jouant aux cartes, bien soigné par Juana Jiménez. Il avait cinquante-trois ans, mais la claudication et l'excès de poids l'avaient prématurément vieilli. Il était habile aux cartes et la chance l'accompagnait au jeu, il gagnait presque toujours. Les envieux affirmaient qu'à l'or des mines s'ajoutait celui qu'il prenait aux autres joueurs, et que tout cela allait remplir les mystérieux coffres de Juana, que l'on n'a jamais trouvés à ce jour. Le printemps avait déjà explosé en jeunes pousses et oiseaux, lorsque arriva la nouvelle confuse d'un soulèvement indigène, qui lui parut une exagération. Plus pour accomplir son devoir que par conviction, il partit de mauvaise grâce avec cinquante soldats rejoindre Juan Gómez à Tucapel, prêt à écraser les audacieux Mapuche, comme il l'avait fait autrefois.

Il fit le voyage de quinze lieues avec sa cinquantaine de cavaliers et mille cinq cents *yanaconas*, à pas lent car il devait s'adapter à celui des porteurs. Peu après le départ, la paresse avec laquelle il avait commencé la marche l'effraya, car son instinct de soldat l'avertit du danger. Il se sentait observé par des yeux cachés dans les fourrés. Cela faisait plus d'un an qu'il pensait à sa propre mort et il eut le pressentiment qu'elle pourrait venir bientôt, mais il ne voulut pas inquiéter ses hommes avec le soupçon qu'ils étaient épiés. Par précaution, il envoya en éclaireur un groupe de cinq soldats explorer le chemin et continua à chevaucher au pas, tandis qu'il tentait d'apaiser sa nervosité avec la brise tiède et l'intense parfum des pins. Comme au bout de deux heures les cinq envoyés n'étaient pas revenus, sa prémonition s'accentua. Une lieue plus loin, un cavalier signala par une exclamation d'horreur quelque chose qui pendait à une branche. C'était un bras, encore dans la manche du pourpoint. Valdivia ordonna de continuer en gardant les armes prêtes. Quelques pas plus loin, ils virent une jambe dans sa botte, également suspendue à un arbre, et plus loin d'autres trophées, des jambes, des bras et des têtes, fruits sanglants de la forêt. « Vengeons-les! », criaient les soldats furieux, prêts à se lancer au galop à la recherche des assassins, mais Valdivia les obligea à ronger leur frein. Le pire qu'ils pouvaient faire, c'était de se séparer, ils devaient rester groupés jusqu'à Tucapel, décida-t-il.

Le fort était situé au sommet d'une colline dégagée, parce que les Espagnols avaient coupé les arbres pour le construire, mais la base de la montagne était entourée de végétation. D'en haut, on pouvait voir un fleuve important. La cavalerie grimpa sur la colline et arriva la première dans les ruines enveloppées de fumée, suivie par les lentes files de *yanaconas* chargés des équipements. Selon les instructions reçues de Lautaro, les Mapuche attendirent que le dernier homme arrive en haut pour s'annoncer avec le son terrifiant des flûtes d'os humains.

Le gouverneur, qui avait tout juste eu le temps de descendre de cheval, regarda entre les troncs brûlés de la muraille et vit les guerriers protégés par des boucliers formés en escadrons compacts, les lances à terre. Les chefs de guerre se trouvaient devant, protégés par une garde constituée des meilleurs hommes. Etonné, il pensa que les barbares avaient par instinct découvert la façon de lutter des anciennes armées romaines, celle-là même qu'employaient les régiments d'infanterie espagnols. Le chef de file ne pouvait être que ce *toqui* dont il avait tant entendu parler pendant l'hiver : Lautaro. Il se sentit secoué par une vague de colère et constata qu'il avait le corps trempé de sueur. « Je lui donnerai la mort la plus atroce à ce maudit! », s'exclama-t-il.

Une mort atroce. Il y a tant de morts atroces dans notre royaume qu'elles nous pèseront pour toujours sur la conscience. Je dois faire une pause pour expliquer que Valdivia ne put réaliser sa menace contre Lautaro, qui mourut en combattant auprès de Guacolda quelques années plus tard. En peu de temps ce génie militaire avait semé la panique dans les villes espagnoles du sud, qui durent être évacuées, et il réussit avec ses troupes à atteindre les environs de Santiago. A cette époque, la population mapuche était décimée par la faim et la peste, mais Lautaro continuait à lutter avec une petite armée, très disciplinée, qui comptait des femmes et des enfants. Il dirigea la guerre avec une astuce magistrale et un courage magnifique pendant très peu d'années, mais suffisantes pour enflammer l'insurrection mapuche qui dure jusqu'à aujourd'hui. D'après ce que me disait Rodrigo de Quiroga, très peu de généraux de l'histoire universelle peuvent être comparés à ce jeune homme, qui transforma des tribus d'hommes nus en l'armée la plus redoutable d'Amérique. Après sa mort, il fut remplacé par le *toqui* Caupolicán, aussi courageux que lui mais moins sagace, qui fut fait prisonnier et condamné à mourir empalé. On affirme que lorsque sa femme, Fresia, le vit traîné dans les chaînes, elle jeta leur fils de quelques mois à ses pieds en s'exclamant qu'elle refusait d'allaiter le rejeton d'un vaincu. Mais cette histoire semble être une autre légende de la guerre, comme celle de la Vierge apparue dans le ciel au cours d'une bataille. Caupolicán supporta sans une plainte le terrible supplice du pic affilé qui lui traversait lentement les entrailles, comme le relate dans ses vers le jeune Zurita, ou était-ce Zúñiga? Mon Dieu, j'oublie les noms, qui sait combien d'erreurs contient ce récit. Heureusement que je n'étais pas présente lorsqu'ils torturèrent Caupolicán, de même qu'il ne m'a pas été donné d'assister au châtiment fréquent de « déboîtement », au cours duquel on tranche d'un coup de machette la moitié du pied droit des indigènes rebelles. Cela ne parvient pas à les décourager ; boiteux, ils continuent à lutter. Et lorsqu'on coupa les deux mains d'un autre cacique, Galvarino, celui-ci fit attacher ses armes à ses bras pour retourner se battre. Après de telles horreurs, nous ne pouvons nous attendre à la clémence des indigènes. La cruauté engendre plus de cruauté, en un cycle sans fin.

Valdivia divisa ses hommes en groupes dirigés par les soldats à cheval suivis des *yanaconas*, et il leur ordonna de descendre la colline. Il ne put lancer la cavalerie au galop, comme c'était l'usage, car il comprit que celle-ci irait s'empaler sur les lances des Mapuche, qui apparemment avaient appris les tactiques européennes. Il lui fallait auparavant désarmer les lanciers. Lors du premier choc, les Espagnols et les *yanaconas* eurent l'avantage, et au bout d'un moment de lutte intense et impitoyable, mais brève, les Mapuche se replièrent en direction de la rivière. Un cri de victoire célébra leur retraite et Valdivia ordonna de rentrer au fort. Ses soldats se croyaient sûrs de la victoire, mais lui demeura très inquiet, parce que les Mapuche avaient agi dans un ordre parfait. Depuis le sommet de la colline il les vit boire et laver leurs blessures dans la rivière, soulagement dont ses hommes ne pouvaient profiter. A ce moment on entendit le charivari, et de la forêt émergèrent de nouvelles troupes indigènes, fraîches et disciplinées, comme cela s'était passé à Purén avec les hommes de Juan Gómez, mais que Valdivia ignorait. Pour la première fois le capitaine général prit la mesure de la situation ; jusqu'à ce moment, il s'était cru le maître de l'Araucanie.

La bataille continua de la même manière le reste de la journée. Les Espagnols, blessés, assoiffés et épuisés, affrontaient à chaque ronde une troupe de Mapuche reposée et bien nourrie, tandis que ceux qui s'étaient repliés se rafraîchissaient à la rivière. Les heures passaient, les Espagnols et les *yanaconas* tombaient, les renforts attendus de Juan Gómez n'arrivaient pas.

*

Personne au Chili n'ignore les faits de ce tragique Noël de 1553, il en existe plusieurs versions mais je vais les raconter tels que je les ai entendus des lèvres de Cecilia. Tandis que Valdivia et sa petite troupe se défendaient péniblement à Tucapel, Juan Gómez était immobilisé à Purén, où les Mapuche l'assiégèrent jusqu'au troisième jour, pendant lequel ils ne donnèrent pas signe de vie. Toute la matinée et une partie de l'après-midi s'écoulèrent dans une attente anxieuse, jusqu'à ce qu'enfin, n'en pouvant plus, Gómez sorte avec un groupe pour explorer la forêt. Rien. Pas un seul Indien en vue. Alors il suspecta que le siège du fort avait été un stratagème pour les distraire et leur interdire d'aller retrouver Pedro de Valdivia, comme celui-ci l'avait ordonné. Ainsi, tandis qu'ils étaient oisifs à Purén, le gouverneur les attendait à Tucapel, et s'il avait été attaqué, comme c'était à craindre, sa situation devait être désespérée. Sans hésiter, Juan Gómez ordonna aux quatorze hommes encore vaillants qui lui restaient de monter sur les meilleurs chevaux et de le suivre immédiatement vers Tucapel.

Ils chevauchèrent toute la nuit, et le lendemain matin atteignirent les abords du fort. Ils purent voir la colline, la fumée de l'incendie ainsi que des groupes dispersés de Mapuche, ivres de guerre et de *muday*, brandissant des têtes et des membres humains : les restes des Espagnols et des *yanaconas* vaincus la veille. Horrifiés, les quatorze hommes comprirent qu'ils étaient encerclés et qu'ils risquaient de connaître le même sort que ceux de Valdivia, mais les indigènes fêtaient la victoire et ils ne les affrontèrent pas. Les Espagnols éperonnèrent leurs montures épuisées et grimpèrent sur la colline, s'ouvrant un passage à coups d'épée entre les quelques hommes ivres qui se mirent en travers de leur chemin. Le fort n'était plus qu'un tas de bois fumant. Ils cherchèrent Pedro de Valdivia parmi les cadavres et les morceaux de corps humains écartelés, mais ne le trouvèrent pas. Une jarre contenant de l'eau sale leur permit d'apaiser leur soif et celle des chevaux, mais ils ne purent faire plus, car à cet instant des milliers d'indigènes commencèrent à gravir le flanc de la colline. Ce n'étaient pas les hommes ivres qu'ils avaient vus en arrivant, mais des guerriers sobres et en bon ordre, qui émergeaient du couvert de la végétation.

Les Espagnols, qui ne pouvaient se défendre dans le fort en ruine, où ils seraient restés prisonniers, remontèrent sur leurs bêtes endurantes et se lancèrent au bas de la colline, prêts à s'ouvrir un passage dans les rangs ennemis. En un instant ils se virent entourés de Mapuche et un combat sans quartier commença, qui allait durer le reste de la journée. Il est impossible de croire que les hommes et les chevaux, qui avaient galopé toute la nuit depuis Purén, puissent résister encore pendant des heures et des heures de lutte au cours de cette journée fatidique, mais j'ai vu les Espagnols se battre et j'ai lutté avec eux, je sais de quoi nous sommes capables. Finalement, les soldats de Gómez parvinrent à se regrouper et à s'enfuir, suivis de près par les troupes de Lautaro. Les chevaux n'en pouvaient plus et la forêt était jonchée de troncs abattus et d'autres obstacles qui empêchaient les bêtes de courir ; mais ce n'était pas le cas pour les Indiens, qui surgissaient entre les arbres et interceptaient les cavaliers.

Ces quatorze hommes, les plus braves parmi les braves, décidèrent alors de se sacrifier l'un après l'autre pour arrêter l'ennemi, pendant que leurs compagnons essayaient d'avancer. Ils n'en discutèrent pas, ils ne tirèrent pas au sort, personne ne leur en donna l'ordre. Adieu ! cria aux autres le premier, il retint sa monture et se retourna pour affronter les poursuivants. Il fonça, faisant des étincelles avec son épée, décidé à lutter jusqu'au dernier soupir, car être pris vivant était un sort mille fois pire. En quelques instants cent mains le firent tomber de cheval et l'attaquèrent avec les épées et les couteaux qu'ils avaient pris aux Espagnols vaincus de Valdivia.

Les quelques minutes que ce héros offrit à ses amis permirent à ces derniers d'avancer un peu, mais bientôt les Mapuche les rattrapèrent. Un deuxième soldat décida de s'immoler, lui aussi cria un dernier adieu et fit face à la masse d'Indiens avides de sang. Puis un troisième fit de même. Et ainsi, un à un tombèrent six soldats. Les huit autres, dont plusieurs étaient grièvement blessés, continuèrent leur course désespérée jusqu'à un passage étroit, où un septième dut se sacrifier pour que les autres passent. Lui aussi fut tué en quelques minutes. A ce moment le cheval de Juan Gómez, épuisé, les flancs percés de flèches, s'écroula à terre. Il faisait alors nuit noire dans la forêt et la progression devenait quasi impossible.

« Montez en croupe, capitaine ! lui cria l'un des soldats.

— Non ! Continuez, ne vous retardez pas pour moi ! », leur ordonna Gómez, se sachant grièvement blessé et estimant que le cheval ne résisterait pas au poids de deux hommes.

Les soldats durent obéir et poursuivre leur chemin, explorant le terrain à tâtons dans l'obscurité, perdus, tandis que lui-même s'enfonçait dans les fourrés. Au bout de nombreuses et terribles heures, les six survivants parvinrent à atteindre le fort de Purén et à avertir leurs camarades avant de s'écrouler de fatigue. Là ils attendirent juste le temps nécessaire pour étancher le sang de leurs blessures et soulager leurs montures, avant d'entreprendre une marche forcée vers La Imperial, qui n'était alors qu'un village. Les *yanaconas* portaient dans des hamacs les blessés qui avaient encore une espérance de vie, mais ils donnèrent une fin rapide et honorable aux moribonds, afin que les Mapuche ne les trouvent pas vivants.

Pendant ce temps, Juan Gómez voyait ses pieds s'enfoncer, parce que les pluies du dernier hiver avaient transformé la région en un épais marécage. Bien qu'il saignât de plusieurs blessures par flèches, exténué, assoiffé, n'ayant rien mangé depuis deux jours, il refusa de se soumettre à la mort. La visibilité était presque nulle, il devait avancer péniblement, à l'aveuglette, entre les arbres et les broussailles. Il ne pouvait attendre l'aube, la nuit était sa seule alliée. Il entendit clairement les hurlements de victoire des Mapuche lorsqu'ils découvrirent son cheval tombé et pria pour que la noble bête, qui l'avait accompagné dans tant de batailles, fût morte. Les Indiens torturaient les bêtes blessées pour se venger de leurs maîtres. L'odeur de fumée lui indiqua que ses poursuivants avaient allumé des torches et qu'ils le cherchaient dans la végétation, certains que le cavalier ne pouvait être loin. Il enleva son armure et ses vêtements et les fit disparaître dans la boue, puis nu il pénétra dans le marécage. Les Mapuche étaient tout près, il entendait leurs voix et apercevait la lueur des torches.

A ce point du récit, Cecilia, dont le macabre sens de l'humour paraît espagnol, se tordait de rire en me racontant cette nuit épouvantable. « Mon mari s'est retrouvé enlisé dans un marécage, comme je l'en avais averti », disait la princesse. Avec son épée, Juan Gómez avait coupé un roseau puis s'était complètement immergé dans la boue en putréfaction. Il ne savait pas combien d'heures il était resté dans la boue, nu, ses blessures ouvertes, recommandant son âme à Dieu, pensant à ses enfants et à Cecilia, cette femme merveilleuse qui avait quitté un palais pour le suivre au bout du monde. Les Mapuche étaient passés plusieurs fois à côté de lui en le frôlant, sans imaginer que l'homme qu'ils cherchaient gisait enseveli dans le marécage, étreignant son épée, respirant à peine par le tube de roseau.

Le lendemain, en milieu de matinée, les hommes qui marchaient vers La Imperial virent une créature de cauchemar, couverte de sang et de boue, qui se traînait dans l'épaisse végétation. Grâce à l'épée qu'il n'avait pas lâchée, ils reconnurent Juan Gómez, le capitaine des quatorze célèbres cavaliers.

*

Cette nuit, pour la première fois depuis la mort de Rodrigo, j'ai pu me reposer pendant plusieurs heures. Dans le demi-sommeil du petit matin, j'ai senti sur la poitrine un poids qui m'oppressait le cœur et rendait ma respiration difficile ; je n'ai pas éprouvé d'angoisse, mais un grand calme et un grand bonheur, car j'ai compris que c'était le bras de Rodrigo, qui dormait à côté de moi, comme au bon vieux temps. Je suis restée immobile, les yeux clos, reconnaissante de cette douce pression. Je voulais demander à mon mari s'il était enfin venu me chercher, lui dire qu'il m'avait rendue très heureuse pendant les trente années que nous avions partagées, et que mon seul regret avait été ses longues absences de guerrier. Mais j'ai craint qu'il disparaisse si je lui adressais la parole ; en ces mois de solitude, j'ai constaté combien les esprits sont timides. A la première lueur du matin, qui a filtré par les fentes des volets, Rodrigo s'est retiré, laissant la marque de son bras sur moi et son odeur sur l'oreiller. Lorsque les servantes sont arrivées, il n'y avait plus trace de lui dans la chambre. Malgré le bonheur que cette nuit d'amour inespérée m'a procuré, il semble que j'avais mauvaise mine en me réveillant, car les femmes sont allées t'appeler, Isabel. Je ne suis pas malade, ma fille, je n'ai mal nulle part, je me sens mieux que jamais, ne me regarde donc pas avec cette tête d'enterrement ; mais je vais rester couchée encore un moment, parce que j'ai froid. Si cela ne te fait rien, j'aimerais en profiter pour te dicter.

Comme tu le sais, Juan Gómez sortit vivant de cette épreuve, bien qu'il ait mis des mois à se remettre de ses blessures infectées. Il abandonna l'idée de l'or, revint à Santiago où il vit toujours avec sa splendide femme, qui doit bien avoir une soixantaine d'années, mais qui est la même qu'à trente ans, sans rides ni cheveux blancs, j'ignore si c'est grâce à un miracle ou à la sorcellerie. Ce mois de décembre fatidique fut le début de l'insurrection des Mapuche, une guerre sans quartier qui n'a pas cessé depuis quarante ans et n'a pas l'air de devoir s'arrêter ; le sang coulera tant qu'il restera un seul Indien et un seul Espagnol vivants. Je devrais les haïr, Isabel, mais je ne peux pas. Ce sont mes ennemis, mais je les admire, car si j'étais à leur place, je mourrais en me battant pour ma terre, comme ils meurent eux-mêmes.

Voilà plusieurs jours que je retarde le moment de relater la fin de Pedro de Valdivia. Pendant vingt-sept ans j'ai essayé de ne pas y penser, mais je suppose que le moment est venu de le faire. Je voudrais croire la version la moins cruelle, selon laquelle Pedro s'est battu jusqu'à ce qu'il soit tué d'un coup de massue sur la tête, mais Cecilia m'a aidée à découvrir la vérité. Un seul *yanacona* parvint à échapper au désastre de Tucapel pour raconter ce qu'il s'était passé en ce jour de Noël, mais il ne savait rien de ce qu'il était advenu du gouverneur. Deux mois plus tard, Cecilia vint me trouver pour me dire qu'une jeune fille mapuche, récemment arrivée de l'Araucanie, servait dans sa maison. Cecilia savait que l'Indienne, qui ne parlait pas un mot d'espagnol, avait été trouvée près de Tucapel. Une fois de plus, le mapudungu que m'avait appris Felipe – devenu Lautaro – me fut utile. Cecilia me l'amena et je pus parler avec elle. C'était une jeune fille d'environ dix-huit ans, petite, aux traits délicats, forte d'épaules. Comme elle ne comprenait pas notre langue, elle paraissait gauche, mais lorsque je lui parlai en mapudungu, je compris qu'elle avait été très habile. Voici ce que je pus apprendre par le *yanacona* qui survécut à Tucapel et ce que cette Mapuche, qui était présente lors de l'exécution de Pedro de Valdivia, me raconta.

Le gouverneur se trouvait dans les ruines du fort, luttant désespérément avec une poignée de courageux contre des milliers de Mapuche, qui se renouvelaient par escadrons frais, alors qu'eux-mêmes ne pouvaient donner de répit à leurs épées. Toute la journée se passa à combattre. A la tombée de la nuit, Valdivia perdit l'espoir de voir arriver Juan Gómez avec des renforts. Ses hommes étaient exténués, les chevaux perdaient autant de sang que les hommes et sur les collines montaient obstinément de nouveaux détachements ennemis.

372

« Messieurs, que faisons-nous ? demanda Valdivia aux neuf hommes qui étaient sur pied.

— Que voulez-vous que nous fassions, Votre Seigneurie, sinon lutter et mourir ? répliqua l'un des soldats.

— Alors, faisons-le avec honneur, messieurs ! »

Et les dix Espagnols tenaces, suivis des *yanaconas* qui restaient debout, s'élancèrent pour lutter et mourir de face, les épées levées et l'apôtre saint Jacques sur les lèvres. En quelques minutes, huit soldats furent arrachés de leurs montures avec les *boleadoras* et les lassos, traînés à terre et massacrés par des centaines de Mapuche. Seul Pedro de Valdivia, un moine et un fidèle *yanacona* parvinrent à rompre le cercle et à s'enfuir par la seule voie ouverte devant eux, les autres étant bloquées par l'ennemi. Caché dans le fort, il y avait un autre *yanacona* qui supporta le nuage de fumée de l'incendie sous un tas de décombres et parvint à s'échapper vivant deux jours plus tard, lorsque les Mapuche se furent retirés. Le chemin ouvert devant Valdivia avait été habilement préparé par Lautaro. C'était une voie sans issue, qui conduisait à travers la forêt obscure à un marécage, où les pattes des chevaux s'embourbèrent, comme l'avait prévu Lautaro. Les fugitifs ne pouvaient reculer, car l'ennemi était derrière eux. Dans la lumière du crépuscule ils virent des centaines d'indigènes sortir des buissons, tandis qu'ils s'enfonçaient irrémédiablement dans cette boue pourrie, qui exhalait le souffle sulfureux de l'enfer. Avant que le marais les avale, les Mapuche les repêchèrent, parce que ce n'était pas ainsi qu'ils avaient l'intention de les faire mourir.

Se voyant perdu, Valdivia voulut négocier sa liberté avec l'ennemi, lui promettant qu'il abandonnerait les villes fondées au sud, que les Espagnols quitteraient l'Araucanie pour toujours et qu'en plus il leur donnerait des brebis et d'autres biens. Le *yanacona* dut traduire, mais, avant qu'il puisse terminer, les Indiens lui tombèrent dessus et le tuèrent. Ils avaient appris à mépriser les promesses des *huincas*. Le moine, qui avait fabriqué une croix avec deux morceaux de bois et voulait donner l'extrême onction au *yanacona*, comme auparavant il l'avait donnée au gouverneur, eut le crâne brisé d'un coup de massue. Alors commença le martyre de Pedro de Valdivia, l'ennemi le plus haï, l'incarnation de tous les abus et de toutes les cruautés infligés au peuple mapuche. Ils n'avaient pas oublié les milliers de morts, les hommes brûlés, les femmes violées, les enfants éventrés, les centaines de mains que le fleuve avait emportées, les pieds et les nez tranchés, les coups de fouet, les chaînes et les chiens.

Ils obligèrent le captif à assister au supplice des *yanaconas* survivants de Tucapel et à la profanation des cadavres des Espagnols. Ils le traînèrent par les cheveux, nu, jusqu'au campement où attendait Lautaro. Sur le trajet, les pierres et les branches effilées de la forêt lui arrachèrent la peau, si bien que lorsqu'ils le déposèrent aux pieds du *ñidoltoqui* il n'était plus qu'une loque couverte de boue et de sang. Lautaro ordonna qu'on lui donne à boire, pour le tirer de son évanouissement, et qu'on l'attache à un poteau. Pour se moquer de lui, symboliquement, il brisa en deux l'épée tolédane, compagne inséparable de Pedro de Valdivia, et il la planta en terre aux pieds du prisonnier. Lorsque celui-ci eut suffisamment recouvré ses esprits pour ouvrir les yeux et se rendre compte de l'endroit où il était, il se trouva face à son ancien domestique.

« Felipe ! », s'exclama-t-il plein d'espoir, parce que c'était au moins un visage connu et qu'il pouvait lui parler en castillan.

Lautaro planta ses yeux dans les siens, avec un mépris infini.

« Tu ne me reconnais pas, Felipe ? Je suis le Taita », insista le captif.

Lautaro lui cracha au visage. Il avait attendu ce moment pendant vingt-deux ans.

Sur un ordre du *ñidoltoqui* les Mapuche, excités, défilèrent devant Pedro de Valdivia avec des coquilles de palourdes effilées, coupant des bouchées de son corps. Ils firent un feu et avec les mêmes coquilles ils lui arrachèrent les muscles des bras et des jambes, les rôtirent et les mangèrent devant lui. Cette orgie macabre dura trois nuits et deux jours, sans que la Mort vînt au secours du malheureux captif. Enfin, à l'aube du troisième jour, voyant que Valdivia se mourait, Lautaro lui versa de l'or fondu dans la bouche, afin qu'il se repaisse du métal qu'il aimait tant et qui causait tant de souffrances aux Indiens dans les mines.

Ah, quelle douleur, quelle douleur ! Ces souvenirs sont un coup de lance ici, au milieu de la poitrine. Quelle heure est-il, ma fille ? Pourquoi n'y a-t-il plus de lumière ? Les heures ont reculé, de nouveau ce doit être l'aube. Je crois que ce sera éternellement le lever du jour...

Jamais on ne retrouva les restes de Pedro de Valdivia. On dit que les Mapuche dévorèrent son corps lors d'un rite improvisé, qu'ils firent des flûtes avec ses os et que son crâne sert encore aujourd'hui de récipient pour le *muday* des toquis. Tu me demandes, ma fille, pourquoi je m'accroche à la terrible version de la servante de Cecilia, au lieu de l'autre, plus miséricordieuse, selon laquelle Valdivia fut exécuté d'un coup de gourdin sur la tête, comme l'écrivit le poète et comme c'était la coutume chez les Indiens du sud. Je vais te le dire. Pendant ces trois jours fatidiques de décembre 1553, j'ai été très malade. C'était comme si mon âme savait ce que mon esprit ignorait encore. Des images horribles passaient devant mes yeux, comme dans un cauchemar dont je ne parvenais pas à me réveiller. Il me semblait voir dans ma maison les paniers pleins de mains et de nez amputés, dans ma cour les Indiens enchaînés et ceux qui furent empalés ; l'air avait l'odeur de la chair humaine roussie et la brise de la nuit m'apportait des claquements de fouet. Cette conquête a coûté d'immenses souffrances... Personne ne peut pardonner tant de cruauté, surtout les Mapuche, qui n'oublient jamais les offenses, de même qu'ils n'oublient pas les bienfaits reçus. Les souvenirs me tourmentaient, j'étais comme possédée par un démon. Tu sais, Isabel, qu'en dehors des quelques soubresauts de mon cœur, j'ai toujours été en bonne santé, grâce à Dieu, c'est pourquoi je n'ai pas d'autre explication pour la maladie qui m'a affligée toutes ces journées. Pendant que Pedro subissait son horrible fin, à distance mon âme l'accompagnait et pleurait sur lui et sur toutes les victimes de ces années. Je tombai prostrée, avec des vomissements si intenses et une fièvre si ardente qu'on craignit pour ma vie. Dans mon délire j'entendais clairement les hurlements de Pedro de Valdivia et sa voix qui me disait adieu pour la dernière fois : « Adieu, Inés de mon âme... »

Remerciements

Mes amis Josefina Rossetti, Vittorio Cintolesi, Rolando Hamilton et Diana Huidobro m'ont aidée dans mes recherches sur l'époque de la Conquête au Chili, et en particulier sur Inés Suárez. Malú Sierra a revu ce qui concerne les Mapuche. Juan Allende, Jorge Manzanilla et Gloria Gutiérrez ont corrigé le manuscrit. William Gordon m'a protégée et nourrie pendant les mois silencieux d'écriture. Je remercie les rares historiens qui ont signalé l'importance d'Inés Suárez ; leurs ouvrages m'ont permis d'écrire ce roman.

NOTES BIBLIOGRAPHIQUES

Les recherches pour ce roman m'ont pris quatre années d'avides lectures. Je n'ai pas tenu le compte des livres d'histoire, des œuvres de fiction et des articles que j'ai lus pour m'imprégner de cette époque et des personnages, car l'idée d'ajouter une bibliographie n'est apparue qu'à la fin. Après avoir lu le manuscrit, Gloria Gutiérrez, mon agent, m'a fait remarquer que sans quelques références bibliographiques ce récit apparaîtrait comme le fruit d'une imagination pathologique (dont j'ai souvent été accusée) : de nombreux épisodes de la vie d'Inés Suárez et de la conquête du Chili lui paraissaient incroyables et je devais lui démontrer que c'étaient des faits historiques. Je donne donc ici les titres de quelques-uns des livres que j'ai utilisés et qui se trouvent encore empilés dans la bicoque où j'écris, au fond de mon jardin.

Lorsque j'ai abordé l'histoire générale du Chili, j'ai eu la chance de disposer de deux ouvrages classiques : les « Chroniques du royaume du Chili » de Pedro Mariño de Lovera (*Crónicas del reino de Chile*, El Ferrocarril, 1865), et la fondamentale « Histoire générale du Chili » de Diego Barros Arana (*Historia general de Chile*, 1884), dont le premier volume relate les épisodes de la conquête. Plus récente est la *Historia general de Chile*, d'Alfredo Jocelyn-Holt Letelier (Planeta, Santiago du Chili, 2000).

Parmi les ouvrages que j'ai lus sur la conquête, je retiendrai : *Estudio sobre la conquista de América*, de Nestor Meza (Universitaria, Santiago du Chili, 1992) ; *La era colonial* (Nacimiento, Santiago du Chili, 1974), de Benjamín Vicuña Mackenna, un nom très lié à l'histoire et à l'historiographie chiliennes ; *El imperio hispánico de América*, de C.H. Harina (Peuser, Buenos Aires, 1958).

Sur le fond historique espagnol, parmi d'autres ouvrages, j'ai consulté les histoires de l'Espagne de Miguel Angel Artola (Alianza Editorial, Madrid, 1988, vol. 3) et de Fernando García de Cortázar (Planeta, Barcelona, 2002).

En ce qui concerne les conquérants, les titres de ma bibliographie sont : *Conquistadores españoles del siglo XVI*, de Ricardo Majó Framis (Aguilar, Madrid, 1963) ; *Los últimos conquistadores* (2001) et *Diego de Almagro*, de Gerardo Larraín Valdés (3ᵉ édition, 2001) ; *Pedro de Valdivia, capitán conquistado*, de Santiago del Campo (Instituto de Cultura Hispánica, Madrid, 1961).

L'univers mapuche compte une bibliographie importante, parmi ces ouvrages j'ai choisi le classique *Los Araucanos*, d'Edmond Reuel Smith (Universitaria, Santiago, 1914), et les plus modernes *Mapuche, gente de la Tierra*, de Malú Sierra (Sudamericana, Buenos Aires, 2000) ; *Historia de los antiguos mapuche del sur*, de José Bengoa (Catalonia, Barcelona, 2003) et, dans un domaine plus spécialisé, *Folklore médico chileno*, d'Oreste Plath (Nacimiento, Santiago, 1981).

Parmi mes lectures ne pouvaient manquer deux excellents romans historiques : *Butamalón*, d'Eduardo Labarca (Anaya-Mario Muchnik, Madrid, 1994), et *Ay, mamá Inés*, de Jorge Guzmán (Andrés Bello, Santiago du Chili, 1993), le seul roman que je connaisse sur ma protagoniste.

Enfin, une mention spéciale pour deux ouvrages de l'époque où se déroule mon roman : *La Araucana* (1578), d'Alonso de Ercilla, dont il existe de nombreuses éditions (j'ai utilisé celle de Santillana), en particulier celle, très belle, de 1842, dont ont été tirées les illustrations de ce livre ; et les *Cartas* (« Lettres ») de Pedro de Valdivia : parmi leurs éditions, deux sont vraiment remarquables : l'espagnole de Lumen y la Junta de Extremadura (1991), sous la direction du Chilien Miguel Rojas Mix, et la chilienne de 1998, de la compagnie minière Doña Inés de Collahuasi.

TABLE

MAR. 2008